U0395998

高校组织员工作手册

——从小白到能手

主编　麦均洪　　　执行主编　陈占炬

·广州·

图书在版编目(CIP)数据

高校组织员工作手册：从小白到能手 / 麦均洪主编；陈占炬执行主编. 广州：华南理工大学出版社，2024. 10（2024. 12重印）. -- ISBN 978-7-5623-7838-9

Ⅰ. G649.2-62

中国国家版本馆CIP数据核字第20248TN091号

Gaoxiao Zuzhiyuan Gongzuo Shouce——Cong Xiaobai Dao Nengshou

高校组织员工作手册——从小白到能手

麦均洪　主编

陈占炬　执行主编

出 版 人：房俊东

出版发行：华南理工大学出版社

（广州五山华南理工大学17号楼，邮编510640）

http://hg.cb.scut.edu.cn　E-mail:scutc13@scut.edu.cn

营销部电话：020-87113487　87111048（传真）

责任编辑：黄华超

责任校对：梁晓艾　梁樱雯

印 刷 者：广州一龙印刷有限公司

开　　本：787mm × 1092mm　1/16　**印张：**17.75　**字数：**298千

版　　次：2024年10月第1版　**印次：**2024年12月第4次印刷

定　　价：78.00元

序

我党最早出现“组织员”这一表述，是在1945年召开的党的七大上。新中国成立后，组织员制度逐步健全，在基层党组织建设中发挥了重要作用。进入新时代，以习近平同志为核心的党中央高度重视高校党建与思想政治工作，多次强调高校院系要配备组织员。2021年4月修订的《中国共产党普通高等学校基层组织工作条例》，首次以党内法规的形式明确“每个院（系）至少配备1至2名专职组织员”。

华南理工大学是“全国党建工作示范高校”培育创建单位。学校党委历来高度重视组织员队伍建设，早在2010年便开始在各学院设置1名专职组织人事秘书（2014年更名为组织员）。学校党委坚持把组织员作为干部队伍的重要组成、强基固本的重要抓手、创新创优的重要力量，制定修订《组织员管理办法》，强化顶层设计；举办“党建工作坊”，提升能力本领；建立组织员工作室，鼓励探索创新；选拔任用政治过硬、工作扎实、乐于奉献的优秀组织员，弘扬实干担当精神，着力锻造一支讲政治、重公道、业务精、作风好的组织员队伍，不断为基层党建工作质效提升提供坚强保证。

习近平总书记2018年在全国教育大会上强调："要发挥基层党组织作用，使基层党组织成为师生最贴心、最信赖的组织依靠，成为学校教书育人的坚强战斗堡垒，把教师和学生党员的先锋模范作用发挥好，把广大教职员工和学生最广泛地凝聚团结起来。"组织员作为基层党建的重要力量，使命光荣、责任重大，要努力当好"四手"：一是党务工作的行家里手，熟悉掌握方针政策、规章制度、流程规范等，做到了如指掌、驾轻就熟；二是党委领导的参谋助手，积极配合党委负责同志统筹抓总、组织落实，做到身在兵位、胸为帅谋；三是党建创新的有力推手，善于结合学院、学科、师生实际创新思路举措、提高工作成效，做到心中有数、手中有法；四是凝聚人心的协调能手，以敬业、专业、乐业的担当作为，服务和团结党员干部、师生群众，做到以身作则、甘为人梯。

为了帮助组织员进一步理清思路、强化内功、做好工作，我们通过基层党建创新组织员工作室这个平台，组织一批经验比较丰富的组织员同志，编写了《高校组织员工作手册——从小白到能手》一书。本书图文并茂、生动活泼，力求"把有意义的事做得有意思"，以一个组织员"华小组"的视角，通过起步、进阶、攀登三个篇章，展现组织员的工作、体现组织员的成长。起步篇是"十八般武艺，样样精通"，梳理了组织员应知应会的十八项日常工作；进阶篇是"八仙过海，各显神通"，通过问答形式着力破解组织员工作八个方面的“疑难杂症”；攀登篇是“四轮驱动，行稳致远”，汇集了一系列党建工作经验材料和“双创”建设材料，以期为组织员创新创优提供借鉴和参考。

本书是集体智慧的结晶。麦均洪提出了全书的构想和框架，主持审定书稿，做好统筹把关；陈占炬负责协调落实，组织编写工作；孙侠、魏争、巫剑伶、徐铭遥负责全书统稿，做了大量工作；刘远、孙云飞、吴夏曦、王小红、简智聪、郑美洁、郭瑞玉、李旺、刘兵、王丽间、陈优芳、陈逸新、沙柯宇、刘聪、陈莹等参与了书稿编写与修改；庄严、赵楷、吴耀华、马莹莹、李彬彬、吴红慧、苏秋斌、王汝干、何丽云、李飞等对书稿的完善提供了积极的帮助。

本书在编写过程中，参阅了有关部门的政策性文件和有关专家学者的文献成果，在此向他们表示深深的谢意！因时间紧，加之水平有限，本书可能存在一些疏漏与不当之处，诚恳期待读者特别是党务工作同仁不吝赐教、批评指正。

2024年10月于广州

目 录

1

起步篇 | 十八般武艺，样样精通

• 发展党员

党员教育管理

● 党支部建设

党委工作

进阶篇 八仙过海，各显神通

3

攀登篇 四轮驱动，行稳致远

1

起步篇

十八般武艺，样样精通

我叫华小组

这是我来到组织员岗位的第一个星期

几天前，我对新工作信心满满，感觉“分分钟拿捏”

现在，我已汗流浃背

难！难！难！组织工作怎么这么难！

发展党员五大阶段，步骤怎么这么多？

这都9月了，怎么毕业生党员组织关系还没转接完毕？

要给党支部做培训了，我要怎么讲清楚标准化规范化建设？

发展党员、党员教育管理、党支部建设、党委工作

……

面对责任重大的任务

我这个组织员“萌新”开始瑟瑟发抖

谁能赐予我一份“生存攻略”，让我快速掌握“十八般武艺”，通关新手村？

或许，起步篇可以帮到我？

那么，就让我来看看组织员工作有哪些“应知应会”吧！

发展党员

组织员是高校发展党员工作的一支重要力量，其主要职责和任务：

一是认真贯彻执行发展党员工作计划。在党委领导下，按照发展党员工作的指导思想和方针，从本单位的实际情况出发，协助党委论证并提出切实可行的发展党员工作计划。在执行发展党员工作计划中，加强检查指导，发现问题及时向党委汇报并提出解决意见。

二是指导基层党组织不断壮大入党积极分子队伍，加强对入党积极分子的培养教育，奠定发展党员工作的基础。

三是做好预备党员的教育、考察和转正工作，切实把住党员队伍的“入口关”。

四是检查发展党员工作质量情况，协助查处发展党员工作中违反党章和有关规定的问题，总结推广发展党员工作的经验，组织检查和帮助基层党组织严格履行入党手续。

这里总结了高校发展党员的口诀、密码和建议时间安排，供组织员参考。

发展党员的“一五三二”口诀

数字口诀	具体内容	说明
一	政治标准	坚持把政治标准放在首位
五	发展党员的五个阶段	发展党员工作包括五个阶段25个步骤 五个阶段分别是：申请入党、入党积极分子的确定和培养教育、发展对象的确定和考察、预备党员的接收、预备党员的教育考察和转正
三	三次投票表决	在团内推优、接收预备党员和预备党员转正三个环节进行无记名投票表决
二	两个质量	发展党员质量和党员材料质量
	两个身份变化	被党组织接收为预备党员和正式成为中国共产党的一员后，每位党员应该严格按照党员标准要求自己，履行党员义务，发挥党员的先锋模范作用

发展党员的“18-1-6-1-3-3-1-3”密码

数字	单位	说明
18	岁	递交入党申请书需年满18岁
1	月	党组织收到入党申请书后，在一个月内派人同入党申请人谈话
6	月	党支部每半年对入党积极分子进行一次考察
1	年	入党积极分子经过一年以上的培养教育和考察，可列为发展对象
3	月	发展对象未来3个月内将离开工作、学习单位的，一般不办理接收预备党员的手续
3	月	党委对党支部上报的接收预备党员的决议，应当在3个月内审批（特殊情况不超过6个月）
1	年	预备党员的预备期为一年（预备党员教育、考察满一年，党支部可召开支部大会讨论转正事宜，不能提前开会）
3	月	党委对党支部上报的预备党员转正的决议，应当在3个月内审批

高校发展党员建议时间安排

月份	日期	工作任务
3月 9月	3月上旬 9月上旬	通过团内推优等方式确定入党积极分子 （大一、研一第一学期可适当延后）
	3月中旬 9月中旬	考察入党积极分子、确定发展对象 （入党积极分子考察满一年以上）
4月 10月	4月 10月	对发展对象进行不少于三天或24学时的集中培训
	4月底 10月底	• 院（系）党委对发展对象的条件、培养教育情况等进行审查，确定拟发展的预备党员名单，发放入党志愿书 • 对预备党员转正的，发放转正材料，通知支部准备转正相关工作
5月 11月	5月上旬 11月上旬	组织预审合格的发展对象填写入党志愿书等材料、召开讨论接收预备党员的支部大会
	转正 根据入党时间	填写转正材料、安排召开讨论预备党员转正的支部大会
	5月下旬 11月下旬	院（系）党委指派专人与发展对象进行谈话
6月 12月	6月 12月	报院（系）党委审批

注：表中提到的院（系）党委指有预备党员审批权限的基层党委。

一、初心起航，红心向党——入党申请人的接收

（一）申请入党的流程及要求

申请入党是发展党员工作中的第一个阶段，包含递交入党申请书和党组织派人谈话两个步骤。该阶段是发展党员的初始阶段，对确保党员队伍数量、结构和质量有着重要作用。

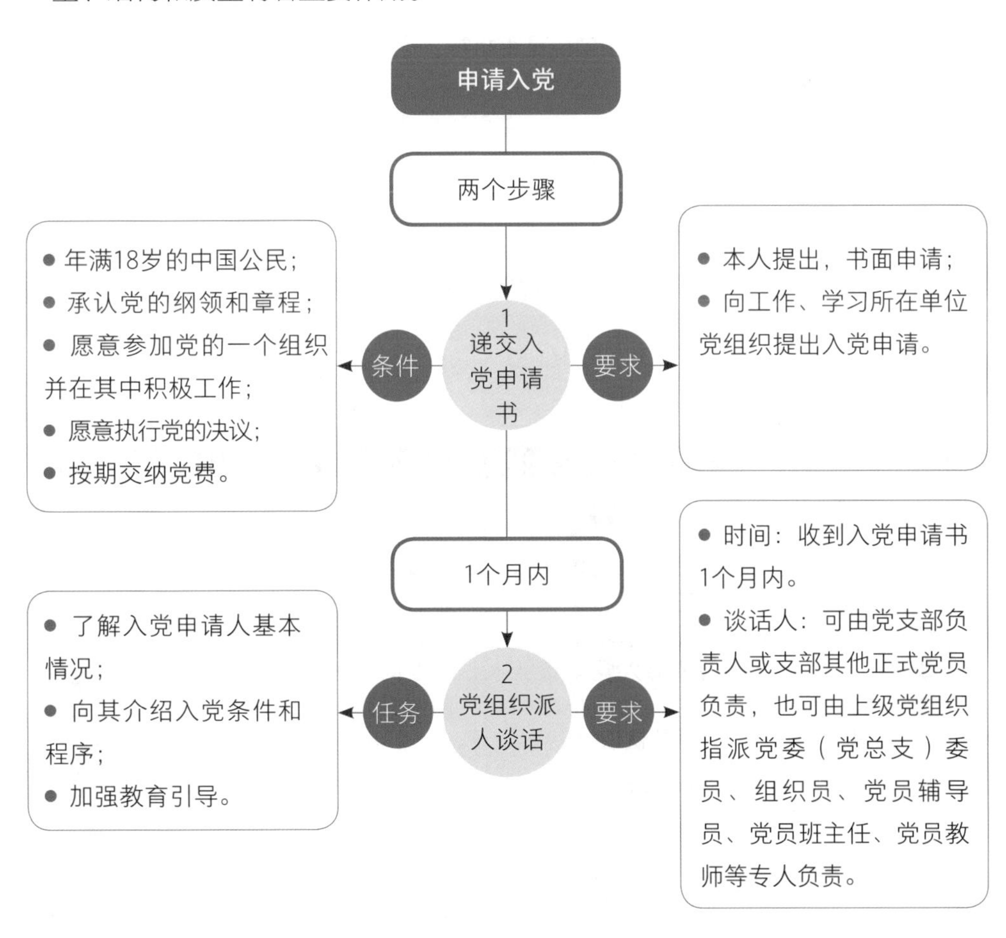

（二）入党申请书的审核要点

党组织收到入党申请书后，首先要对内容进行审核，审核时应注意以下几个方面：

01 入党申请人的年龄、国籍等是否符合申请入党条件。

02 入党动机是否端正、对党的认识是否深刻、成长经历是否清楚、对待入党态度是否正确。

03 入党申请书内容与当前实际是否相符，是否真实反映本人思想，是否存在抄袭。

04 入党申请书格式是否规范等。

（三）党支部派人谈话应包含的内容

党组织应当在收到入党申请书一个月内派人同入党申请人谈话，了解其基本情况，谈话一般包括以下内容：

谈话内容

1. 向入党申请人介绍党的基本知识和发展党员的基本流程，帮助入党申请人提高对党的认识。
2. 了解入党申请人的经历和家庭情况等基本信息，了解入党申请人的入党动机和对党的认识等。
3. 了解入党申请人是否有政治历史问题，以及其他需要向本人核实的情况等。
4. 对入党申请人追求进步给予肯定，并提出期望。

·常见问题解答

1 如何处理未满18岁申请入党和发展入党问题？

根据党章和《中国共产党发展党员工作细则》等党内有关规定，按照尊重历史、实事求是的原则，对未满18岁申请入党和发展入党的，要视具体情况具体分析。

如何处理未满18岁申请入党和发展入党问题

2014年5月《中国共产党发展党员工作细则》发布之后

- **未满18岁提出入党申请**：党组织应肯定其入党要求，鼓励他们追求政治上的进步，并做好解释工作，请他们**年满18岁后**再向党组织正式递交入党申请书
- **未满18岁发展入党**：报县级以上党委组织部门批准，不予承认，并视情况追究有关党组织及其负责人、直接责任人的责任

2014年5月《中国共产党发展党员工作细则》发布之前

- **未满18岁提出入党申请**：一般予以承认
- **未满18岁发展入党**：
  - 入党手续清楚，已经长期为党工作，具备党员条件的：可以承认其党员身份
  - 入党手续不清楚，但已经长期为党工作，确实具备党员条件的：可以承认其党员身份；但应向有关党组织和党员本人指出错误，进行批评教育
  - 不具备党员条件，现实表现不好的，不管入党手续是否清楚：均不承认其党员身份，并在支部大会上公布

以上处理均须报省级党委组织部门批准

对党的历史上特别是在新中国成立前和新中国成立初期

- **由于历史原因或特殊情况，未满18岁加入党组织的**：不能否认其党员身份，其入党时间的认定由省级党委组织部门负责

❷ 信仰宗教的人要求入党如何对待?

中国共产党党员是中国工人阶级的有共产主义觉悟的先锋战士，是唯物论者和无神论者。共产党员只能信仰共产主义，不得信仰宗教。因此，发展党员要把是否信仰宗教问题作为重要内容，认真考察。

对那些曾经信奉过宗教而要求入党的人，要严格把关，谨慎发展。凡属笃信宗教和有浓厚宗教感情的人，不能吸收他们入党。如果他们同宗教信仰彻底决裂，树立了辩证唯物主义和历史唯物主义世界观，经过组织考察，认为已经具备党员条件的，可以吸收入党。

要把信教同参加某些民族风俗活动区别开来。对于尊重或随顺民族风俗而参加有关活动如婚丧仪式和群众性节日活动的，不应视为信仰宗教或参加宗教活动。

二、加强学习，磨砺成长——入党积极分子的确定和培养教育

入党积极分子的确定和培养教育

四个步骤

3 推荐和确定入党积极分子

程序：
- **推荐**：采取党员推荐、群团组织推优等方式。
- **确定**：召开支部委员会会议集体讨论决定。

要求：
- **范围**：已递交入党申请书且党组织已经派人谈话的人员均应当纳入推荐范围。
- **注意**：综合运用推荐结果，防止简单以票取人。

4 上级党委备案

材料：

报审材料：
- 入党申请人基本情况；
- 党员推荐或群团组织推优等情况；
- 支部委员会意见等。

要求：
- 了解入党积极分子是否具备条件；
- 审查入党积极分子入党手续是否完备，入党材料是否齐全等。

5 指定培养联系人

职责：
- 向入党积极分子介绍党的基本知识；
- 了解入党积极分子有关情况，做好培养教育工作，引导其端正入党动机；
- 及时向党支部汇报入党积极分子有关情况；
- 向党支部提出能否将其列为发展对象的意见。

要求：
- **数量**：1—2名正式党员。
- **注意**：直系亲属及受留党察看处分、尚未恢复党员权利的党员和预备党员不能担任培养联系人。

6 培养教育考察

措施：
- **方法**：吸收入党积极分子听党课、参加党内有关活动、分配一定的社会工作、参加集中培训等。
- **目的**：使入党积极分子懂得党的性质、纲领、宗旨、组织原则、纪律、党员的义务和权利，帮助其端正入党动机，确立为共产主义奋斗终身的信念。

要求：
- **要求**：党支部每半年要对入党积极分子进行1次考察；基层党委每年要对入党积极分子队伍状况作1次分析。
- **注意**：入党积极分子工作、学习单位（居住地）发生变动，应及时报告原单位（居住地）党组织；原单位（居住地）党组织应及时转交入党材料；接收单位党组织应认真审查入党材料，做好接续培养，培养教育时间可连续计算。

经过1年以上培养教育和考察

（一）入党积极分子确定和培养教育的流程及要求

入党积极分子的确定和培养教育是发展党员工作中的第二个阶段，包含推荐和确定入党积极分子、上级党委备案、指定培养联系人、对入党积极分子进行培养教育考察四个步骤。只有建设一支数量较多、素质较高、结构合理的入党积极分子队伍，党组织在讨论接收新党员时，才能有比较大的选择余地，才能切实保证发展党员质量。

（二）入党积极分子的推荐和确定

1 党支部确定入党积极分子的程序

01 通过党员推荐、群团组织推优等方式，从入党申请人中推荐入党积极分子人选。

02 党支部及时汇总和公布推荐结果，认真听取各有关方面意见建议，自觉接受全体党员群众监督。

03 支部委员会会议（不设支部委员会的由支部大会，下同）充分讨论，研究决定入党积极分子人选。

04 党支部将入党积极分子人选等有关情况报院（系）党委备案。

2 党员推荐入党积极分子时应注意的事项

01 明确“谁能推荐”和“推荐谁”的范围。支部全体党员参加推荐，预备党员也可参加推荐。

02 采取多种方式进行推荐。党支部可通过会议推荐、个别谈话推荐、党员联名推荐等方式，组织党员开展推荐。

03 注重结果运用。党支部在研究决定入党积极分子人选时，应正确分析运用推荐结果，既看推荐情况，更看入党申请人的现实表现，不能简单以票取人。

04 严明工作纪律。党支部要加强对党员的组织纪律教育，并组织做好人选推荐工作，防止在推荐过程中产生拉票、投人情票等违纪行为和不正之风。

③ 团组织推荐入党积极分子时应注意的事项

01 明确推荐对象。28周岁以下青年入党，一般应从团员中发展；发展团员入党一般应经过团组织推荐。推荐对象应有1年以上的团龄。“推优”的比例一般不超过团支部团员人数的20%。

02 严格推荐程序。团组织对党组织提供的入党申请人作进一步了解后，采取民主评议或票决等方式，从符合条件的人员中，推荐提出入党积极分子人选报上一级团组织备案后提供给党组织，每次推荐有效期为2年。

03 加强协调配合。团组织推荐入党积极分子人选工作要在党组织统一领导下进行，党组织要支持、帮助和指导团组织做好推荐工作。团组织要严格按程序做好推荐，避免出现违纪违规问题。

（三）入党积极分子的培养教育考察

① 入党积极分子的培养教育方式

（1）指定1—2名正式党员做入党积极分子的培养联系人，对他们进行帮助。入党积极分子应经常向党组织和培养联系人汇报思想和工作学习情况，党组织和培养联系人根据思想汇报和考察情况，肯定他们取得的成绩和进步，指出其不足和努力方向。

（2）吸收入党积极分子参加党内一些有教育意义的组织活动，例如听党课、参加入党宣誓仪式、列席接收新党员的支部大会等。

（3）给入党积极分子分配一定的社会工作和任务，为他们提供锻炼的平台和机会，并通过检查任务完成情况进行考察，过程中要及时给予帮助和指导。

根据实际情况对入党积极分子进行集中培训，主要学习党章党规和党的基本理论、基本路线、基本方略等。

结合分党校年度教育计划，安排形式多样的入党积极分子教育培训。可采取上党课、做报告等讲授形式，也可用正面典型人物、典型事例来进行示范引领教育，还可采取交流讨论、启发觉悟的方式。此外，亦可组织观看有关党的历史的电影、戏剧、演出等教育活动。

② 对入党积极分子的考察

党组织要对入党积极分子的表现情况进行定期考察。对入党积极分子进行定期考察有助于检验其思想和行动是否统一。主要内容有：

01 考察政治立场。着重考察他们对党的理论和路线、方针、政策的态度，政治历史和在重大政治斗争中的表现。

02 考察思想觉悟。主要看他们入党动机是否端正，是否坚信共产主义，是否坚定中国特色社会主义理想信念，是否树立了全心全意为人民服务的思想，是否做到个人利益服从党和人民的利益，是否对党忠诚老实。

03 考察工作表现。

04 考察遵纪守法和遵守社会公德情况。

05 考察群众观念。

06 了解清楚他们本人的历史，直系亲属和与其本人关系密切的主要社会关系的政治情况。

党支部每半年对入党积极分子进行一次考察，如实记录考察结果，作为衡量入党积极分子是否具备党员条件的重要依据。

·常见问题解答

① 为什么党组织吸收28周岁以下的青年入党一般应是共青团员?

共青团是党领导的先进青年的群众组织，是广大青年在实践中学习中国特色社会主义和共产主义的学校，是党的助手和后备军。一个青年政治上积极要求上进，应首先加入共青团组织。28周岁以下的青年入党，一般应从团员中发展，发展团员入党一般应经过团组织推荐。长期以来，发展党员工作始终强调了这一要求，共青团员已经成为党组织发展青年党员的主要来源。

❷ 如何做好入党积极分子接续培养教育工作?

入党积极分子工作、学习所在单位（居住地）发生变动的，原单位（居住地）党组织和现单位（居住地）党组织要做好衔接，确保对入党积极分子的培养教育和考察不间断。对入党积极分子进行接续培养教育应注意以下几个方面：

01 加强沟通联系

原单位（居住地）党组织应主动对接现单位（居住地）党组织，及时转交申请入党材料，如实反映入党积极分子培养教育和考察情况，并配合做好有关培养教育和考察工作。

02 严格审查材料

现单位（居住地）党组织对转来的入党积极分子有关材料要进行认真审查，确保入党材料齐全、手续完备。对手续不完备、无法认定的，经与原单位（居住地）党组织沟通，报上级党委同意，不予承认其入党积极分子身份。对手续完备但材料不齐的，应及时联系原单位（居住地）党组织，了解相关情况，并请他们及时补齐所缺材料。

03 做好工作衔接

对新转入的入党积极分子，现单位（居住地）党组织要及时指定培养联系人，并与本单位（居住地）党组织的其他入党积极分子一样，通过吸收他们听党课、参加党内有关活动、分配社会工作和任务、集中培训等方式，继续加强对他们的培养教育和考察。培养教育时间连续计算。任何党组织都不得以任何借口拒绝接收、接续培养新转来的入党积极分子。

对于毕业生中的入党积极分子，学校党组织应及时将他们的入党材料整理归档，确保完整，并在入党积极分子毕业离校前进行专门的组织纪律、党性观念教育，要求他们及时将入党材料转交接收单位（居住地）党组织。

对于已落实工作单位且工作单位已建立党组织的，接收单位党组织应按要求做好接收和接续培养教育考察等相关工作。

对于未落实工作单位或工作单位未建立党组织的，毕业生入党积极分子应将入党材料转交本人或父母居住地的街道、乡镇党组织，也可转交县以上政府所属公共就业和人才服务机构党组织。

③ 如何做好出国（境）学习和工作的入党积极分子培养教育？

对于出国（境）学习和工作的入党积极分子，党组织要通过适当方式，按照有关规定，严把政治关，做好他们出国（境）期间的培养教育工作。对出国（境）入党积极分子的培养教育工作应注意以下几个方面：

出国（境）前

所在党组织要对入党积极分子加强组织纪律、党性观念教育，要求他们出国（境）前主动报告有关情况，出国（境）后以适当方式主动与党组织保持联系，汇报思想、学习和工作等有关情况。

出国（境）期间

入党积极分子要与国内党组织保持联系，如实汇报在外期间的思想、学习和工作，以及是否加入外国国籍或取得外国长期居住权等情况。国内党组织要主动关心他们，通过一定方式对他们进行党的基本知识、国内形势政策等教育，继续做好培养教育工作。

回国后

入党积极分子要及时以书面形式，向党组织报告本人在国（境）外期间的思想、学习和工作等有关情况。党组织要通过多种方式进行调查了解，对认定其在国（境）外期间无损害党和国家利益行为、在我驻外使领馆无不良行为记录、未加入外国国籍或取得外国长期居住权的，报上级党委同意后，接续做好培养教育工作。之前国内的培养教育时间可以连续计算。

④ 为什么入党积极分子要经过一年以上的培养教育，才能列为发展对象？

入党积极分子要经过一年以上的培养教育才能列为发展对象。这是根据多年来发展党员工作的经验和入党积极分子成熟的一般规律提出来的，是保证新党员质量的一项重要措施。

入党申请人被确定为入党积极分子后，党组织要对他们进行马克思列宁主义、毛泽东思想、邓小平理论、“三个代表”重要思想、科学发展观、习近平新时代中国特色社会主义思想和党的基本知识教育，使他们懂得党的性质、纲领、指导思想、宗旨、任务、组织原则和纪律，懂得党员的义务和权利；要帮助入党积极分子端正入党动机，树立为共产主义事业奋斗终身的信念；要通过多种方法和途径对入党积极分子进行认真的考察和审查。要做好这些工作，没有一定的时间是不行的。

当然，经过一年以上培养、教育、考察的入党积极分子，并不一定就具备了共产党员的条件，但一年以上培养、教育、考察，毕竟是促使入党积极分子成熟的必要条件。因此，发展党员一定要严格按照党章规定的党员标准，在经过一年以上培养、教育、考察的入党积极分子中选择发展对象。

三、锤炼党性，全面发展——发展对象的确定和考察

发展对象的确定和考察

五个步骤

7 确定发展对象

- 程序：
  - 条件：经过一年以上的培养教育和考察，基本具备党员条件。
  - 确定：支部委员会（不设支委的，由支部大会）讨论同意，确定发展对象人选。
- 要求：听取党小组、培养联系人、党员和群众意见。

8 报上级党委备案

- 任务：党委研究同意后，备案意见应当向支部反馈并公布。
- 要求：
  - 认真审查（上级党委应认真审查其入党手续是否完备、材料是否齐全等）；
  - 提出意见（提出是否具备党员条件、是否可以确定为发展对象的具体意见）。

9 确定入党介绍人

- 职责：
  - 方式：一般由培养联系人担任，也可由党组织指定。
  - 职责：入党介绍人要认真完成培养、教育任务。
- 要求：
  - 数量：2名正式党员。
  - 注意：直系亲属及受留党察看处分、尚未恢复党员权利的党员和预备党员不能担任入党介绍人。

10 进行政治审查

- 内容：
  - 内容：①对党的理论和路线、方针、政策的态度；②政治历史和在重大政治斗争中的表现；③遵纪守法和遵守社会公德情况；④直系亲属和与本人关系密切的主要社会关系的政治情况。
  - 方法：同本人谈话，查阅档案材料，向有关单位和人员了解情况以及必要的函调或外调。
- 要求：
  - 要求：政治审查必须严肃认真、实事求是，注重一贯表现。审查情况应形成结论性材料（如政治审查情况报告）。
  - 注意：未经政治审查或政治审查不合格的，不能发展入党。

11 开展集中培训

- 主体：基层党委
- 要求：
  - 时间：不少于三天或不少于24学时。
  - 注意：未经培训的，除个别特殊情况外，不能发展入党。

（一）发展对象的确定和考察流程及要求

发展对象的确定和考察是发展党员工作中的第三个阶段，包括确定发展对象、报上级党委备案、确定入党介绍人、进行政治审查、开展集中培训五个步骤。发展对象的确定和考察是发展党员工作的重要一环，对确保发展党员质量、把好党员队伍“入口关”起着至关重要的作用。

（二）确定发展对象的程序

党支部确定入党积极分子为发展对象，一般按照以下程序办理：

01 党小组对入党积极分子的表现情况进行讨论研究，向党支部提出能否列为发展对象的意见。

▼

02 党支部认真听取党小组、培养联系人、党员和群众的意见。

▼

03 党支部审阅入党积极分子档案材料。

▼

04 支部委员会综合征集到的意见，经过讨论研究，确定发展对象人选并公示，报请上级党委备案。

注：发展对象人选只有报上级党委备案同意后，方可列入发展对象。上级党委备案同意的时间即为确定发展对象的时间。

（三）确定入党介绍人

入党介绍人一般由培养联系人担任，也可由党组织指定，但不能由发展对象自己约请。党组织指定党员作入党介绍人的，要征得本人同意，不应硬性指派。入党介绍人的主要任务有：

01 向发展对象解释党的纲领、章程，说明党员的条件、义务和权利。

02 认真了解发展对象的入党动机、政治觉悟、道德品质、工作经历、现实表现等情况，如实向党组织汇报。

03 指导发展对象填写入党志愿书，并认真填写自己的意见。

04 向支部大会负责地介绍发展对象的情况。

05 发展对象被批准为预备党员后，继续对其进行教育帮助。

发展对象应当有两名正式党员作为入党介绍人。入党介绍人一般应由所在党支部的正式党员担任，一名正式党员一般不宜同时担任多名发展对象的入党介绍人。预备党员不能担任入党介绍人，党支部书记可以担任入党介绍人，党委负责同志可以担任入党介绍人。

（四）对发展对象的政治审查

1 政治审查的范围

（1）发展对象的“直系亲属”，一般指有直接血缘关系或婚姻关系的亲属，如父母、配偶、子女、自幼抚养其成长的养父母和由其抚养的养子女。

（2）发展对象的“主要社会关系”，通常是指在政治上或经济上与其联系密切、影响较大的旁系亲属和近姻亲，如伯叔姑舅姨和岳父母、公婆，还包括与发展对象关系密切的朋友、同事、同学、同乡等。

审查发展对象的直系亲属、主要社会关系，并不要求调查上述范围的每一个人。同本人没有或很少有联系、影响不大的非直系亲属，可不列入政治审查的范围。

2 政治审查结论性材料的内容

01 发展对象本人简历及直系亲属、主要社会关系情况。

02 政治审查中提出的问题。包括问题发生的时间、地点和主要情节以及组织上是否作过结论。

03 调查结果。写明经调查已清楚的问题，以及还没弄清的问题或疑点。

04 结论性意见。经过对调查情况的综合分析，提出是否影响发展对象入党的结论性意见。

除特殊情况外，政治审查结果在一年内有效。

·常见问题解答

❶ 确定发展对象之前，听取党员和群众意见的方式通常有哪几种？需要注意什么？

方式	注意事项
个别谈话 这种方式听取党员和群众的意见，被谈话人一般顾虑较少，容易听到真实的反映。如果谈话方式得当，能够听到在一些场合听不到的意见	（1）事先做好准备，先谈什么，后谈什么，哪些是谈话重点等都要做到心中有数； （2）谈话时，态度要热情，语气要和蔼，气氛要宽松，讲究谈话的方式和艺术，使谈话对象有话愿讲，真实地反映情况
座谈了解 这种方式简便易行，根据被听取意见人的情况，邀请熟悉情况的同志参加，引导与会人员各抒己见，充分发表意见。这种方法可在较短的时间内听取较多人的意见	（1）选好参加会议人员，既要照顾到面，更要多请些熟悉情况的同志； （2）会前要让与会人员知道主要想听取什么意见，以便做好准备； （3）会上一定要引导好，让与会人员把话题集中到主题上，防止话题分散
民意测验 这是一种充分发扬民主，依靠群众提供有关情况资料的调查方法。听取意见的对象可以随机确定，也可以选取有代表性的。操作起来简便，结果也比较直观	（1）测验的问题设定力求具体，不能含糊，避免似是而非； （2）最终汇总的结果要注意保密，不要扩散，以免引起不必要的矛盾

❷ 哪些情形属于政治审查不合格？

01 对马克思主义缺乏信仰，不具有共产主义觉悟，对中国特色社会主义缺乏信心，不能自觉践行社会主义核心价值观。

02 在政治、思想、行动上不能自觉与党中央保持一致，在重大政治斗争中立场不坚定、态度不坚决，不能旗帜鲜明地捍卫党和国家、人民利益，不能同一切错误思潮和倾向进行斗争。

03 不能严格遵守党的政治纪律和国家法律法规，涉嫌违法违纪正在被调查处理，或正在被侦查、起诉和审判。

04 群众观念淡薄，服务群众意识差，在生产、工作、学习和社会生活中不起带头作用，落后于普通群众。

05 道德品质败坏，生活作风不检点，有违反社会公德、职业道德、家庭美德行为。

06 对党不忠诚老实，对党组织回避和隐瞒重大政治历史问题和其他问题，在政治审查中弄虚作假或不接受、不配合党组织的政治审查。

07 直系亲属和主要社会关系中，有从事危害国家安全、参与邪教组织、严重违法违纪等行为，本人在政治上、思想上不能与其划清界限。

08 党组织认为发展对象政治审查不合格的其他情形。

③ 党组织在即将离开学习、工作岗位的人员中发展党员，应注意什么？

为切实保证发展党员的质量，发展对象未来3个月内将离开工作、学习单位的，一般不办理接收预备党员的手续。有关党组织应负责地将他们的入党申请书、培养教育和考察情况材料等，连同本人档案及时转给接收单位党组织。在原单位已经接受一年以上培养教育的入党积极分子，接收单位党组织经过全面考察，确认其已经具备党员条件的，可以发展入党。

④ 为什么规定发展党员要有两名正式党员作入党介绍人？

为了使党组织更好地了解发展对象的情况，加强培养、教育和考察，党章规定发展党员必须有两名正式党员作介绍人。由什么人作入党介绍人和介绍什么人入党，是十分严肃、慎重的事。预备党员要接受党组织的教育和考察，在党内没有表决权、选举权和被选举权，因此，不能作入党介绍人。规定要有两名正式党员作入党介绍人，一是为了使党组织对被介绍人的考察更加全面、客观，避免片面性，有利于保证新党员的质量；二是不致因一名介绍人的变动而影响党组织对被介绍人的考察，有利于工作的连续性。

四、信仰坚定，政治成熟——预备党员的接收

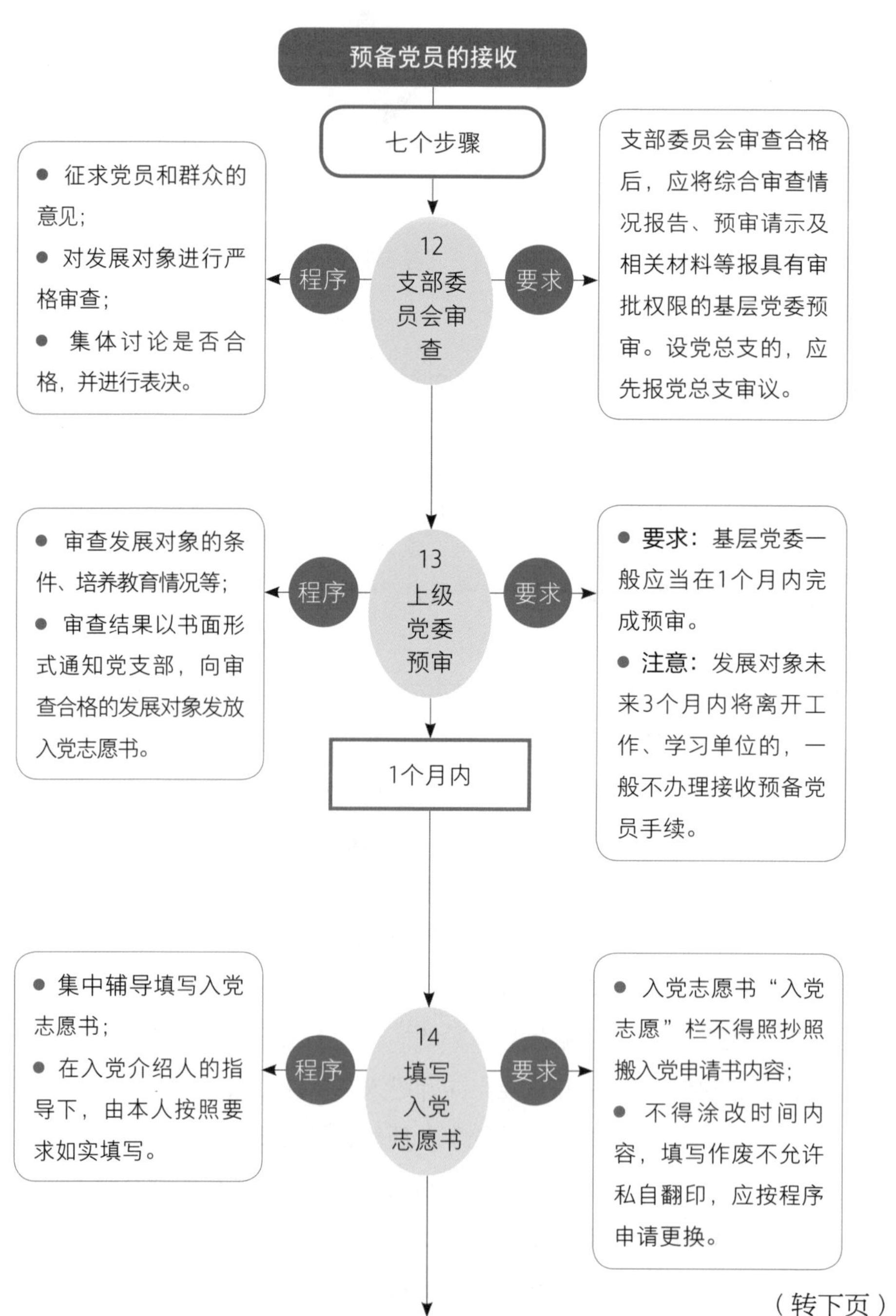

（转下页）

（接上页）

15 支部大会讨论

程序：

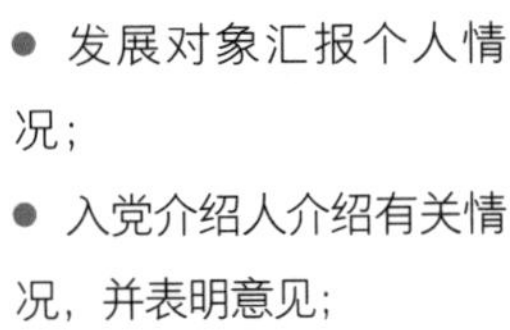

- 发展对象汇报个人情况；
- 入党介绍人介绍有关情况，并表明意见；
- 支部委员会报告审查情况；
- 与会党员充分讨论、投票表决，并作出决议。

要求：

- 有表决权的到会人数必须超过应到会有表决权的正式党员的半数，才能开会；赞成人数超过应到会有表决权的正式党员的半数，方可通过；
- 讨论2个及以上发展对象入党，应当逐个讨论和表决。

16 上级党委派人谈话

时间：党委委员或组织员应在支部大会讨论之后、党委审批之前与发展对象谈话。

要求：谈话人应将谈话情况和自己对发展对象能否入党的意见，如实填写在入党志愿书上，并向党委汇报。

17 上级党委审批

任务：会前严格审查是否具备党员条件、入党手续是否完备、入党材料是否齐全等。

要求：

- **时间：**党委应在3个月内完成审批，特殊情况不超过6个月。
- **要求：**应当召开党委会会议集体讨论和表决。其中，审批2个及以上的应逐个审议和表决。

18 再上一级党委组织部门备案

目的：

- 便于上级党委组织部门进一步掌握预备党员的结构、分布、质量等有关情况；
- 便于进一步把关重要时间节点等内容，发现问题，及时解决。

要求：备案报告要写清楚预备党员基本情况及递交入党申请书、确定为入党积极分子、确定为发展对象、接收为预备党员等重要时间节点及有关内容。

（一）预备党员的接收流程及要求

预备党员的接收是发展党员工作的第四个阶段，包含支部委员会审查、上级党委预审、填写入党志愿书、支部大会讨论、上级党委派人谈话、上级党委审批、再上一级党委组织部门备案七个步骤。预备党员是党员队伍的重要组成，加强党员队伍建设必须重视和加强预备党员队伍建设。

（二）支委会对发展对象的审查

在发展对象完成集中培训后，党支部委员会应当对发展对象进行严格审查，经集体讨论认为合格后，报具有审批权限的基层党委预审。

在报基层党委预审前，党支部委员会要做好以下几项工作：一是征求党员和群众对发展对象的意见，二是党支部负责同志或组织委员同发展对象进行谈话，三是召开支委会会议对发展对象有关问题进行严格审查，四是经支委会会议集体讨论并确认发展对象具备入党条件且手续完备。

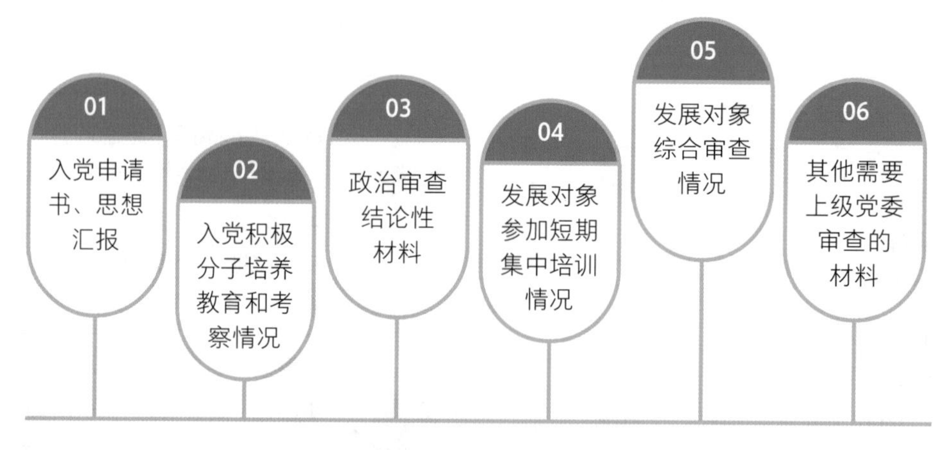

党支部将发展对象报基层党委预审的材料

（三）基层党委预审

基层党委对发展对象预审内容

01 入党材料是否齐全、内容是否清楚，要加强对材料的甄别，防止弄虚作假。

02 培养教育和考察时间是否在1年以上，措施是否扎实有效。

03 是否进行了政治审查，政治审查是否全面，是否存在影响其入党的问题没有查清等。

04 是否广泛听取党员和群众的意见，党员和群众是否有不良反映。

05 发展对象对党的认识是否正确，入党动机是否端正，政治信仰是否坚定，思想觉悟是否高，道德品质是否好。

06 发展对象在工作、学习、生活等方面的表现是否出色，先锋模范作用是否明显。

07 是否经过不少于三天或不少于24学时的短期集中培训，成绩是否合格。

基层党委在收到预审材料后，一般应当在1个月内完成预审。审查结果以书面形式通知党支部，向预审合格的发展对象发放入党志愿书，并及时将预审材料退回党支部。预审未合格的发展对象不能填写入党志愿书。

（四）召开接收预备党员的支部大会应注意的问题

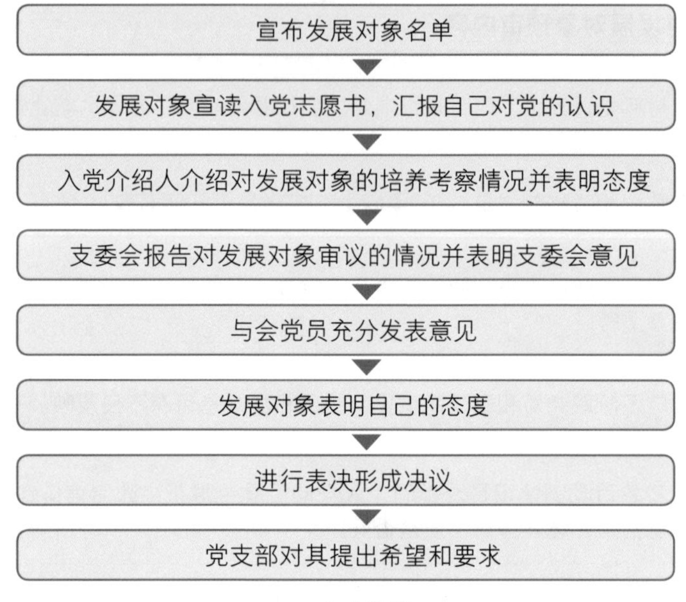

大会程序

党支部党员大会讨论接收预备党员要严格按照程序召开，同时，要注意以下问题：

会前：

- 党支部全体党员都应该参加。如果实到会有表决权党员数没有超过应到会有表决权党员人数的半数，应改期召开。
- 发展对象及其入党介绍人必须始终参加支部大会，发展对象因故不能参加支部大会，支部大会应改期召开。
- 如有特殊情况，入党介绍人中有一人不能出席支部大会，该入党介绍人应在会前向党支部作认真负责的介绍，并由一名支委会成员或由另一位入党介绍人在支部大会上代为宣读入党介绍人的意见。如果两位入党介绍人都因故不能出席支部大会，支部大会应改期召开。

讨论表决：

- 要充分发扬民主。开会时，与会党员应充分发表意见。讨论时，党员对发展对象提出的问题，应由支委会或入党介绍人或发展对象回答时，均应作答。
- 为便于广大党员充分表达自己的意见，提高新党员的质量，一律采用无记名投票的方式进行表决，赞成人数超过应到会有表决权党员的半数，才能通过接收预备党员的决议。因故不能出席会议的党员，会前正式向党支部提出书面意见的，应统计在有效票数内。如果持相反意见的人数较多，则不宜进行表决，支委会应进一步听取意见，摸清情况，在下次支部大会上再进行讨论、表决。如果赞成票刚好半数，则接收预备党员的大会决议应视为未通过。
- 在表决前和表决时，任何人不得以暗示、串联等方式授意他人赞成或不赞成。
- 支部大会讨论两个及以上发展对象入党的，必须逐个讨论和表决。
- 如果发展对象经支部大会表决，不能接收为预备党员的，由党支部保存其入党志愿书和有关资料，并认真做好其思想工作。

记录：

- 党支部要指定专人做好会议记录。要记录清楚大会的时间、地点、内容、主持人、记录人、党员总数、实到和缺席党员人数（写明缺席原因）、参加大会的预备党员和列席人名单、大会讨论情况、表决形式及结果。
- 支部大会决议，要写清楚支部大会对发展对象的基本评价、表决情况（包括支部党员数、到会党员数和其中有表决权的党员数，表决时赞成、反对和弃权的人数及表决结果）、党支部名称、通过决议的日期等，并根据要求把支部大会决议写入入党志愿书中相应栏目，由党支部书记签名，落款日期必须与召开支部大会的日期相一致。

（五）上级党委派人同发展对象谈话

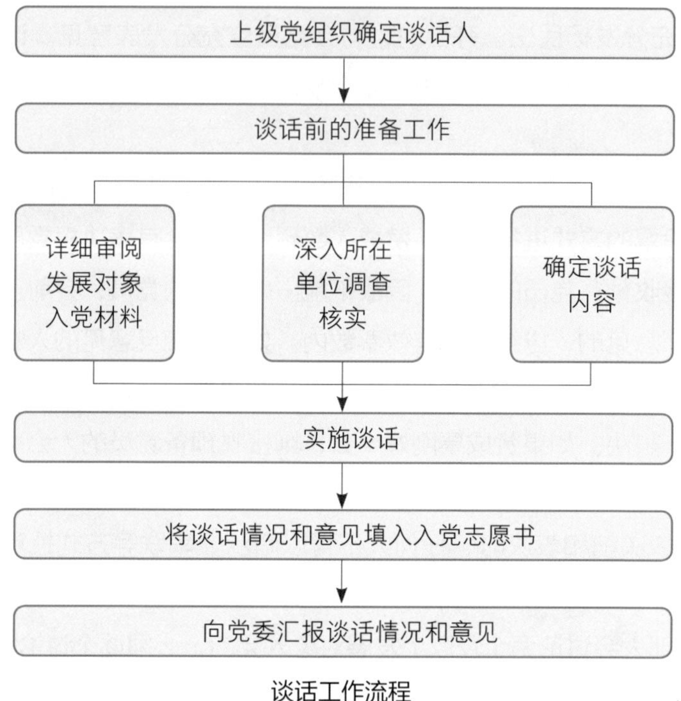

谈话工作流程

党委审批预备党员前，应指派党委委员或组织员同发展对象谈话，主要了解发展对象对党的认识、入党动机、掌握党的基本知识情况、在重大政治斗争中的表现情况、积极要求入党的情况、目前的主要优缺点、对党组织还有什么需要说明的问题等。

了解上述情况后，谈话人还要有针对性地对发展对象进行党的基本知识教育，帮助其端正入党动机。同时，针对发展对象存在的缺点和不足，谈话人要指出其今后努力的方向。

·常见问题解答

❶ 从列为发展对象到讨论接收预备党员需要多久?

《中国共产党发展党员工作细则》对从列为发展对象到讨论接收预备党员的时间没有作出具体规定。这是因为列为发展对象以后，党组织还要进行政治审查、短期集中培训、支部委员会审查、基层党委预审等工作，需要一定的时间。基层党委预审发展对象合格后，党支部一般应在一个月之内提交支部大会讨论接收预备党员事宜。

❷ 支部委员会向支部大会报告发展对象审查情况的主要内容有哪些?

（1）发展对象的基本情况和现实表现；

（2）发展对象的政治历史情况和在重大政治斗争中的表现，遵纪守法和遵守社会公德情况，其直系亲属和与本人关系密切的主要社会关系的政治情况；

（3）征求党员和群众意见的情况；

（4）上级党委对发展对象的预审情况；

（5）其他需要向支部大会说明的情况。

❸ 同发展对象谈话的方式及需要注意的问题有哪些?

同发展对象谈话，要讲究方式方法。

不管采取哪种谈话方式，谈话人都要注意，不要以审查人自居，气势逼人，造成紧张气氛，使发展对象由于精神紧张而不能准确表达自己的意见和认识，或因害怕不能如实反映自己的情况。如发展对象因紧张对所问问题确实谈不清楚或不愿谈，也不要勉强，可先把话题引开，待其情绪稳定后再谈。常见谈话方式如下：

谈心式

同发展对象谈话要坦诚相待，平等交谈，态度要热情，语气要和蔼，气氛要宽松。

启发式

当发展对象对某个问题答不上来时，或不愿回答时，要给予正确的启发和引导。当有些问题回答不对时，要及时给予纠正。

问答式

谈话人提出问题要求发展对象给予明确回答。采取这种方式时，谈话人最好先列好谈话提纲，先问什么，后问什么，哪些是重点，都应该做到心中有数，这样才能保证谈话的效果。

④ 党委指派专人与发展对象谈话时，党支部是否要派人参加？

一般情况下，党委指派党委委员或组织员与发展对象谈话时，党支部不必派人参加。从一定意义上讲，党委指派党委委员或组织员与发展对象谈话，既是代表上级党组织对发展对象作进一步考察，也是对党支部培养教育考察工作的一种检验，党支部不派人参加谈话更合适些。当然，经党委同意，党支部派人参加谈话，也可以使其直接了解谈话的情况，有利于有针对性地对发展对象进行培养教育。

五、先锋模范，引领前行——预备党员的教育考察和转正

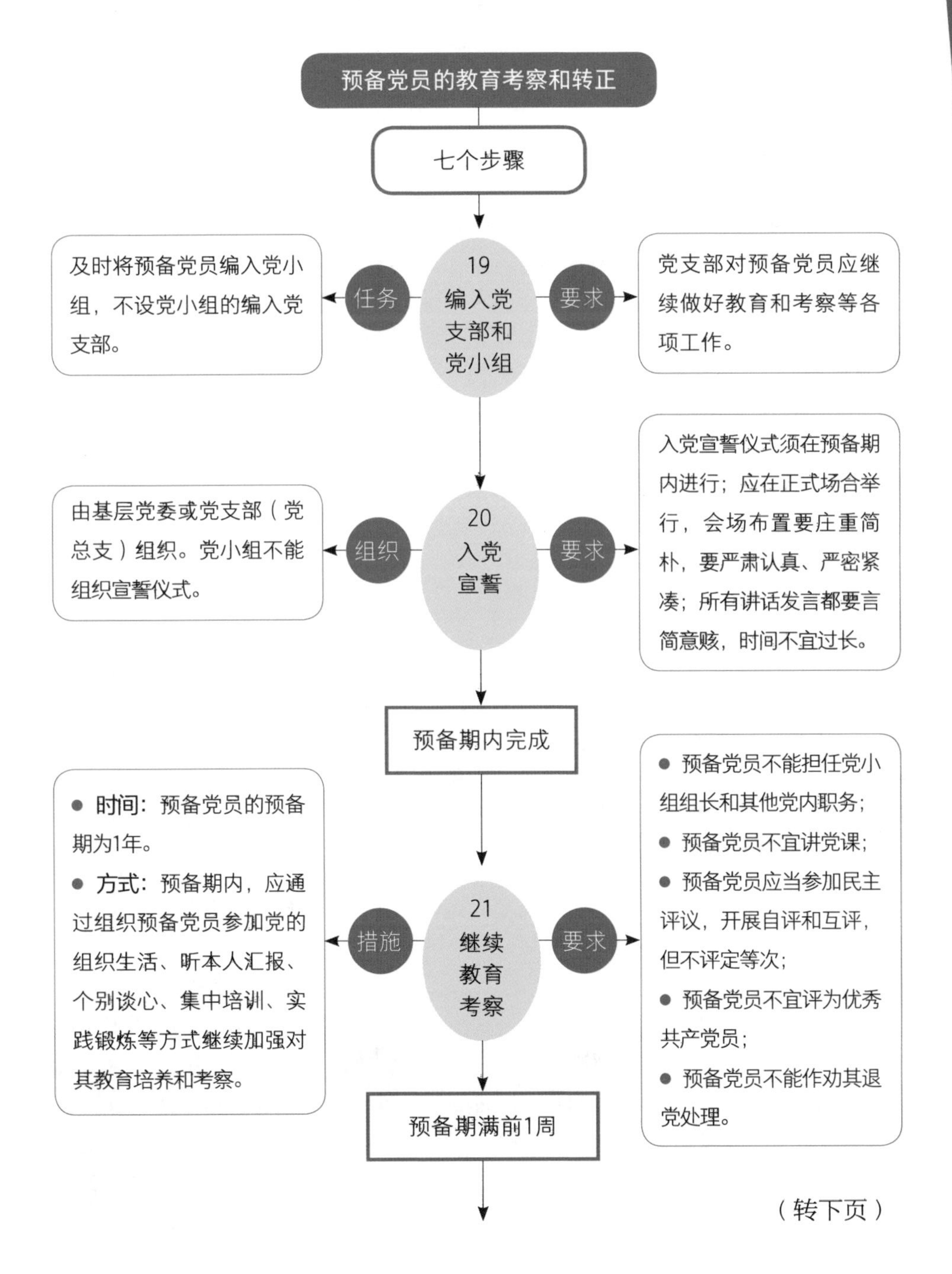

（转下页）

（接上页）

22 提出转正申请

- 时间：预备党员应当在预备期满前1周主动向党支部提出转正申请。
- 要求：本人应书面提出转正申请（亲自手写）。

23 支部大会讨论

- 程序：
  准备：党小组提出意见；党支部征求党员和群众的意见；支部委员会审查。
  大会：①预备党员汇报预备期间的表现；②党小组介绍其在预备期表现和小组意见；③支部委员会介绍其预备期间的教育和考察情况，提出能否按期转正的意见；④与会党员充分讨论、投票表决，并作出决议；⑤上报同意转正（或延长预备期半年或一年，或取消预备党员资格）的请示。
- 结果：
  - 认真履行党员义务、具备党员条件的，按期转为正式党员；
  - 若需要继续考察和教育的，可以延长1次预备期，延长时间不能少于半年，最长不超过1年；
  - 不履行党员义务、不具备党员条件的，取消预备党员资格。

24 上级党委审批

- 任务：
  - 会前严格审查是否具备党员条件、入党手续是否完备、入党材料是否齐全等；
  - 审批结果及时通知党支部，督促支部书记同本人谈话，并将审批结果在党员大会上宣布。
- 要求：
  时间：党委应当在3个月内完成审批。
  要求：应当召开党委会会议集体讨论和表决。其中，审批两个及以上的应逐个审议和表决。
  注意：党员党龄从预备期满转为正式党员之日算起。

25 材料归档

- 内容：
  - 入党申请书；
  - 转正申请书；
  - 入党志愿书；
  - 政治审查材料；
  - 入党积极分子和发展对象、预备党员培养教育考察鉴定等材料。
- 要求：
  - 建立党员档案（一人一档）；
  - 有人事档案的，存入本人人事档案；无人事档案的，党员档案由所在党委或县级党委组织部门保存；
  - 党员组织关系接转时，基层党委应认真审核档案材料并做好档案接转。

（一）预备党员的教育考察和转正流程及要求

预备党员的教育考察和转正是发展党员工作的第五个阶段，包含将预备党员编入党支部和党小组、组织预备党员进行入党宣誓、对预备党员继续教育考察、预备党员提出转正申请、支部大会讨论预备党员转正、上级党委审批、材料归档七个步骤。预备党员的教育考察和转正是发展党员工作的最后一个阶段，也是把好“入口关”的最后一环。

（二）入党宣誓的主要程序

入党宣誓仪式是对预备党员进行教育的必要环节，一定要庄重、严肃。流程如下：

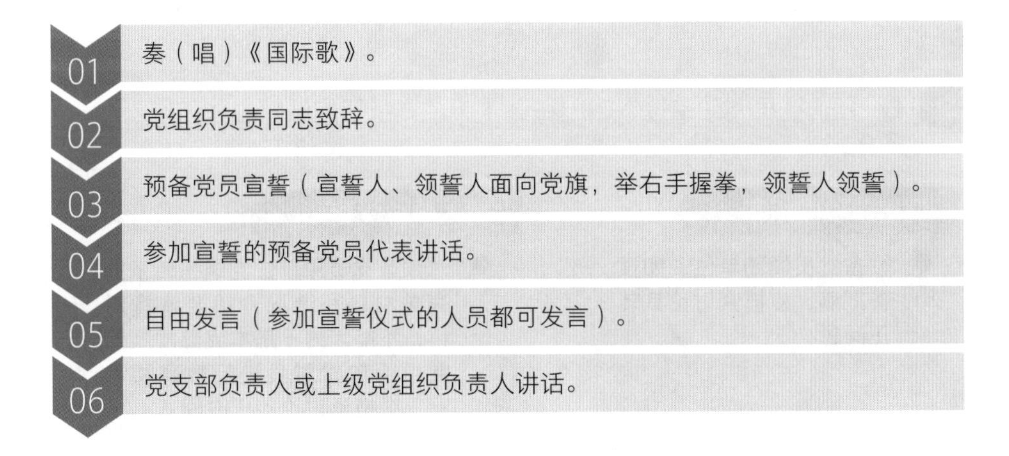

根据实际情况，对以上程序可作适当调整。注意宣誓时面向党旗，而不是党旗图案。

（三）支部召开党员大会讨论预备党员转正应注意的问题

讨论预备党员转正问题的支部党员大会必须严格按照程序召开，同时，要注意以下问题：

01 党支部一般应当在收到预备党员转正申请1个月内召开党员大会讨论其转正问题，遇特殊情况最长不超过3个月。党支部不得提前讨论预备党员转正问题。

02 讨论预备党员转正的支部党员大会，对到会人数、赞成人数等要求与讨论接收预备党员的支部党员大会相同。

03 预备党员预备期满，党支部应当及时讨论其能否转为正式党员。认真履行党员义务、具备党员条件的，应当按期转为正式党员；需要继续考察和教育的，可以延长1次预备期，延长时间不能少于半年，最长不超过1年；不履行党员义务、不具备党员条件的，应当取消其预备党员资格。

04 预备党员本人必须参加讨论其转正的支部大会。对因故或身体原因本人不能参加支部大会的，可延期讨论。

·常见问题解答

1 预备党员调动单位，调出和调入单位党组织应做好哪些工作？

调出单位党组织

- 预备党员调动单位，如预备期满，应抓紧讨论其转正问题。
- 如预备期满，因某些情况不能按时办理转正手续，应向预备党员调入单位党组织说明，并尽快办理转正手续。
- 如预备期未满，应把对预备党员的教育、考察的情况，认真负责地介绍给调入单位党组织，其转正问题，由调入单位的党组织讨论决定，并办理手续。

调入单位党组织

- 对预备党员原单位党组织转来的有关材料和情况介绍要认真对待，不能因为不是本支部发展的党员而放松对其进行教育和考察，或拖延讨论转正时间。
- 如果缺少有关材料，应主动与调出单位党组织联系。
- 基层党组织对转入的预备党员，在其预备期满时，如认为有必要，可推迟讨论其转正问题，推迟时间不超过6个月。转为正式党员的，其转正时间自预备期满之日算起。

❷ 预备党员的入党介绍人单位有了变动，是否需要重新确定联系人？

入党介绍人在被介绍人尚未转为正式党员前工作有了变动，如果党组织关系未离开同一党支部，可以继续担负对被介绍人教育和考察的责任，不必重新确定联系人。如果入党介绍人的党组织关系转出同一党支部、无法继续履行入党介绍人的责任时，党组织应重新指定联系人。

❸ 发现外单位转来的预备党员入党手续和入党材料有问题怎么办？

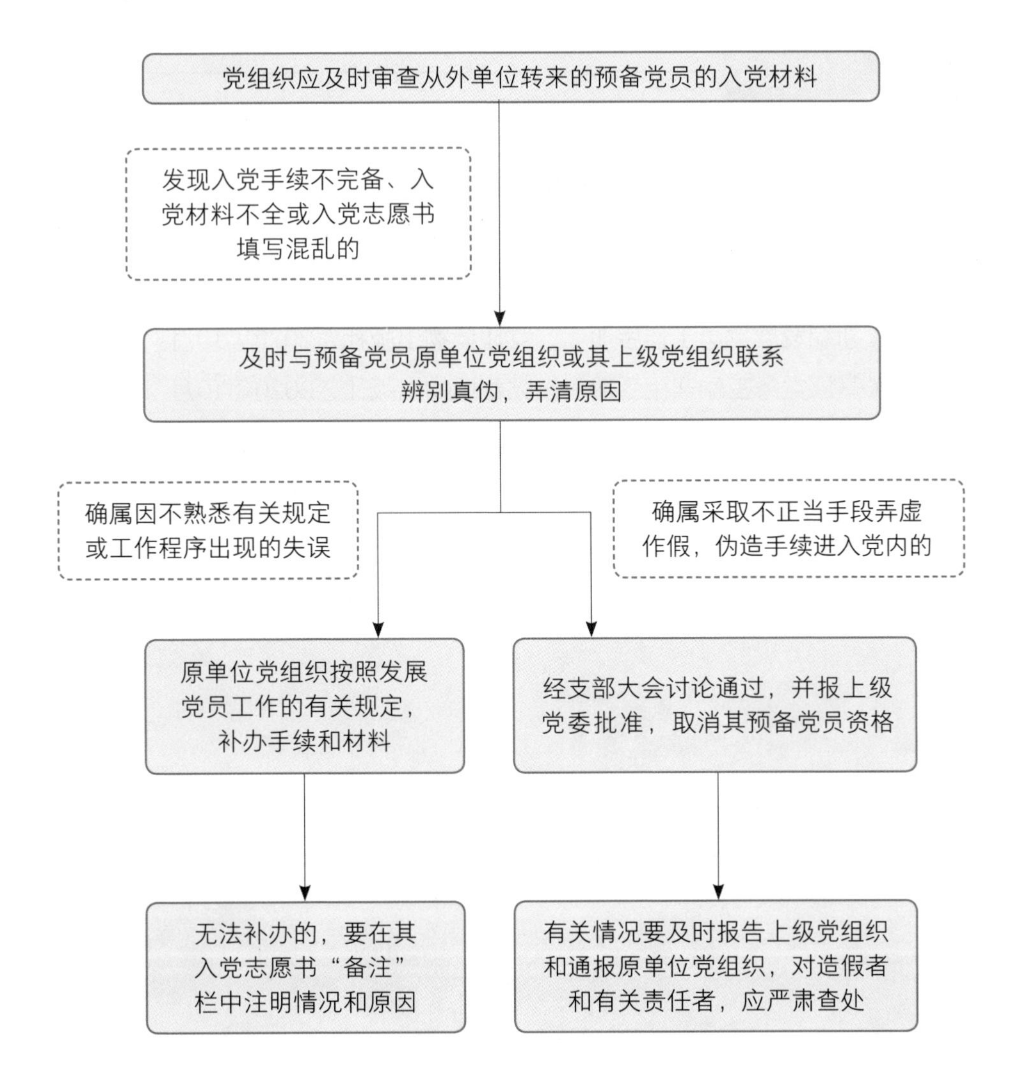

④ 出国（境）留学人员中的预备党员回国后怎样办理转正手续?

出国（境）留学人员中的预备党员，未加入外国国籍，在国外无法办理转正手续的，回国后本人书面向党组织提出恢复预备期的申请并汇报在国外期间的情况，自党员向党组织提出书面申请之日起，经过一年时间的考察，符合党员条件的，可以办理转正手续。恢复预备期的工作程序与恢复组织生活的程序相同。

1.《中国共产党章程》（2022年修改）

2.《中国共产党发展党员工作细则》（2014年印发）

3.《发展党员实用手册》，党建读物出版社，2024年2月

4.《新编发展党员工作手册》，党建读物出版社，2023年10月

5.《基层党务工作实用手册》，党建读物出版社，2020年10月

党员教育管理

六、做好党员教育培训“固基石”

党员教育培训是提高党员素质，加强党的建设的一项基础性、经常性工作。组织员在党员教育培训中，一方面要组织正式党员、预备党员、基层党支部书记参加学校每年的集中轮训；另一方面要结合工作和党员实际，就本单位每年的党员教育培训工作作出安排，确保党员教育培训常态化、规范化开展。每年至少组织1次基层党支部书记集中轮训，对新任基层党支部书记一般应在6个月内进行任职培训，预备党员在预备期内和转正后1年内一般要参加1次集中培训。

注：党员每年参加集中培训和集体学习时间一般不少于32学时；党支部书记和委员每年参加集中培训和集体学习时间不少于56学时，至少参加1次集中培训。

（一）明确培训内容

提高党员教育培训质量，很重要的一点是要解决好“教什么”的问题。只有坚持按需施教，把组织要求和党员需求统一起来，精准设置内容，党员教育培训才能抓实抓好。实际工作中，要着眼四个方面，确定党员教育培训的内容。

聚焦基本任务

突出政治功能，把学习贯彻习近平新时代中国特色社会主义思想作为首要政治任务，全面落实政治理论教育、政治教育和政治训练、党章党规党纪教育、党的宗旨教育、革命传统教育、形势政策教育、知识技能教育等7个方面基本任务，把党性教育和理想信念教育贯穿始终。

围绕中心工作

紧扣党和国家重大决策部署、重要会议活动、重要时间节点，围绕党的路线方针政策、世情国情党情、总体国家安全观，党史、新中国史、改革开放史，社会主义发展史、中华民族发展史，党的优良传统、中华优秀传统文化，社会主义核心价值观、爱国主义等进行系统教育培训。

突出高校特点

组织党员深入学习贯彻习近平总书记关于教育的重要论述。针对**教师党员**，重点围绕坚持马克思主义指导地位、落实立德树人根本任务、培养社会主义建设者和接班人开展教育培训；针对**学生党员**，重点围绕坚定理想信念、掌握强国本领、发挥先锋作用开展教育培训。

结合工作实际

针对**基层党组织书记**，重点围绕党的创新理论、基层党组织建设政策法规、党务工作实操、群众工作、基层治理等开展教育培训。针对**党政领导班子成员**，重点围绕服务中心、服务改革、服务基层、改进作风、提高思想政治素质、增强廉洁从政意识和履职尽责能力开展培训。

（二）丰富方式方法

党员教育培训工作要讲究方式方法，要在针对性和有效性上创新举措，才能事半功倍，取得实实在在的效果。具体可在以下三个方面下功夫：

拓展组织形式

在党员教育培训工作的规范性、针对性、系统性上下功夫，针对不同党员特点，分层次分类别开展专题培训、示范培训、重点培训、兜底培训，抓好理论学习中心组学习、“三会一课”、主题党日等集体学习，结合个人自学，确保每年党员教育培训全覆盖，组织形式有创新，培训效果有提升。

01

灵活教学方式

在增强教育培训的吸引力感染力上下功夫，充分运用当地红色基地资源和身边先进典型，探索运用研讨式、模拟式、观摩式、体验式等教学方法，开展案例培训、典型教育、警示教育。

03

善于运用信息化手段

在整合资源、强化服务上下功夫，综合考虑外出党员、老党员实际，用好“共产党员”“学习强国”等平台，坚持线上线下相结合，规定动作和自选动作相结合，促进党员教育培训提质增效。

七、做好党员党籍管理“明台账”

严格党籍管理是党员管理的基本内容。基层党组织应把每个党员都编入一个党支部，纳入党组织管理，确保每个党员都置于党组织的约束和监督下，教育指导党员正确行使党员权利，积极履行党员义务。组织员应及时跟进掌握党员的动态，坚持从严从实，指导基层党组织审慎做好停止党籍、恢复党籍等工作。

注：党籍不同于党龄。党籍是指党员资格，经党支部党员大会通过、基层党委审批接收的预备党员，自通过之日起即取得党籍。党龄表示党员在党内生活和工作的实际经历，从预备期满转为正式党员之日算起。

（一）停止党籍的常见情形

高校常见的停止党籍情形主要有以下三类：

01 因私出国（境）长期定居的党员，一般予以停止党籍。党员在出国（境）前由本人向所在党支部提出书面申请，经所在党支部初审并报基层党委审批后，报学校党委组织部备案。

02 出国（境）学习研究超过规定年限仍未返回的党员，一般予以停止党籍。由所在党支部召开党员大会，作出停止党籍决定，经基层党委审批后，报学校党委组织部备案。

03 与党组织失去联系6个月以上、通过各种方式查找仍然没有取得联系的党员，予以停止党籍。由所在党支部召开党员大会，作出停止党籍决定，经基层党委审批后，报学校党委组织部备案。停止党籍2年后确实无法取得联系的，按照自行脱党予以除名。

注：停止党籍是对党员党籍的管理手段，不是组织处置，也不是党纪处分。

（二）恢复党籍的常见情形

高校常见的恢复党籍情形主要有以下两类：

01

出国（境）学习、研究（未定居）党员如期回国，由本人提出恢复其组织生活的申请，经所在基层党委审查，如证明其在国（境）外期间确无问题，可以恢复其党籍。

02

失联党员停止党籍2年内，本人与党组织取得联系并书面提出恢复党籍申请，由所在党支部调查了解相关情况，研究提出意见，经基层党委审查并报学校党委组织部批准，可以恢复党籍。

注：出国（境）定居被停止党籍的党员，回国后原则上不能恢复党籍，对放弃外国国籍或长期居留权，并且表现好的可以重新入党。

八、做好组织关系管理“保畅通”

党员组织关系指党员对党的基层组织的隶属关系。党员组织关系管理是党员管理的一项重要制度安排。每个党员都必须编入党的一个支部、小组或其他特定组织，党组织要教育管理党员主动参加所在党支部的组织生活，自觉交纳党费，并在其中积极工作。当党员的工作学习单位发生变动，或者外出学习、工作、生活超过3个月，应及时为其转移组织关系，并与党员所去地方或单位的党组织保持联系，避免出现“口袋党员”。对于临时外出的党员，采取适当方式与其保持联系，及时掌握党员情况。

（一）组织关系转接形式

党员组织关系的凭证有三种，即党员组织关系介绍信、党员证明信和流动党员活动证。

党员证明信和流动党员活动证属于转移临时组织关系，党员在转入单位或流入地党组织参加党的组织生活，但仍在原单位党组织交纳党费，行使表决权、选举权和被选举权。

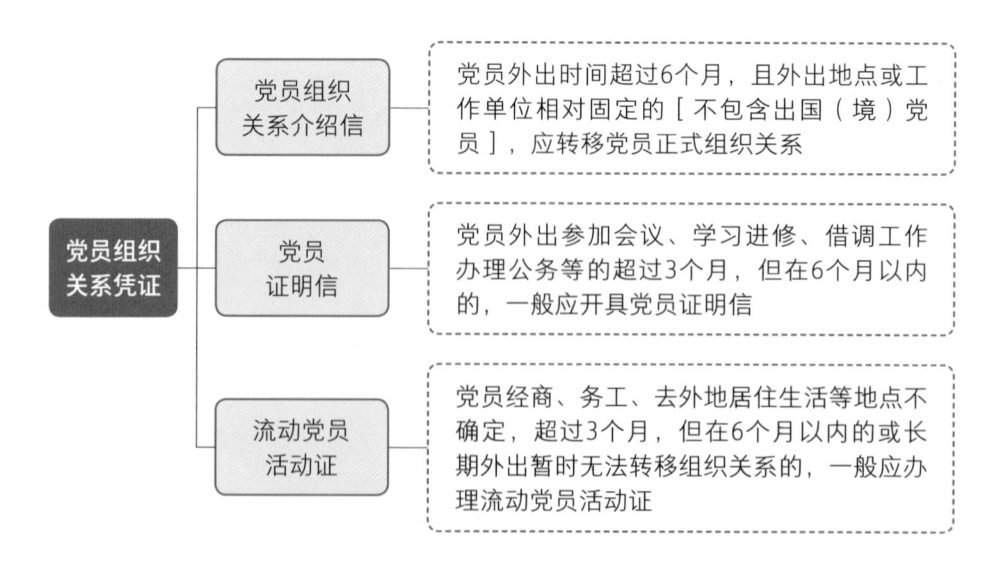

（二）组织关系介绍信审核要点

党员组织关系介绍信，是党员转接正式组织关系时的证明文件，要注意以下审核要点：

1. 介绍信抬头的党组织是否是具有审批预备党员权限的基层党委；
2. 介绍信是否在有效期内；
3. 党员基本信息是否准确；
4. 介绍信是否加盖党组织公章。

（三）毕业生党员组织关系转接

理顺党员组织隶属关系，确保每个学生党员都能纳入党的一个基层组织的管理之中。要严格执行学生党员党组织关系转接规定，严格审查档案材料，及时规范转接组织关系，确保党员组织关系管理有效衔接。

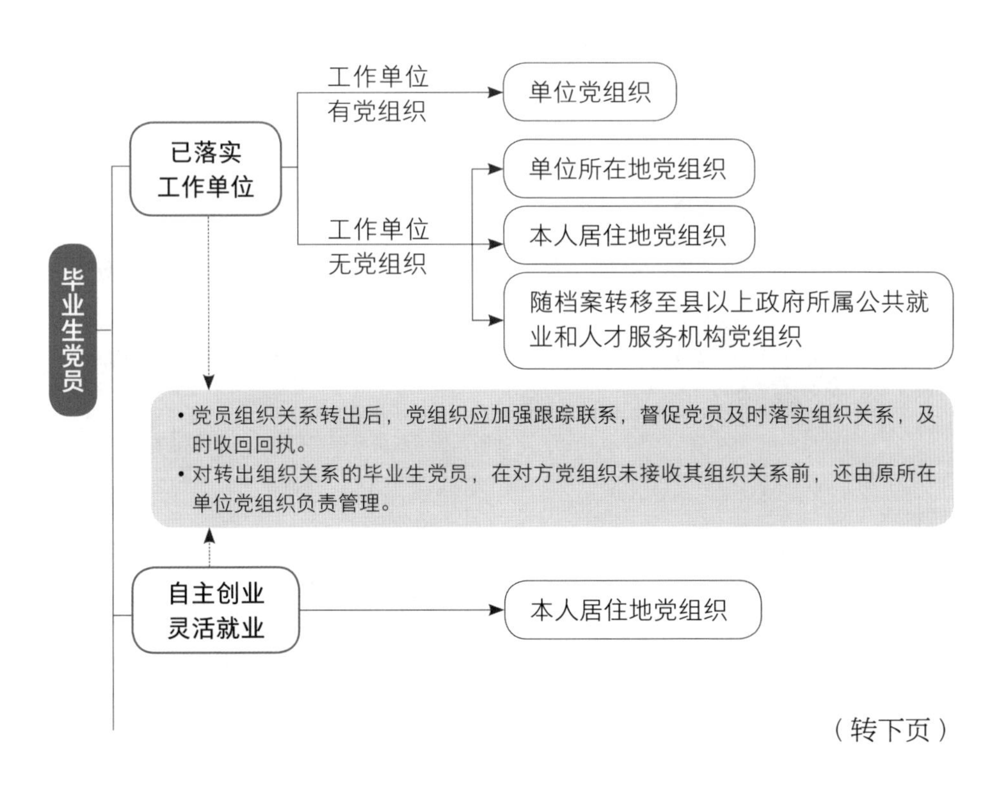

（转下页）

（接上页）

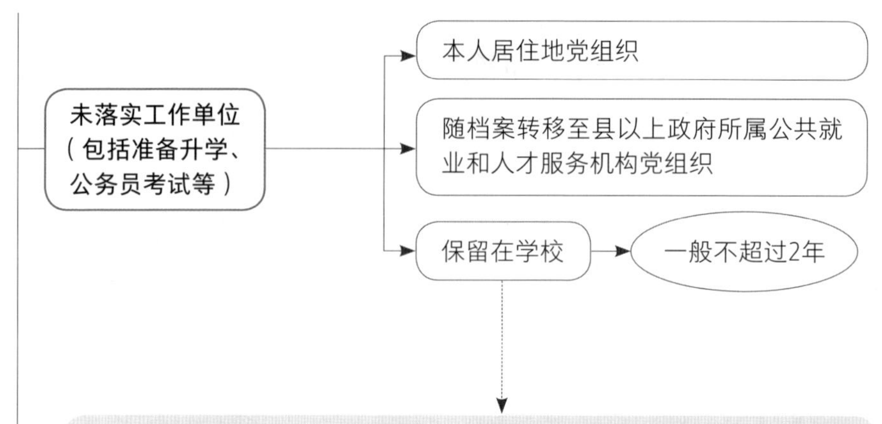

- 基层党委及时将其编入一个党支部，掌握其去向和现状，通过微信等多种形式保持联系，督促其自觉履行党员义务，行使党员权利。对其中的预备党员，按规定做好转正工作。
- 对超过2年的，党组织要及时与党员联系，根据其工作或居住情况转移组织关系；因特殊情况确需保留组织关系的，由党员本人提出书面申请，经党组织同意，可适当延长保留时间，延长时间一般不超过1年。

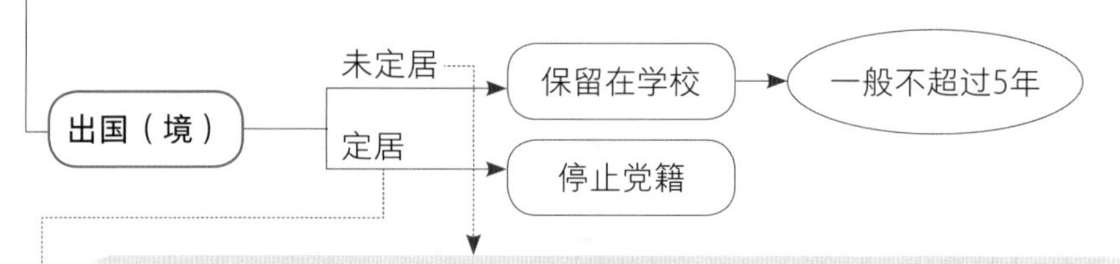

组织关系保留在学校：

- 党员出国（境）前，需提交保留组织关系的**书面申请**，说明学习地点、时间、留学方式、联系方式、境内联系人等情况，经党组织审批后，报学校党委组织部备案。
- 党员出国（境）前，党组织应做好行前教育谈话；出国（境）期间，党组织要通过适当方式，做好党员在国（境）外期间的**定期联系和教育管理工作**（一般每半年联系一次）。
- 办理保留组织关系手续**超过5年**，但尚未完成海外学习工作任务、无办理“绿卡”或移民意愿的，经党员本人申请，可适当延长组织关系保留时间（不作停止党籍处理），延长时间不超过3年，由院（系）党组织审批后报学校党委组织部备案。

应办理停止党籍手续：

- 党员在出国（境）前向所在党支部提出书面申请，并递交有关材料，经所在党支部初审并报基层党委审批后，报学校党委组织部登记备案。

九、做好党员监督和组织处置“扬正气”

党组织应当通过严格组织生活、听取群众意见、检查党员工作等多种方式监督党员。监督内容包括党员遵守党章党规党纪，特别是政治纪律和政治规矩情况，遵守法律法规和道德规范情况，参加组织生活情况，履行党员义务、联系服务群众、发挥先锋模范作用情况等。

（一）基层党组织对党员的监督职责

基层党组织要严格党的组织生活，组织党员开展批评和自我批评，监督党员切实履行义务，保障党员权利不受侵犯。发现党员有思想、工作、生活、作风和纪律方面苗头性倾向性问题的，以及群众对其有不良反映的，党组织负责人应当及时进行提醒谈话，抓早抓小、防微杜渐。对党员不按照规定参加党的组织生活、不按时交纳党费、流动到外地工作生活不与党组织主动保持联系的，以及存在其他与党的要求不相符合的行为、情节较轻的，党组织应当采取适当方式及时进行批评教育，帮助其改进提高。

（二）组织处置原则

对缺乏革命意志、不履行党员义务、不符合党员条件甚至丧失党员条件的党员，应按照规定程序给予相应的处置措施。根据《中国共产党不合格党员组织处置办法》，对不合格党员进行组织处置，应当遵循以下原则：坚持党员标准、严格教育管理监督；坚持立足教育、转化提高；坚持民主集中制；坚持客观公正、慎重稳妥；坚持依规依纪。

界定和处置不合格党员，要注意准确把握政策界限，根据党组织平时掌握的党员现实表现，综合民主评议结果，有计划、有步骤地开展，做到全程纪实、一人一档，对把握不准的及时请示，重大问题及时报告。

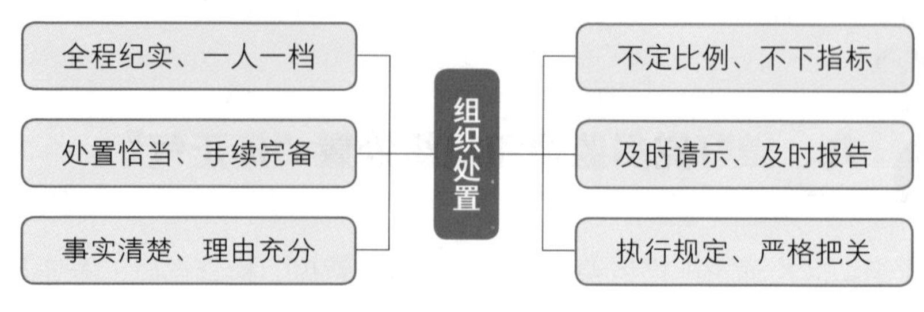

组织处置“六注意”

（三）组织处置方式及适用情形

1. 限期改正。应当给予限期改正处置的6种情形：

（1）理想信念不坚定，缺乏革命意志，党性意识淡薄，过分计较个人得失，讲功利不讲理想、讲私欲不讲信仰，但本人能够正确认识错误、愿意接受教育管理并且决心改正的；

（2）信仰宗教的；

（3）工作消极懈怠，不发挥先锋模范作用，与群众关系紧张，但本人能够正确认识错误、愿意接受教育管理并且决心改正的；

（4）组织观念、纪律意识不强，不按照规定参加党的组织生活、不按时足额交纳党费，流动到外地工作生活不主动与正式组织关系所在党组织保持联系、不及时向流入地（单位）基层党组织报到，经批评教育仍未改正的；

（5）既有主观原因又有客观原因，但主要由于主观原因与党组织失去联系6个月以上、2年以内，经查找已取得联系，失去联系期间无违纪违法行为的；

（6）党内法规规定的其他应当给予限期改正处置的情形。

限期改正时间一般为6个月，最长不超过1年。限期改正期间，党员权利不受影响。

2. 劝其退党。应当给予劝其退党处置的3种情形：

（1）为了达到个人目的以退党相要挟，经教育不改的；

（2）限期改正期满后仍无转变的；

（3）党内法规规定的其他应当给予劝其退党处置的情形。

3. 除名。应当给予除名处置的6种情形：

（1）理想信念缺失，政治立场动摇，对党不忠诚不老实，背弃党的初心使命，已经丧失党员条件的；

（2）因思想蜕化提出退党，经教育后仍然坚持退党的；

（3）没有正当理由，连续6个月不参加党的组织生活，或者不交纳党费，或者不做党所分配的工作，按照自行脱党予以除名；

（4）因与党组织失去联系被停止党籍，2年后确实无法取得联系的，按照自行脱党予以除名；

（5）受到劝其退党处置、本人坚持不退的；

（6）党内法规规定的其他应当给予除名处置的情形。

党员受到劝其退党或者除名处置的，5年内不得重新入党。

（四）组织处置程序

党员有上述15种情形之一的，由党支部委员会（不设支部委员会的由党员大会，下同）研究提出启动组织处置的意见，并报基层党委（具有审批预备党员权限的党的基层委员会，下同）进行事前备案。

组织处置应当按下列程序执行：

1. 调查核实。党支部委员会成立调查组进行调查，并与本人谈话，形成调查核实材料。基层党委应当派人指导。调查核实材料应当由本人签写意见。对本人拒不签写意见、签写不同意见或者因故不能谈话、签写意见的，党支部应当在调查核实材料上注明。

2. 提出拟处理意见。党支部委员会综合考虑党员不合格表现的性质、情节和本人态度，区分主观原因和客观原因、一时表现和一贯表现，研究提出限期改正、劝其退党或者除名的拟处置意见。对拟不予处置的，党支部委员会应当作出书面结论，报基层党委研究审批。

3. 预审。党支部委员会将拟处置意见、调查核实材料等报基层党委预审。对拟作出限期改正处置的，由基层党委提出预审意见，以书面形式反馈党支部委员会。对拟作出劝其退党、除名处置的，由基层党委审查后报上一级党委组织部门预审；预审后，由基层党委将预审意见以书面形式反馈党支部委员会。对事实不清、证据不足、拟处置意见不当的，应当要求党支部补充调查，重新提出拟处置意见。

4. 形成决议。预审同意后，党支部召开党员大会，通报对拟处置党员调查核实和预审情况，充分讨论处置意见，并采取无记名投票方式进行表决。实际到会有表决权的党员人数必须超过应到会有表决权的党员的半数，且表决时必须经全部应到会有表决权的党员过半数赞成，方可形成处置决议。表决前，拟处置党员有权申辩，不能到会的可以提供书面申辩材料并在会上由其他党员代为宣读。处置决议应当由拟处置党员本人签写意见。对本人拒不签写意见、签写不同意见或者因故不能签写意见的，党支部应当在处置决议上注明。基层党委应当派人到会指导。

5. 审批和宣布。党支部委员会将处置决议报基层党委。对拟作出限期改正处置的，由基层党委研究审批，报上一级党委组织部门备案。对拟作出劝其退党、除名处置的，由基层党委提出意见，报上一级党委组织部门研究审批。审批处置决议和处置意见必须经过集体讨论决定。党支部接到批复意见后，应当及时将加盖党支部公章或者党支部书记签字的书面通知送被处置党员，并以适当方式宣布。

延伸阅读

1. 《关于新形势下党内政治生活的若干准则》（2016年10月27日通过）

2. 《中国共产党普通高等学校基层组织工作条例》（2021年4月16日发布）

3. 《中国共产党党员教育管理工作条例》（自2019年5月6日起施行）

4. 《中国共产党党内监督条例》（2016年10月27日通过）

5. 《新编党员教育管理工作手册》，党建读物出版社，2022年9月

6. 《新编基层党务工作手册》，党建读物出版社，2023年11月

7. 《中国共产党不合格党员组织处置办法》（2024年6月16日发布）

党支部建设

十、完善组织设置“筑堡垒”

党支部是党的基础组织，是党组织开展工作的基本单元，是党在社会基层组织中的战斗堡垒，是党的全部工作和战斗力的基础。要贯彻党章要求，既弘扬“支部建在连上”的光荣传统，又体现基层的新做法新经验，对党支部组织设置作出全面规范，对于加强党的组织体系建设，推动全面从严治党向基层延伸，增强党支部政治功能和组织功能，巩固党长期执政的组织基础，具有十分重要的意义。

（一）设立党支部的基本要求

党支部（临时党支部）的设立或撤销必须经上级党组织批准。

1. 凡正式党员3人以上的都应成立党支部；

2. 正式党员不足3人的，按照地域相邻、业务相近、规模适当、便于管理的原则设立联合党支部，覆盖部门单位不超过5个；

3. 党支部党员人数一般不超过50人。

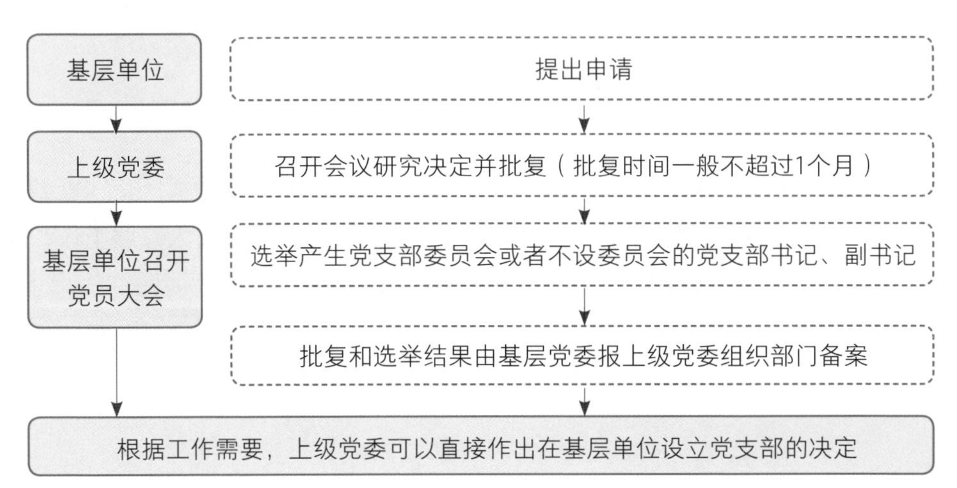

正式党员在3人以上、不足7人的党支部，一般不设立支部委员会。正式党员在7人以上的，应设立支部委员会。党支部书记一般由本部门、本单位党员主要负责人担任，一般应有1年以上党龄。党支部党员人数在20人以上的，可根据党员的数量和分布情况，划分若干党小组。设立、调整和撤销党小组由支部委员会决定并报上级党组织备案。

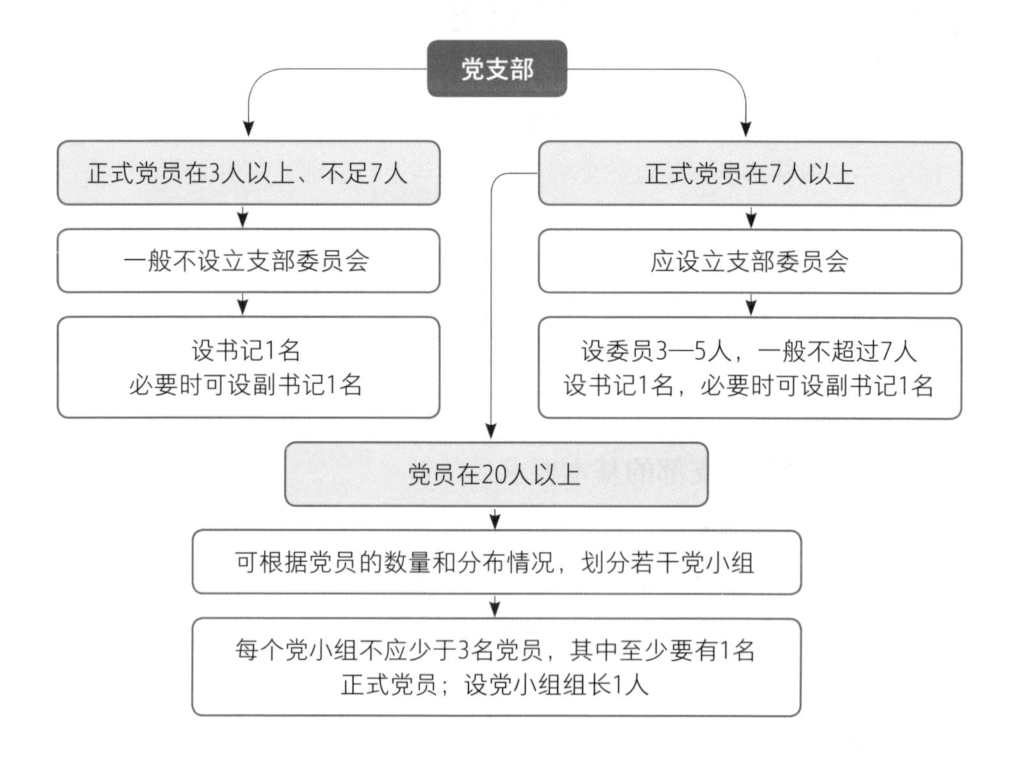

（二）基层党组织工作职责

1. 高校院（系）级单位党组织的主要职责

高校院（系）级单位党组织应当强化政治功能，履行政治责任，保证教学科研管理等各项任务完成，支持本单位行政领导班子和负责人开展工作，健全集体领导、党政分工合作、协调运行的工作机制。

高校院（系）级单位党组织的主要职责

（1）宣传和执行党的路线方针政策以及上级党组织的决议，并为其贯彻落实发挥保证监督作用。

（2）通过党政联席会议，讨论和决定本单位重要事项。
召开党组织会议研究决定干部任用、党员队伍建设等党的建设工作，涉及办学方向、教师队伍建设、师生员工切身利益等事项的，应当经党组织研究讨论后，再提交党政联席会议决定。

（3）加强党组织自身建设，建立健全党支部书记工作例会等制度，具体指导党支部开展工作。

（4）领导本单位思想政治工作，加强师德师风建设，落实意识形态工作责任制，把好教师引进、课程建设、教材选用、学术活动等重要工作的政治关。

（5）做好本单位党员、干部的教育管理工作，做好人才的教育引导和联系服务工作。

（6）领导本单位群团组织、学术组织和教职工代表大会。做好统一战线工作。

2. 教职工党支部的主要职责

教职工党支部围绕本单位改革发展稳定等开展工作，落实立德树人根本任务，发挥教育管理监督党员和组织宣传凝聚服务师生员工的作用。

教职工党支部的主要职责

（1）宣传和执行党的路线方针政策以及上级党组织的决议，团结师生员工，在完成教学科研管理任务中发挥党员先锋模范作用。

（2）参与本单位重大问题决策，支持本单位行政负责人开展工作，对教职工职称评定、岗位（职员等级）晋升、考核评价等进行政治把关。

（3）做好党员教育、管理、监督和服务工作，定期召开组织生活会，开展批评和自我批评。

（4）培养教育入党积极分子，做好发展党员工作。

（5）加强师德师风建设，有针对性地做好思想政治工作。

（6）密切联系群众，经常听取师生员工意见和诉求，维护师生员工的正当权利和利益。

3. 学生党支部的主要职责

学生党支部应当加强思想政治引领，筑牢学生理想信念根基，引导学生刻苦学习、全面发展、健康成长。

学生党支部的主要职责

（1）宣传和执行党的路线方针政策以及上级党组织的决议。

（2）加强对学生党员的教育、管理、监督和服务，定期召开组织生活会，开展批评和自我批评。发挥学生党员先锋模范作用，影响、带动学生明确学习目的，完成学习任务。

（3）组织学生党员参与学生事务管理，维护学校稳定。支持、指导和帮助团支部、班委会以及学生社团根据学生特点开展工作，充分发挥保留团籍的学生党员的带动作用。

（4）培养教育学生中的入党积极分子，按照标准和程序发展学生党员。

（5）根据学生特点，有针对性地做好思想政治教育工作。

（三）党支部委员职责

党支部党员大会是党支部的议事决策机构。党支部委员会由党支部党员大会选举产生，负责领导和处理党支部的日常工作。党小组主要落实党支部的工作要求，完成党支部安排的任务。

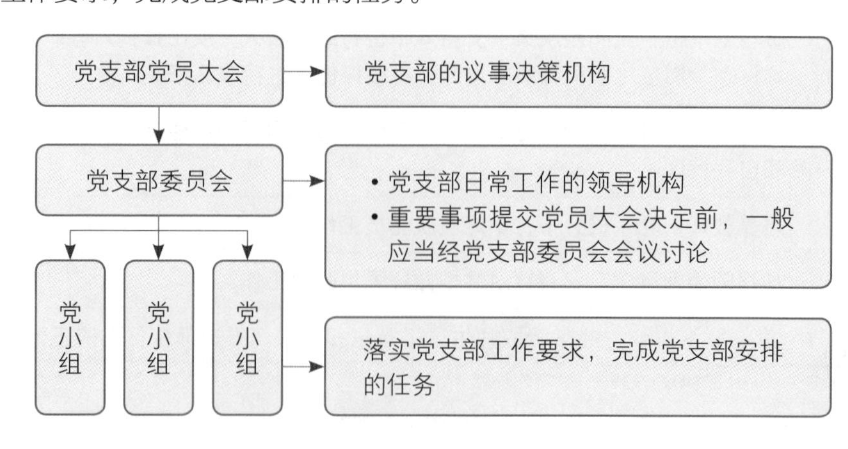

党支部委员会设书记和组织委员、宣传委员、纪检委员等，必要时可以设1名副书记。

1. 党支部书记职责

党支部书记是党支部委员会的主要负责人，在党支部委员会的集体领导下，负责主持党支部的日常工作。

（1）负责召集党支部委员会会议和党员大会，结合本单位具体情况，传达和贯彻执行党的路线、方针、政策和上级决议、指示；研究安排党支部工作，将党支部工作中的重大问题及时提交党支部委员会会议和党员大会讨论决定。

（2）了解掌握党员思想、工作、学习和生活情况，发现问题及时解决，做好经常性的思想政治工作。

（3）检查党支部工作计划、决议执行情况，解决在执行中出现的问题，按时向党支部委员会、党员大会和上级党组织报告工作。

（4）经常与党支部委员保持密切联系，交流情况，研究工作，协调本级群团组织工作关系，充分调动各方面的积极性。

（5）抓好党支部委员会自身的学习，每年至少讲1次党课，按时主持召开党支部委员会组织生活会，开展批评和自我批评，加强党支部委员会自身建设，充分发挥党支部委员会的集体领导作用。

党支部副书记协助书记进行工作，书记不在时，由副书记主持党支部的日常工作。

2. 党支部组织委员职责

（1）了解和掌握党支部组织状况，组织开展好党支部的组织生活，根据需要提出党小组设置和调整意见，检查和督促党小组开展组织活动。

（2）了解和掌握党员思想状况，协助党支部书记对党员进行思想教育和纪律教育，收集和整理党员的先进模范事迹材料，及时向党支部委员会提出表扬和奖励党员的建议。

（3）做好发展党员工作。及时了解和掌握要求入党的积极分子情况，并负责对积极分子和预备党员的培养、教育和考察。按照发展党员工作指导方针，制订切实可行的发展党员工作计划。具体办理接收新党员和预备党员转正的手续。

（4）做好党员管理工作。根据上级要求，结合党支部实际情况，组织开展党员民主评议及评先工作。接转党员组织关系，按时收缴党费，完成党员和党组织的统计工作，建立健全有关党务工作台账。

3. 党支部宣传委员职责

（1）根据不同时期党的中心工作和上级党组织指示，宣传党的路线方针政策；了解掌握党员和群众思想状况，提出宣传教育工作计划和意见。

（2）组织党员学习党的基本理论、基本知识和时事政策，有计划安排组织党课教育，做好党员、群众的思想政治工作。

（3）围绕党支部中心工作，开展多种形式的宣传和主题教育，组织开展丰富多彩的文化体育活动等。

（4）做好党报党刊征订工作，充分利用互联网、微博微信、宣传橱窗等工具，办好党支部的宣传阵地。

4. 党支部纪检委员职责

(1) 经常了解并向党支部委员会和上级纪律检查委员会反映本单位党员执行纪律的情况。

(2) 协同组织委员、宣传委员对党员进行党性、党风、党纪教育。

(3) 管理群众对党员的检举、控告；检查、处理党员违犯党纪的案件，同各种违犯党纪和败坏党风的行为作斗争。

(4) 对受党纪处分的党员进行考察教育。

5. 党小组组长职责

(1) 组织党员开展党的创新理论学习。

(2) 主持召开党小组会，组织开展主题党日、组织生活会、民主评议党员等活动，做好党费收缴工作。

(3) 根据党支部决议和工作安排，向党员布置任务并督促检查。

(4) 培养入党积极分子，协助做好发展党员工作。

(5) 完成党支部交办的其他任务。

十一、周密组织选举“聚心力”

党的选举工作是基层党员行使党内民主权利的重要体现，必须按照党章和《中国共产党基层组织选举工作条例》规定，遵循选举工作原则，严格执行选举工作纪律，按规定的程序和要求开展。

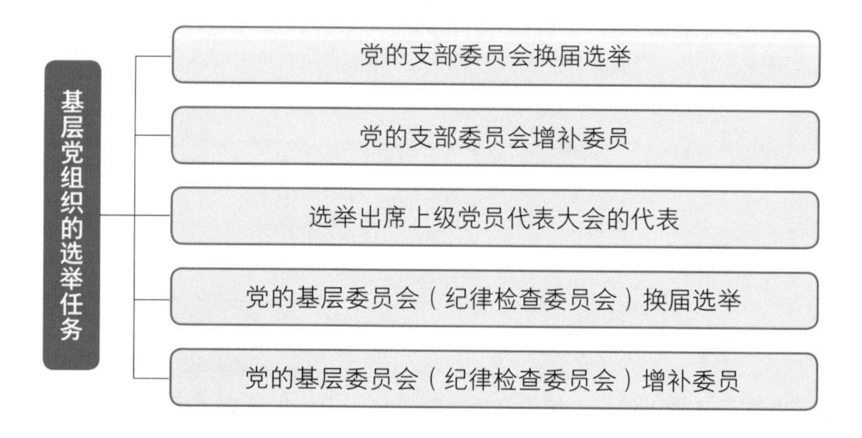

（一）基本要求

选举应当充分发扬民主，尊重和保障党员的民主权利，体现选举人的意志，按照下列要求进行。

党的基层组织设立的委员会任期届满应当按期进行换届选举。

如需延期或者提前进行换届选举，应当报上级党组织批准。延长或者提前期限一般不超过1年。

党的基层组织设立的委员会一般由党员大会选举产生。党员人数在500名以上或者所辖党组织驻地分散的，经上级党组织批准，可以召开党员代表大会进行选举。

（二）代表的产生

1. 代表的名额及分配

党员代表大会的代表应当自觉坚定拥护“两个确立”，坚决做到“两个维护”，遵守党章党规党纪和法律法规，具有履行职责的能力，能反映本选举单位的意见，代表党员的意志。

代表名额的分配根据所辖党组织数量、党员人数和代表具有广泛性的原则确定。一般为100名至200名，最多不超过300名。

2. 代表候选人的差额

代表候选人的差额不少于应选人数的20%。

3. 代表产生的主要程序

从党支部开始推荐提名。根据多数党组织和党员的意见，提出代表候选人推荐人选。

选举单位就代表候选人推荐人选与上级党组织沟通，提出代表候选人初步人选。采取适当方式加强审核把关，可以在一定范围内对代表候选人初步人选进行公示。

选举单位研究确定代表候选人预备人选，报召开党员代表大会的党的基层委员会审查。

选举单位召开党员大会或者党员代表大会，根据多数选举人的意见确定候选人，进行选举。

上届党的委员会成立代表资格审查小组，负责对代表的产生程序和资格进行审查。

代表的产生不符合规定程序的，应当责成原选举单位重新进行选举；代表不具备资格的，应当责成原选举单位撤换。

代表资格审查小组应当向党员代表大会预备会议报告审查情况。经审查通过后的代表，才能获得正式资格。

（三）委员会的产生

1. 委员候选人提名原则

党的基层组织设立的委员会委员候选人，按照德才兼备、以德为先和班子结构合理的原则提名。

不同领域、不同类型和不同层级党的基层组织，其委员候选人的条件，根据党中央精神和上级党组织要求，可以结合实际情况进一步细化。

2. 委员候选人的差额

委员候选人的差额不少于应选人数的20%。

3. 委员候选人产生的主要程序

党的总支部委员会、支部委员会委员的产生，由上届委员会根据多数党员的意见提出人选，报上级党组织审查同意后，组织党员酝酿确定候选人，在党员大会上进行选举。

党的基层委员会和经批准设立的纪律检查委员会委员的产生，召开党员大会的，由上届党的委员会根据所辖多数党组织的意见提出人选，报上级党组织审查同意后，组织党员酝酿确定候选人，提交党员大会进行选举；召开党员代表大会的，由上届党的委员会根据所辖多数党组织的意见提出人选，报上级党组织审查同意后，提请大会主席团讨论通过，由大会主席团提交各代表团（组）酝酿讨论，根据多数代表的意见确定候选人，提交党员代表大会进行选举。

党的基层组织设立的委员会的书记、副书记的产生，由上届委员会提出候选人，报上级党组织审查同意后，在委员会全体会议上进行选举。不设委员会的党支部书记、副书记的产生，由全体党员充分酝酿，提出候选人，报上级党组织审查同意后进行选举。

经批准设立常务委员会的委员会，其常务委员会委员候选人，由上届委员会按照比应选人数多1至2人的差额提出，报上级党组织审查同意后，在委员会全体会议上进行选举。

注意

委员会委员在任期内出缺，一般应当召开党员大会或者党员代表大会补选。

上级党的组织认为有必要时，可以调动或者指派下级党组织的负责人。

（四）选举的实施

1. 选举准备

准备事项	具体说明
介绍候选人情况	选举单位的党组织或者大会主席团应当以适当方式将候选人的简历、工作实绩和主要优缺点向选举人作出实事求是的介绍，对选举人提出的询问作出负责的答复。根据选举人的要求，可以组织候选人与选举人见面，回答选举人提出的问题
统计到会人数	有选举权的到会人数不少于应到会人数的五分之四
安排选举主持	召开党员大会进行选举，由上届委员会主持
	不设委员会的党支部进行选举，由上届党支部书记主持
	召开党员代表大会进行选举，由大会主席团主持
设置选举监票人	党员大会或者党员代表大会选举的监票人，由全体党员或者各代表团（组）从不是候选人的党员或者代表中推选，经党员大会、党员代表大会或者大会主席团会议表决通过
设置选举计票人	计票人在监票人监督下进行工作

2. 投票计票

（1）选举投票

- 选举采用无记名投票的方式。
- 选举人不能填写选票的，可以由本人委托非候选人按照选举人的意志代写，因故未出席会议的党员或者代表不能委托他人投票。
- 选举人对候选人可以投赞成票或者不赞成票，也可以弃权。投不赞成票者可以另选他人。

（2）选举计票

投票结束后，监票人、计票人应当将投票人数、发出选票数和收回选票数加以核对，作出记录，由监票人签字并报告被选举人的得票数。

选举收回的选票数，等于或者少于投票人数，选举有效；多于投票人数，选举无效，应当重新选举。

每一选票所选人数，等于或者少于规定应选人数的为有效票，多于规定应选人数的为无效票。

实行差额预选时，**赞成票超过应到会有选举权人数半数的方可列为正式候选人。**

进行正式选举时，**被选举人获得的赞成票超过应到会有选举权人数半数的始得当选。**

3. 选举结果

被选举人得票情况，包括得赞成票、不赞成票、弃权票和另选他人等，预选时由监票人向上届委员会或者大会主席团报告，正式选举时由监票人向选举人报告。当选人名单由会议主持人向选举人宣布。

（五）呈报审批

召开党员大会或者党员代表大会的请示，按照党组织隶属关系，报有审批权限的上级党组织审批。召开党员大会的，一般提前1个月报批；召开党员代表大会的，一般提前4个月报批。

新一届党的委员会和纪律检查委员会委员、常务委员会委员和书记、副书记候选人预备人选，一般于召开党员大会或者党员代表大会1个月前，报有审批权限的上级党组织审批。

选出的委员，报上级党组织备案；常务委员会委员和书记、副书记，报上级党组织批准。

纪律检查委员会选出的常务委员会委员和书记、副书记，经同级党的委员会通过后，报上级党组织批准。

十二、规范组织生活“强党性”

党的组织生活是党内政治生活的重要内容和载体，是党组织对党员进行教育管理监督的重要形式。必须坚持党的组织生活各项制度，创新方式方法，增强党的组织生活活力。

党的组织生活频次表

组织生活制度		频次要求
『三会一课』	党支部党员大会	一般每季度召开1次
	党支部委员会会议	一般每月召开1次
	党小组会	一般每月召开1次
	党课	一般每季度开展1次，党组织书记每年至少讲1次
主题党日		每月开展1次，相对固定1天
组织生活会		每年至少召开1次
谈心谈话		根据需要随时开展，党支部委员之间、党支部委员和党员之间、党员和党员之间一般每年不少于1次
民主评议党员		一般每年开展1次

组织员负责指导基层党支部健全和活跃组织生活，落实“三会一课”、主题党日、民主评议党员、谈心谈话、组织生活会等制度，做好党支部开展组织生活会、民主评议党员情况的检查督导，检查党支部组织生活记录等。

（一）党支部组织生活制度要求

党支部组织生活制度实施中应严把制度落实关、程序规范关、督导考核关。

1. 严把制度落实关

从突出政治性、强化严肃性、提升时效性等方面提出要求，明确组织生活开展的时间和方式，以次数规范推动质量提升。指导党支部建立长效机制，对会议制度、考勤制度、请销假制度、讲党课制度、党员管理制度等进行修改完善，让支部组织生活有规可依。组织支部年初根据实际制订年度计划，支委会审核通过后报基层党委备案，基层党委按季度抽查所属党支部组织生活开展情况。

2. 严把程序规范关

严格按照《中国共产党支部工作条例（试行）》规定的工作流程组织实施，确保组织生活时间、人员、内容和效果落到实处。加强党支部规范化建设，将组织生活流程和要求作为党员学习培训必修内容，在党员活动室等场所将有关制度上墙，让每一名党务干部清楚流程、每一名党员明白要求。支部要指定专人如实记录组织生活开展情况，做到时间、地点、参加人员、主题和详细内容等信息记录准确、完整、清晰。

3. 严把督导考核关

坚持靶向发力、从严从实，可按月度、季度以及不定期等形式，通过参加党支部组织生活、检查党支部工作记录、个别访谈等方式，对支部落实组织生活制度情况进行督查指导，对制度不健全、落实不到位的，责令限期整改。强化结果运用，把党员参加组织生活情况作为评定合格党员的基本标准，把基层党支部落实组织生活情况作为年底考核、评先评优的重要依据，有效推进组织生活常态化、制度化、规范化。

（二）“三会一课”制度

“三会一课”是指党支部党员大会、党支部委员会会议、党小组会和党课，是贯彻执行民主集中制，实行集体领导、保障党内民主、加强党内监督的基本途径，也是党组织加强党员教育、培养合格党员的有效形式。

1. 党支部党员大会

党支部党员大会一般每季度召开1次。党支部可以根据工作需要，提前召开支部党员大会或适当增加大会次数，会议议题由党支部委员会根据上级党组织的指示和工作需要确定。

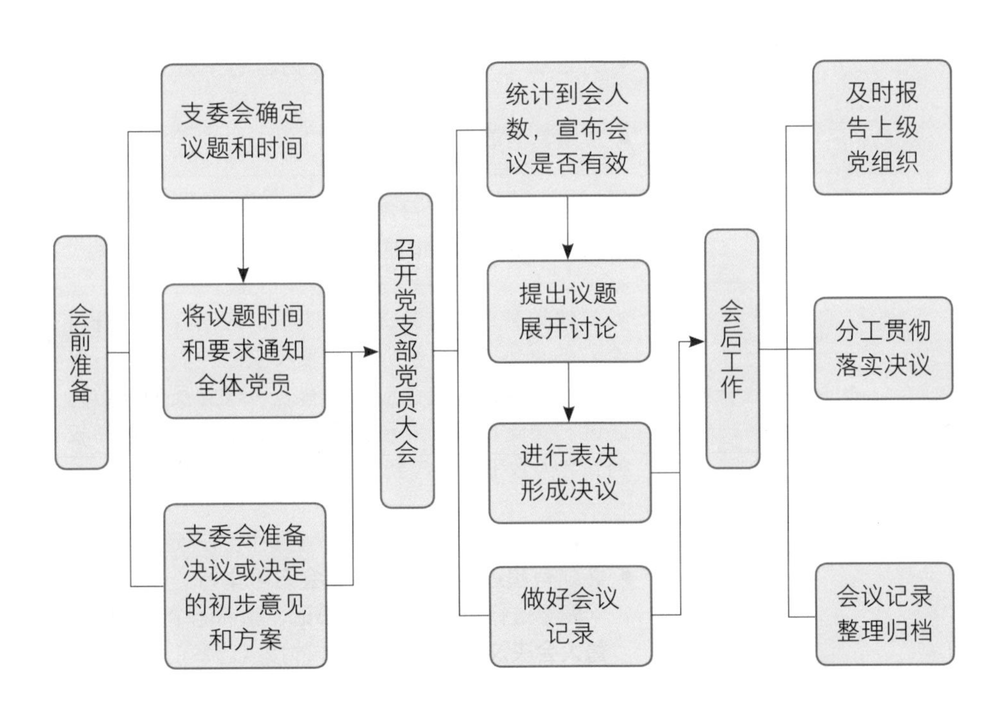

党支部党员大会落实规范

召开频次	一般每季度召开1次
出席范围	全体党员
主要内容	● 组织开展“第一议题”学习； ● 听取和审查党支部委员会的工作报告； ● 按照规定开展党支部选举工作，推荐出席上级党代表大会的代表候选人，选举出席上级党代表大会的代表； ● 讨论和表决接收预备党员和预备党员转正、延长预备期或者取消预备党员资格； ● 讨论决定对党员的表彰表扬、组织处置和纪律处分； ● 决定其他重要事项
召集和主持	会议由党支部书记召集并主持，书记不能参加会议的，可以委托副书记或者委员召集并主持
表决	党支部党员大会议题提交表决前，应当经过充分讨论。表决必须有半数以上有表决权的党员到会方可进行，赞成人数超过应到会有表决权党员的半数为通过。党支部召开党员大会进行选举的，有选举权的到会人数不少于应到会的五分之四，会议有效
落实要求	● 内容符合关于党支部党员大会职权的规定； ● 必须有超过半数的党员到会方可举行，决定重大问题要进行表决，不能以书记、副书记个人意见代替大会决议，涉及选举工作的按照选举工作有关规定执行； ● 会议要充分发扬民主，到会党员充分发表意见和建议，讨论决定重要事项。书记、副书记和委员之间应当进行个别酝酿，必要时形成方案建议； ● 认真记录开会的时间、地点、到会人员、缺席人员、列席人员、会议主持人、记录人、讨论的问题、会议的发言和决议等内容

2. 党支部委员会会议

党支部委员会会议一般每月召开1次，根据需要可以随时召开，对党支部重要工作进行讨论、作出决定等。

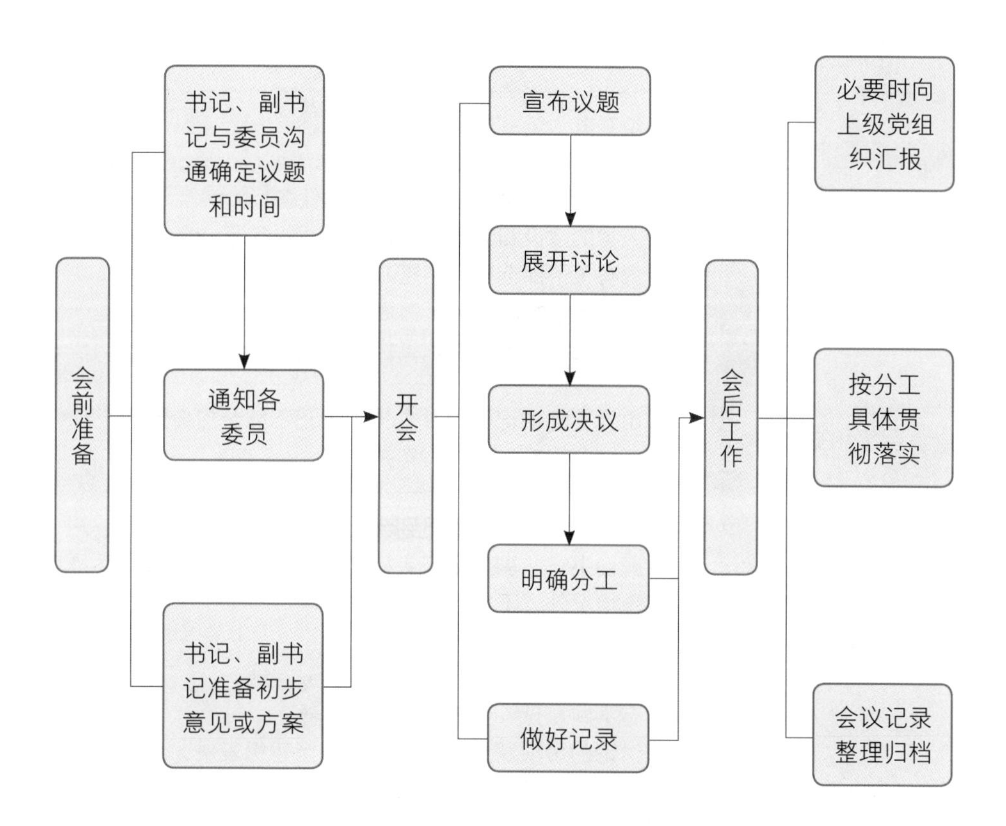

党支部委员会会议落实规范

召开频次	一般每月召开1次
出席范围	全体支委
主要内容	● 组织开展“第一议题”学习； ● 研究、贯彻上级党委的决议和指示； ● 部署本支部建设规划和重要工作任务； ● 研究党的建设和党员教育管理方面的问题； ● 研究有关干部选拔、调整方面的问题； ● 研究培养、发展新党员方面的问题； ● 讨论研究协调群团组织工作方面的问题
召集和主持	会议由党支部书记召集并主持，书记不能参加会议的，可以委托副书记或者委员召集并主持
落实要求	● 必须有超过半数的委员到会方可举行； ● 议题由书记、副书记研究确定，并提前一天通知支委，除特殊情况外，不得临时动议； ● 会前通气酝酿，不开无准备的会； ● 会上每个委员畅所欲言，不搞“一言堂”； ● 遇有不同意见，坚持少数服从多数； ● 对讨论的事项意见分歧较大，应当暂缓表决，会后进一步调查论证交换意见，下次会议复议； ● 执行决议有分工、有检查、有汇报、有讲评，不出现“决而不行”； ● 研究推荐干部使用、职级调整、骨干配备、选调送学、发展党员、奖惩等事项，要广泛征求意见，有三分之二以上支委到会，并逐项表决； ● 传达布置某项重大任务和动员完成某项紧急任务，为争取时间、减少层次、统一思想，可以召开支委扩大会吸收党小组长和有关党员干部列席，听取他们的意见； ● 对不宜公开或扩散的会议内容和情况，要教育委员做好保密工作； ● 凡召开支委会会议，都必须认真做好会议记录

3. 党小组会

党小组会一般每月召开1次，组织党员参加政治学习、谈心谈话、开展批评和自我批评等。

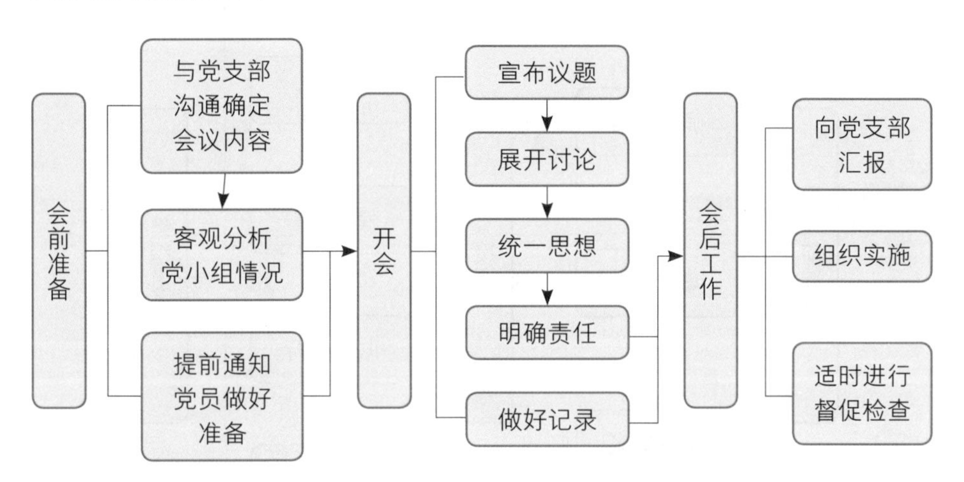

党小组会落实规范

召开频次	一般每月召开1次
主要内容	● 组织开展“第一议题”学习； ● 研究贯彻执行党支部决议和各项工作任务； ● 听取党员汇报思想和工作情况； ● 开展批评和自我批评； ● 研究发展新党员、评选优秀党员； ● 讨论对党员的处分等有关事项
召集和主持	党小组组长
落实要求	● 议题要集中，一次会议着重解决1—2个问题； ● 组长主持会议时，应广泛听取意见，善于归纳总结； ● 领导干部应主动配合党小组组长开好小组会，带头发言，带头汇报思想，带头开展批评和自我批评，自觉以普通党员身份接受组织监督； ● 指定专人做好会议记录，会议记录本由党小组组长妥善保管

4. 党课

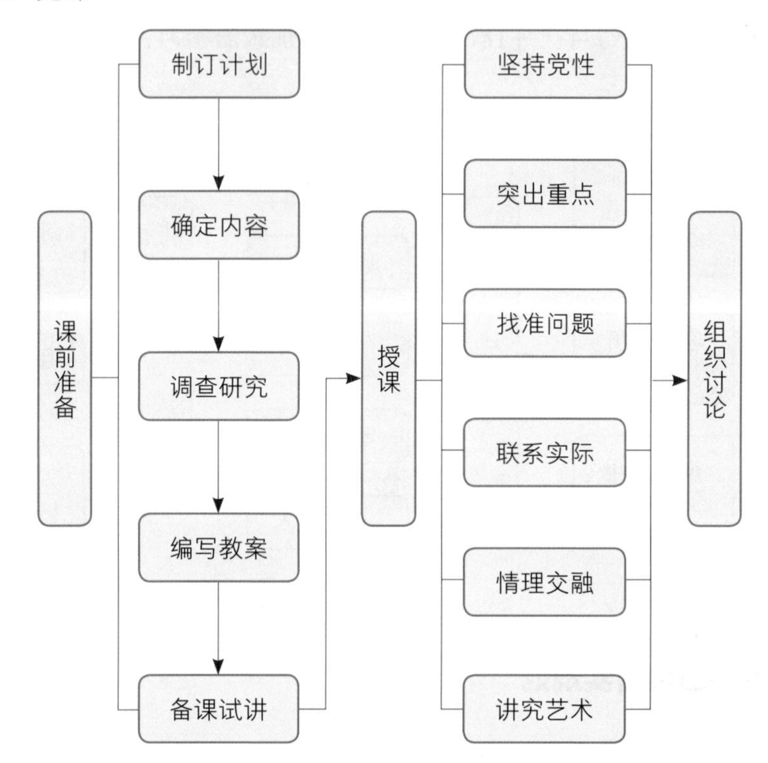

注意事项：

（1）认真备课。首先，熟悉教育内容，明确教育重点难点和基本思路；其次，进行思想摸底，充分调查了解党员的思想状况；编写教案，主要包括党课的目的与内容、观点与事例、归纳提示的重点结论、讨论思考题等。

（2）组织试讲。可依据教案进行小范围的试讲，征求意见，进行补充完善。

（3）课堂讲授。运用图片、音视频等形式配合教案进行具体讲解。

（4）组织讨论。围绕需要掌握的思想、理论、观点，组织讨论。

党课落实规范

开展频次	一般每季度进行一次
主要内容	● 应当针对党员思想和工作实际，回应普遍关心的问题，注重身边人讲身边事，增强吸引力感染力； ● 内容一般包括党的路线方针政策、党的基本知识、党的历史知识、国际国内形势等
落实要求	● 党支部应当科学制订党课教育实施的年度（季度）计划，安排人员提前准备教案，避免党课教育的盲目性和随意性； ● 党课要突出“党”味，内容贴近现实问题，贴近党员思想实际； ● 授课人应提高讲课的艺术性，形式方法灵活，授课内容熟悉，避免出现照本宣科现象； ● 党支部书记每年至少为所在党支部党员讲1次党课，提倡支委成员带头讲党课； ● 党员领导干部应当定期为基层党员讲党课

（三）主题党日制度

主题党日制度是党的基层组织生活的一项基本制度，是党支部开展工作、党员参加党的活动的重要保证。

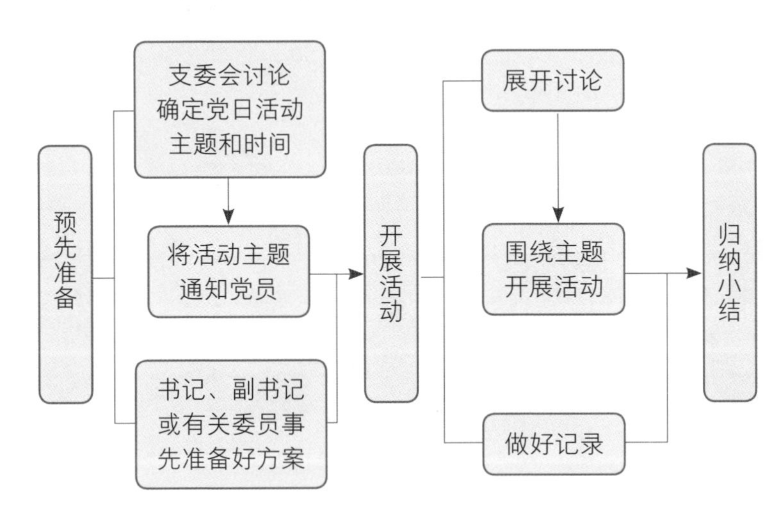

主题党日落实规范

开展频次	每月开展1次，相对固定1天
内容范围	组织党员集中学习、过组织生活、进行民主议事和志愿服务等
开展前	党支部应当贴近党员思想和工作实际，坚持问题导向和目标导向，认真研究确定主题和内容
开展后	应当认真梳理总结，并抓好议题事项的组织落实
落实要求	● 时间上应当相对固定，列入党支部年度工作计划，不得随意占用，因特殊情况确需占用的，事后应当及时补上； ● 必须突出党性，坚持政治性、思想性、原则性，杜绝表面化、形式化、娱乐化、庸俗化倾向； ● 计划要做到内容全面、重点突出，分工明确，责任到人； ● 必须保证人数，党员因特殊情况不能参加的，必须及时进行补课或传达主题党日内容和要求，入党积极分子、发展对象可参加主题党日； ● 主题党日制度落实情况要做好相关登记，记录规范准确

（四）组织生活会制度

组织生活会是党支部以交流思想、开展批评和自我批评、总结经验教训为中心内容的组织生活制度。

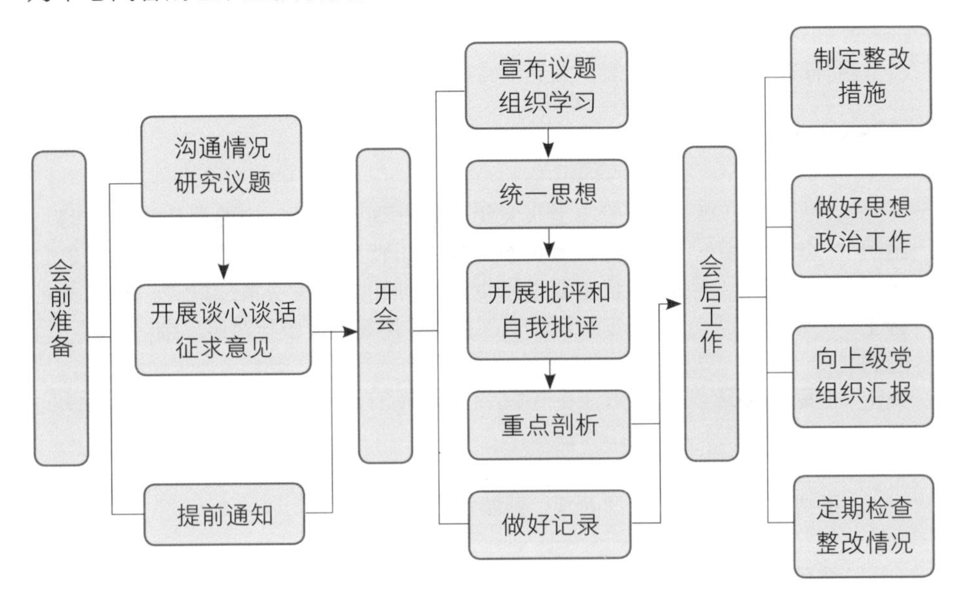

注意事项：

1. 组织集中学习。教育引导广大党员更加自觉地用习近平新时代中国特色社会主义思想武装头脑、指导实践、推动工作。

2. 广泛听取意见建议。通过谈心谈话、集体座谈等多种形式，听取党员在政治、思想、组织、作风、纪律等方面，特别是在履职尽责、为民服务等方面存在突出问题的反映。党支部班子要深入征求党员群众意见。党支部书记要带头谈、带头听取意见。征求到的意见，要原汁原味反馈给党员本人。

3. 严肃认真开展批评和自我批评。批评和自我批评一般以党支部党员大会、支委会会议或者党小组会的形式召开，可结合民主评议党员一并进行。全体党员要从政治、思想、组织、作风、纪律等方面认真查摆问题，开展批评和自我批评。

4. 会后落实整改。党支部班子和个人要对照查摆的问题和党员群众提出的意见，列出整改事项，作出整改承诺。

组织生活会落实规范

召开频次		每年至少召开1次，一般安排在第四季度，也可根据工作需要随时召开
召开形式		一般以党支部党员大会、党小组会形式召开
适用对象		全体党员
组织生活会主题的确定	年度组织生活会	一般由上级党组织统一确定主题，主要聚焦学习贯彻落实习近平新时代中国特色社会主义思想、习近平总书记重要指示批示精神和党中央决策部署等，对党员当年履行职责、发挥作用等方面进行对照总结
	专题组织生活会	一般主要围绕当前开展的党内集中性教育、以案促改等工作召开
主要内容		查摆问题，开展批评和自我批评
会前		认真学习，谈心谈话，听取意见
会后		制定整改措施，逐一整改落实
落实要求		● 要做到个别谈心谈话不充分不召开，征求群众意见不充分不召开，书记、副书记对主要问题和原因没有统一认识不召开，材料准备不充分不召开，整改措施没有预案不召开，确保在会前把存在的矛盾基本化解、把突出的问题基本摸清、把整改的思路基本明确； ● 开展批评和自我批评，要坚持“惩前毖后，治病救人”的原则，既敞开心扉、敢于揭短亮丑，又不闹意气、不发泄私愤； ● 指定专人做好会议记录，会后进行归纳整理

（五）谈心谈话制度

谈心谈话是党的组织生活的重要形式。党支部委员之间、党支部委员和党员之间、党员和党员之间，要开展经常性的谈心谈话，坦诚相见，交流思想，交换意见，帮助提高。

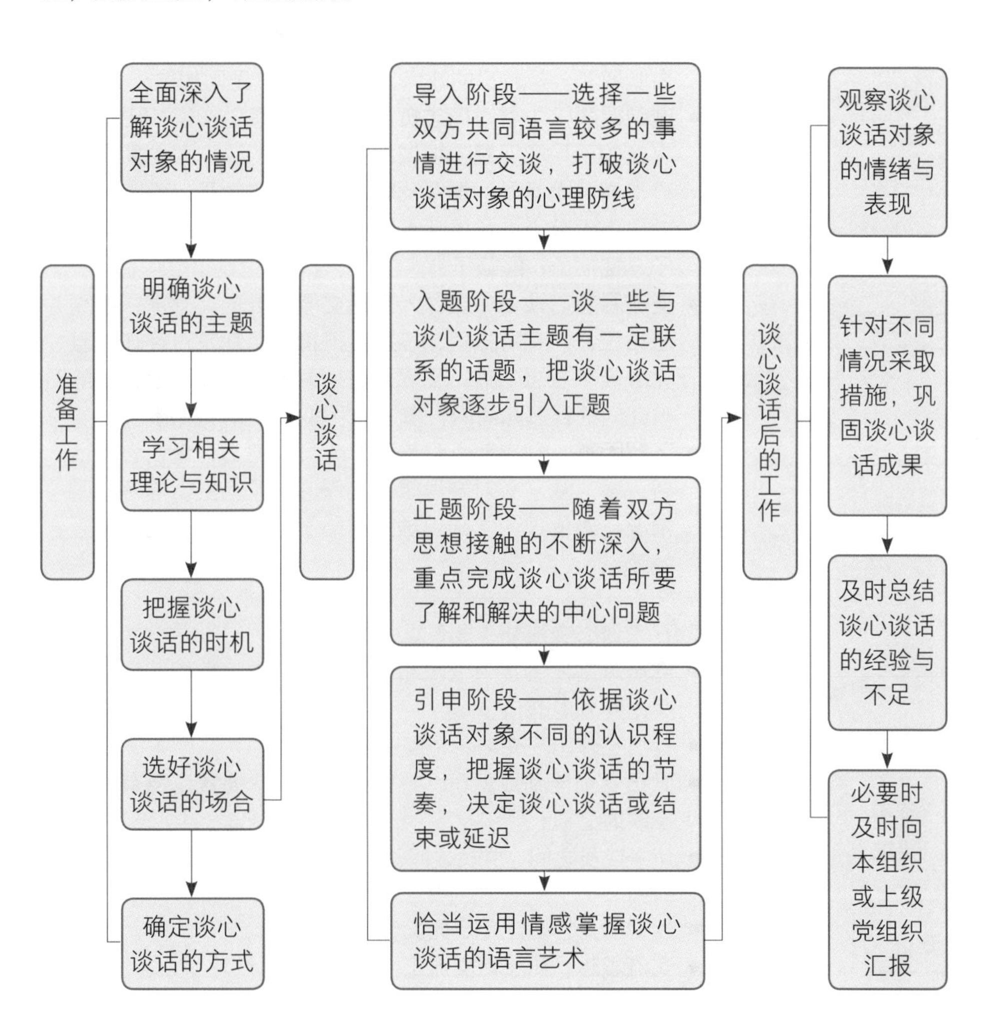

谈心谈话落实规范

开展频次和人员范围		根据需要随时开展，党支部委员之间、党支部委员和党员之间、党员和党员之间一般每年不少于1次
主要内容		● 征求意见。谈心谈话时每位党员要毫不隐瞒地亮明自身问题，并虚心诚恳地征求对方对自己的批评意见，多方面听取和分析自己的缺点，有则改之，无则加勉； ● 诫勉提醒。本着对同志负责的态度，真心实意指出对方存在的不足和问题，坦诚地提出意见建议，帮助同志改进提高。尤其是对群众反映问题较多的党员，党支部书记要出于公心，严肃认真地指出问题，及时地帮助提领子、扯袖子、醒脑子； ● 交流思想。谈话中要深入沟通交流，听真实心声，说真心话语，不拐弯抹角，不遮遮掩掩，尤其是对存在的意见分歧和思想疙瘩，要深入交换意见，反复沟通，消除彼此间的误解和隔阂，增进相互间的理解和感情； ● 了解困难。党支部书记与班子成员、党员群众谈心谈话时，要注重了解对方思想、工作、作风、生活等各方面情况，对发现的实际困难主动给予帮助，体现党内关心关爱
落实要求	四个必谈	除日常谈心交流外，要着重关注特殊情况： ● 党员家庭发生重大变故和出现重大困难、身心健康存在突出问题时必谈； ● 党员工作出现变动和调整时必谈； ● 党员受到奖励或惩罚，特别是受到处分处置以及有不良反映时必谈； ● 班子成员之间、党员之间关系紧张、闹不团结时必谈
	四个防止	● 坦诚相见，防止空泛无义； ● 交流思想，防止以交流工作代替； ● 交换意见，防止单方面灌输； ● 帮助提高，防止姑息迁就

（六）民主评议党员制度

民主评议党员是按照党章规定的党员条件，通过党员群众的评议和党组织的考核，对每名党员的工作表现和作用发挥作出客观评价，以达到激励党员、纯洁组织、整顿队伍的目的。

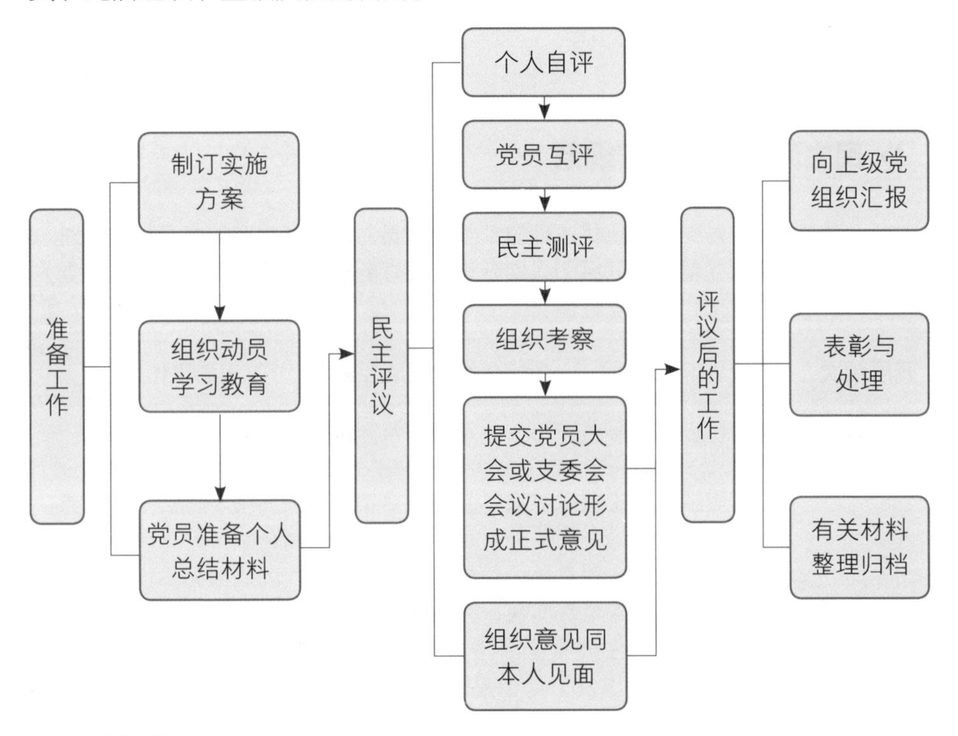

要点说明：

1. 学习教育。评议前，党支部召开党员大会，组织学习党章及上级有关文件指示精神，讲清评议的指导思想、目的、意义以及评议标准和重点。

2. 个人自评。在学习讨论的基础上，党员对照评议内容和党员标准，总结个人思想、履职尽责、能力素质和模范作用发挥等方面情况，实事求是肯定成绩，查找不足和问题，明确努力方向。

3. 民主评议。一般召开党小组会或党员大会，进行民主评议。评议中，要是非分明，敢于触及矛盾，认真地而不是敷衍地开展批评和自我批评。还要采取适当的方式，听取师生群众的意见。

4. 组织考察。支委会对党内外评议的意见，进行实事求是的分析、综合，按照优秀、合格、基本合格、不合格对党员作出评价，形成组织意见，转告本人，并向支部党员大会报告。

5. 表彰与处理。对评议出的优秀党员，由支部进行表扬或报上级党委进行表彰；经评议认为不合格的党员，由支委会根据不同情况，研究提出处理意见并按规定报上级党组织批准。对存在的主要问题，党支部和党员要分别制定整改措施，并抓好落实。

» 民主评议党员落实规范

总体要求	坚持对党员进行民主评议，督促党员对照党章规定的党员标准、对照入党誓词、联系个人实际进行党性分析，强化党员意识、增强党的观念、提高党性修养
开展频次	一般每年开展1次，一般结合组织生活会或“七一”表彰工作进行
开展方式	一般以党支部党员大会、党小组会形式进行
主要内容	● 思想情况。主要看政治学习是否自觉，政治立场是否坚定，道德品质是否高尚，利益关系是否处理恰当，精神状态是否昂扬； ● 工作情况。主要看是否热爱本职，对待工作的热情和工作标准如何，接受任务是否愉快，完成任务效果如何； ● 作风情况。主要看是否坚持实事求是的态度，想问题、抓落实是否从实际出发，处事是否公道正派、不徇私情，工作是否深入扎实； ● 模范作用情况。主要看党员的先锋意识强不强，工作上是否吃苦在前、勇挑重担，危急关头是否挺身而出，日常生活中是否严格自律
落实要求	● 坚持实事求是、民主公开、党内平等的原则，既不降低党员标准，也不提空泛过高要求，教育引导党员克服“无所谓”“怕挨整”“得罪人”等模糊认识，端正参与评议的态度； ● 领导干部和支委成员要带头示范，以普通党员身份参加评议，带动民主评议党员工作顺利进行。每名党员都要认真准备自评提纲，由党小组组长审查，防止走过场； ● 评议中召开的党员大会、党小组会、支委会会议要如实记录，民主测评表做好留存

（七）党支部组织生活记录要求

1. 记录规范

规范指导：根据相关规定和要求，对记录内容进行规范指导，确保记录内容的完整性、真实性和及时性。

监督检查：定期对组织生活记录本如《党支部工作手册》（以下简称《手册》）等进行检查，查看记录是否规范、完整，对于发现的问题及时指出并要求整改，确保记录质量。

» 记录规范

规范	具体要求参考
记录信息完整	● 会议（活动）名称、时间、地点、主持人、记录人、参加人数、缺席党员姓名和原因等基本信息手写，如实填写，字迹清晰； ● 内容要按照规定议程逐项记录；学习、发言的主要内容和活动的基本情况要记录详实；表决事项要写清同意人数、反对人数、弃权人数，不得涂改；关键信息不能缺漏，确保日后翻看记录，对会议（活动）的基本情况、重要决定等内容有清晰了解
记录内容符合逻辑	● 严格按会议（活动）时间先后顺序依次记录，严禁插页补录； ● 党组织会议的议程第一项应记录“第一议题”学习的开展情况
会议名称准确	● 会议（活动）名称应注明月份/季度和会议（活动）类型，党支部党员大会、党课、主题党日等会议（活动）类型，可以根据实际开展情况在“会议（活动）名称”栏并列填写，在具体记录中区分环节； ● 党支部党员大会和党支部委员会会议不能合并记录
记录形式规范	● 一般手写记录。如果记录人习惯使用电子产品记录，也可打印粘贴，但内容必须是记录形式，不能用新闻稿代替记录，可配有相关图片。粘贴必须规整，粘贴的纸张不要超过记录本纸张范围； ● 与《手册》记载内容相关的其他文字、图片和影像资料需分门别类做好整理归档
规范《手册》使用和管理	● 党支部要指定专人负责《手册》的记录填写和保管工作，不得随意损毁、丢弃； ● 党支部调整或改选后，要及时向新的党支部委员会移交历年《手册》； ● 《手册》由学校统一印制发放，每年更换，长期保存

2. 记录注意事项

（1）“第一议题”制度

各级党组织必须把学习习近平新时代中国特色社会主义思想、习近平总书记重要讲话和重要指示批示精神等内容，作为党委会会议、理论学习中心组会议、支部党员大会、支委会会议、党小组会及其他党内重要会议的“第一议题”，第一时间组织传达学习。记录要点如下：

①“第一议题”学习放在**首要位置**，并且**注明**“第一议题”字样；

②应记录**领学人和具体学习**情况，比如：学习内容摘要，结合单位实际或本职工作谈到的认识感想、思路举措等；

③其他内容的学习应放在“第一议题”之后，但不能称为“第二议题”“第三议题”等。

第一位置	第一内容	第一时间
摆在会议议程的首要位置，是第一项会议议程（注意是指会议议程的第一项，不是指学习环节的第一项）	把学习贯彻习近平新时代中国特色社会主义思想、习近平总书记重要讲话和重要指示批示精神作为学习内容（注意“第一议题”有特定含义，学习内容有特指）	列入重要议事日程，第一时间传达学习，第一时间研究部署，并结合实际抓好落实

（2）党支部讨论入党、转正等发展党员事宜

如实记录缺席人员名单及原因。对需要作出决议的议题，按照少数服从多数的原则进行表决。详细记录表决过程、表决票数和最后决议，不能一笔带过直接记录结果。

党支部讨论入党、转正等发展党员事宜记录注意事项

注意事项
实到会有表决权党员人数要超过应到会有表决权党员人数的半数
必须有讨论发言的记录
支部大会的决议，要记录清楚决议的重要信息，如支部大会对发展对象的基本评价、表决情况（包括支部党员数、到会党员数和其中有表决权的党员数，表决方式，表决时赞成、反对和弃权的人数及表决结果）、支部名称、通过决议的日期等

（3）党支部在教育、管理、监督党员，组织、宣传、凝聚、服务师生中的作用发挥

党支部发挥作用的内容需要在《手册》中有所体现。具体如下：

① **教师党支部**参与本单位重大问题决策，加强思想政治教育和师德师风建设，落实意识形态工作主体责任，组织教师认真学习传达党的路线方针政策和上级党组织决议，结合实际抓好组织落实的情况；在教师聘用、职称评审、岗位聘用、导师遴选、评优奖励、聘期考核、项目申报等方面发挥政治把关作用的情况；

② **学生党支部**组织学生认真学习党的路线方针政策和上级党组织决议，结合本单位实际抓好组织落实的情况；加强思想政治教育，团结组织和引领带动学生积极投身学校和学院高质量发展任务、维护学校和谐稳定的情况。

3. 记录常见问题

在组织生活记录中，要注意避免以下问题。

不规范

“三会一课”记录不全、不明显、合并记录（尤其是缺支委会会议、党课记录）；未按照时间先后顺序记录

“第一议题”学习落实不到位

缺少“第一议题”学习，或学习内容不具体、不明确、不符合要求

不详实

记录内容过于简单，如缺少组织生活会批评和自我批评的详实记录，学习研讨缺少党员发言记录，主题党日简单1—2句话记录等

不严肃

组织生活频繁线上开展（非寒暑假一般不线上开展）

不严谨

对基层党务知识概念不够清晰（混淆组织生活会、指导思想表述不正确、党务工作表述不准确不规范、重要年份有误等）

不美观

打印的记录没有粘贴直接加塞、没有裁剪导致超出版面，随意折叠

十三、定期评优评先“树标杆”

党的评优评先工作，要推动基层党组织全面进步、全面过硬，通过选树和宣传“两优一先”（优秀共产党员、优秀党务工作者、先进基层党组织）先进事迹，推动形成学先进、赶先进、当先进的浓厚氛围，激发基层党组织的活力和创造力，促进基层党建工作质量的提升。

（一）评选要求

1. 先进基层党组织的评选要求

模范履行职能职责、出色完成各项工作任务，努力做到“五个好”。

先进基层党组织“五个好”要求

领导班子好	领导班子能认真学习马克思列宁主义、毛泽东思想、邓小平理论、“三个代表”重要思想、科学发展观、习近平新时代中国特色社会主义思想，认真贯彻党的路线方针政策，团结协作，求真务实，勤政廉洁，有较强的创造力、凝聚力和战斗力
党员队伍好	党员素质优良，有较强的党员意识，能够充分发挥先锋模范作用
工作机制好	规章制度完善，管理措施到位，工作运行顺畅有序
工作业绩好	本单位各项工作成绩显著，围绕中心、服务大局事迹突出
群众反映好	基层党组织在群众中有较高威信，党员在群众中有良好形象，党群干群关系密切

2. 优秀共产党员的评选要求

模范履行党员义务，正确行使党员权利，自觉遵守党的纪律，在工作、学习和社会生活中带头发挥先锋模范作用，在“五带头”方面有突出表现。

»“五带头”要求

项目	要求
带头学习提高	认真学习马克思列宁主义、毛泽东思想、邓小平理论、“三个代表”重要思想、科学发展观、习近平新时代中国特色社会主义思想，自觉坚定理想信念；认真学习科学、文化、法律和业务知识，成为本职工作的行家里手
带头争创佳绩	具有强烈的事业心和责任感，埋头苦干、开拓创新、无私奉献，在本职岗位上做出显著成绩
带头服务群众	积极帮助群众解决实际困难，自觉维护群众正当权益
带头遵纪守法	自觉遵守党的纪律，模范遵守国家法律法规
带头弘扬正气	发扬社会主义新风尚，敢于同不良风气、违纪违法行为作斗争

3. 优秀党务工作者的评选要求

序号	要求
(1)	具备优秀共产党员“五带头”要求的条件，且一般应专兼职从事党务工作2年以上。
(2)	热爱党务工作，具有较高的党务工作水平，模范履行党的建设工作职责，积极探索新形势下高校党务工作的方法途径，在本职岗位上，特别是在加强党员队伍和基层组织建设等方面做出显著成绩。
(3)	善于做群众工作，服务意识强、服务作风好、服务水平高，克己奉公、廉洁自律，在师生中有较高威信。
(4)	积极投身党内集中性教育和党建工作标杆院系、样板支部、“双带头人”教师党支部书记工作室培育创建等重要党建工作的组织指导并作出贡献。
(5)	顾全大局，支持同级行政领导在职责范围内行使职权，有效促进教学、科研、管理、服务等各项工作的开展。

（二）如何开展评优评先工作

组织员作为党员队伍建设和基层党组织建设的重要推动者和参与者，在“两优一先”评选过程中，应为评选工作提供客观、准确的评价依据，确保评选结果的公正性和合理性。

1. 高标准开展评选。严格对标优秀共产党员、优秀党务工作者和先进基层党组织的评选条件，指导基层党支部坚持实事求是、民主公开和平等的原则开展评选工作。组织员要对评选过程和评选结果进行监督和审核，对评选过程是否存在违规行为进行检查，确保评选结果的公正性和严肃性。必要时，向院（系）党委提出意见建议。

2. 加强典型宣传。要运用好典型推动工作的方法，及时对先进典型进行全面认真的分析，总结其成功经验和做法，加强宣传报道，发挥示范效应，引导基层党组织和广大党员自觉向先进榜样看齐，以点带面发挥好先进典型的引领辐射作用，不断激发全体党员干事创业热情，更好地发挥基层党组织战斗堡垒作用和党员先锋模范作用。

十四、党费收缴使用“重严实”

党费是党员向党组织交纳的用于党的事业和党的活动的经费。交纳党费是党员应尽的义务，也是党员增强党性观念的基本体现。做好党费工作，是党组织的一项经常性任务，也是加强党员教育管理的一项重要内容。

（一）党费的收缴

1. 党员交纳党费的标准与比例

（1）按月领取工资的党员，每月以工资总额中相对固定的、经常性的税后工资收入为计算基数，按规定比例交纳党费。

党员交纳党费的标准与比例

每月税后工资收入	交纳党费的比例
3000元以下（含3000元）	0.5%
3000元以上至5000元（含5000元）	1.0%
5000元以上至10000元（含10000元）	1.5%
10000元以上	2.0%

（2）实行年薪制人员中的党员，每月以当月实际领取的薪酬收入为计算基数。

2. 各类党员交纳党费的计算基数

党组织和党员在计算交纳党费基数时，必须严肃认真，严格执行规定，既要防止漏计，又要避免多计，做到准确无误。

高校各类党员交纳党费的计算基数

高校党员类别	党费计算基数
在职人员	岗位工资、薪级工资、绩效工资、津贴补贴
离退休人员	每月以实际领取的离退休费或养老金总额为计算基数；5000元以下（含5000元）的按0.5%交纳党费，5000元以上的按1%交纳党费
学生党员	每月交纳党费0.2元
没有经济收入或交纳党费有困难的党员	由本人提出申请，经党支部委员会同意，可以少交或免交

需要注意的是：

（1）基层党组织年初核定党员月交纳党费数额，年内一般不变动。每名党员月交纳党费数额一般不超过1000元，根据自愿可以多交，自愿一次多交1000元以上的，比照交纳大额党费有关规定办理；

（2）党费计算基数不包括以下项目：个人所得税，养老保险、医疗保险、失业保险、工伤保险、生育保险、住房公积金（含个人和单位缴纳部分），职业年金、企业年金，住房补贴、交通补贴、公务用车补贴、通讯补贴、加班补贴、误餐补贴、取暖费、防暑降温费、物业费等改革性补贴，以及针对少数地区、部分单位、特殊岗位、部分人员发放的津贴补贴；

（3）事业单位党员的绩效工资中的基础性绩效工资应列入党费计算基数，奖励性绩效工资不列入党费计算基数；

（4）科研人员党员在促进科技成果转移转化中取得的奖励和报酬，不列入党费计算基数；

（5）预备党员从支部大会通过其为预备党员之日起交纳党费；

（6）对无正当理由，连续6个月不交纳党费的党员，按自行脱党处理。

3. 交纳党费的程序

党员交纳党费要自觉、按时、足额上交。

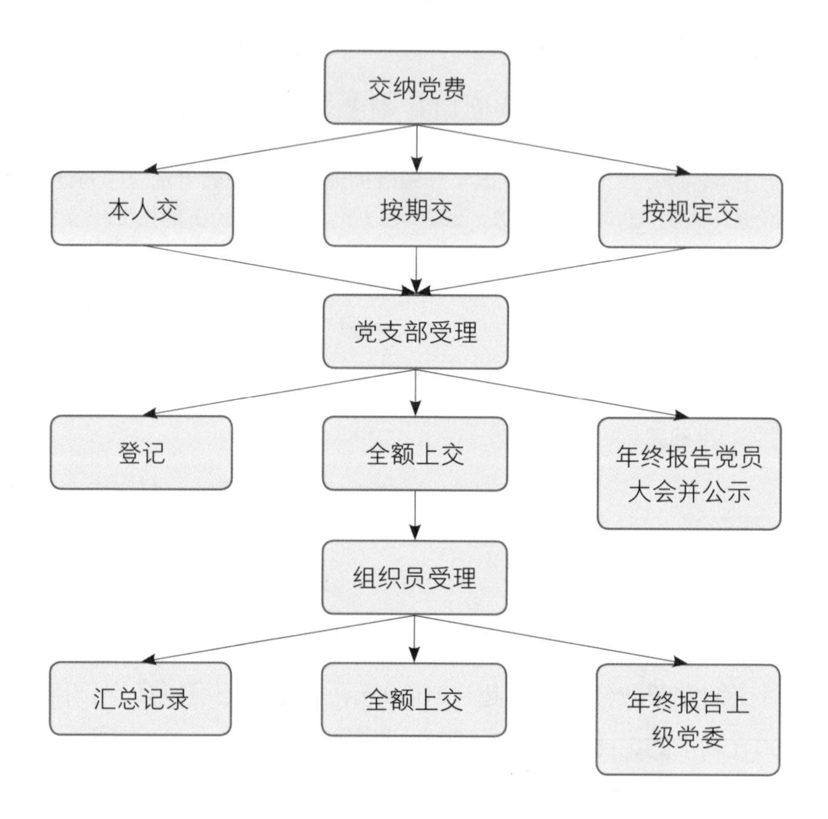

（二）党费的使用

1. 党费使用的范围

党费必须用于党的活动，主要作为党员教育培训经费的补充。

党费使用五项基本用途

（1）	培训党员。
（2）	订阅或购买用于开展党员教育的报刊、资料、音像制品和设备。
（3）	表彰先进基层党组织、优秀共产党员和优秀党务工作者。
（4）	补助生活困难的党员。
（5）	补助遭受严重自然灾害的党员和修缮因灾受损的基层党员教育设施。

2. 可以从党费中列支的具体使用项目

在遵循党费使用以上五项基本用途的前提下，以下具体使用项目可以从党费中列支：

（1）教育培训党员和入党积极分子、基层党务工作者所产生的住宿费、伙食费、交通费、师资费、场地费、资料费、门票费、讲解费等；

（2）开展“三会一课”、创先争优、党组织换届以及党内集中学习教育所产生的会议费等；

（3）党内表彰所需费用；

（4）修缮、新建基层党组织活动场所、为活动场所配置必要设施等所产生的相关费用；

（5）编印党员教育培训教材和印制入党志愿书、党员组织关系介绍信、党员证明信、流动党员活动证、党费证、党员档案等所产生的工本费，以及购买党员徽章、党旗等费用；

（6）党费财务管理中发生的购买支票、转账手续费等相关费用。

3. 如何合理使用党费

上级党组织向党支部拨付一定数额的活动经费，支持党支部订阅党报党刊、开展支部主题党日、创先争优等活动，应按以下要求办理：

（1）党支部使用上级党组织划拨的活动经费，要遵循党费使用五项基本用途，按照中央组织部规定的使用项目规范使用。

（2）党支部使用上级党组织划拨的活动经费须经集体讨论决定，不能个人或者少数人说了算。开展主题党日、创先争优等活动，一般应召开支委会研究制定活动方案，报上级党组织同意后组织实施。同时，要定期向本支部党员公布上级党组织划拨的活动经费使用管理情况。

（3）党支部活动经费的开支，应本着勤俭节约的原则，执行相关的财务制度。报销费用时，需提供规范的财务票据和凭证，党支部书记对支出的真实性、合规性审核把关并签字。

（三）党费的管理

1. 党费收缴、使用和管理情况的检查

基层党委应坚持每年至少对下级党组织党费的收缴、使用和管理情况进行一次全面检查，建立健全内部控制制度，防止党费管理人员发生违纪行为，保证党费财务信息的真实。

检查的主要内容包括：

（1）党费内部管理制度。明确党费检查的重点，检查党费管理上是否存在漏洞。

（2）会计出纳工作。通过对会计凭证、账簿、报表的审查，检查是否存在少报、瞒报、漏报党员交纳党费数额以及违规支出党费的情况。

（3）财产、物资的保管情况。检查党费购置党内资产的保管情况，保证财实相符，防止明开购货支出、实际套取现金的问题，避免党费流失。

2. 党费收缴和使用情况的公布

党费收缴使用管理情况是党务公开的一项重要内容，定期公布党费收缴和使用情况，既能提高党员交纳党费的积极性，还能及早发现、消除党费收缴和使用工作中出现的差错和问题。每年应当至少向党员公布1次党费收缴和使用情况，接受党员监督。

3. 党费收缴、使用和管理情况的报告

党的基层委员会应当在党员大会或者党的代表大会上，向大会报告（或书面报告）党费收缴、使用和管理情况，接受党员或者党的代表大会代表的审议和监督。

（1）报告的主要内容包括：党费收缴、使用和管理工作的基本情况；党费收缴、使用和管理工作中存在的问题和主要原因；改进和加强党费收缴、使用和管理工作的具体意见和措施。

（2）报告材料的起草要坚持实事求是的原则，报告的内容要属实，提供的数据要准确；既要肯定工作成绩，又不回避存在的问题，同时要针对存在的问题，提出改进意见。

1.《中国共产党支部工作条例（试行）》（自2018年10月28日起施行）

2.《中国共产党基层组织选举工作条例》（2020年7月13日发布）

3.《新编党的组织生活指导手册》，党建读物出版社，2022年8月

4.《党支部标准化规范化建设使用手册》，人民日报出版社，2021年5月

5.《党支部工作实用图解》，人民出版社，2024年1月

6.《新时代党支部工作实务与创新手册》，北京日报出版社，2020年1月

7.《关于中国共产党党费收缴、使用和管理的规定》（中组发〔2008〕3号）

8.《中共中央组织部办公厅关于进一步规范党费工作的通知》（组电明字〔2017〕5号）

党委工作

十五、中心组理论学习“铸信仰之魂”

党委理论学习中心组学习，是各级党委领导班子和领导干部在职理论学习的重要组织形式，是严肃党内政治生活、强化党性修养的重要内容，是加强各级领导班子思想政治建设的重要制度，是建设学习型服务型创新型的马克思主义执政党、提高党的执政能力和领导水平的重要途径。

党委理论学习中心组学习秘书负责做好各项学习服务工作，确保各项学习任务落到实处，具体职责是拟定学习计划和学习方案、准备学习资料、印发学习通知、协调学习事务、选请辅导专家、负责学习考勤和记录、撰写情况报告、管理学习档案等。

（一）主要学习内容

1. 马克思列宁主义、毛泽东思想、邓小平理论、“三个代表”重要思想、科学发展观、习近平新时代中国特色社会主义思想。以深入学习贯彻习近平新时代中国特色社会主义思想为主题主线，准确掌握这一思想的科学体系、丰富内涵、实践要求，深入领会这一思想的世界观、方法论和贯穿其中的立场观点方法。

2. 党章党规党纪和党的基本知识。

3. 党的路线、方针、政策和决议。

4. 国家宪法和法律法规。

5. 社会主义核心价值观。

6. 党史、新中国史、改革开放史、社会主义发展史。

7. 中华优秀传统文化。

8. 新时代坚持和发展中国特色社会主义、全面推进中国式现代化所需要的经济、政治、法治、科技、文化、教育、人才、民生、民族、宗教、社会、生态文明、国家安全、国防和军队、“一国两制”和祖国统一、统一战线、外交、党的建设、中华民族发展史、世界历史等方面知识。

9. 履行职责所需知识和理论，特别是习近平总书记关于教育的重要论述，以及习近平总书记关于本地区本部门本领域的重要讲话和重要指示批示精神。

10. 党中央和上级党组织要求学习的其他重要内容。

（二）开展形式

党委理论学习中心组的学习主要有以下三种形式：

集体学习研讨	各级党委理论学习中心组应当将集体学习研讨作为学习的主要形式，把重点发言和集体研讨、专题学习和系统学习结合起来，深入开展学习讨论和互动交流。理论学习中心组学习以中心组成员自己学、自己讲为主，适当组织专题讲座、辅导报告
个人自学	理论学习中心组成员应当根据形势任务的要求，结合工作需要和本人实际，明确学习重点，研读必要书目，下功夫刻苦学习
专题调研	理论学习中心组成员应当把理论学习与专题调研结合起来，深入基层、深入群众，扎实开展调查研究，深化理论学习

党委理论学习中心组成员应当积极参加学习讲坛、读书会、报告会等学习活动，充分利用网络学习平台开展学习，拓宽学习渠道，提升学习效果。党委理论学习中心组应当结合本地区本部门本单位实际，创新学习方式，改进学习方法，增强学习的吸引力、针对性和实效性。

（三）会议程序

召开党委理论学习中心组会议要在会前制订学习计划、组织学习活动、搜集学习资料、准备学习材料，会中做好考勤管理和学习记录，会后督促持续学习、检查学习效果、做好学习总结和反馈意见。

理论学习中心组会议召开程序

任务	具体内容
会前工作	制订学习计划：根据上级党组织的部署和本单位的实际情况，协助党委理论学习中心组制订详细的学习计划。学习计划应明确学习的目标、内容、时间、地点、方式等，确保学习的系统性和针对性
	组织学习活动：按照学习计划，负责具体学习活动的组织和实施，包括安排集体学习研讨、专题讲座、辅导报告等，确保学习活动的顺利进行
	搜集学习资料：广泛搜集与学习内容相关的资料，包括上级文件、领导讲话、专家解读、案例分析等，为学习提供丰富的素材
	准备学习材料：将搜集到的学习资料进行整理、编辑，形成学习材料，供中心组成员学习使用。包括学习手册、学习笔记、PPT等
会议过程	考勤管理：记录中心组成员的出席情况，确保学习活动的严肃性和纪律性
	学习记录：对学习过程中的重要观点、讨论内容、学习成果等进行详细记录，形成学习档案，供后续查阅和总结
会后工作	督促持续学习：督促中心组成员按照学习计划进行自学和集体学习，确保学习任务的完成
	检查学习效果：可通过组织考试、撰写学习心得、交流学习体会等方式，检查中心组成员的学习效果，促进学习成果的转化
	学习总结：在学习活动结束后，协助党委理论学习中心组对学习情况进行总结，提炼学习成果，查找存在的问题和不足
	反馈意见：将学习总结和学习成果向上级党组织汇报，并征求上级党组织的意见和建议，以便不断改进和完善学习工作

十六、院（系）党委会“谋发展之剑”

院（系）党委应履行好政治职责，规范落实党委会会议议事规则，保证监督党的路线方针政策及上级党组织决定的贯彻执行，把握好教学科研管理等重大决策事项中的政治原则、政治立场、政治方向，在干部队伍、教师队伍建设中发挥主导作用。

党委会会议秘书负责做好会议各项组织服务工作，确保党委工作的有效进行和决议的贯彻执行，具体包括收集会议议题，拟定“第一议题”学习内容并准备学习资料，印发会议通知，负责党委重要文件、报告的起草、撰写工作，协调会务，搜集信息，做好会议决定执行情况检查和督办，负责考勤以及会议记录纪要等。

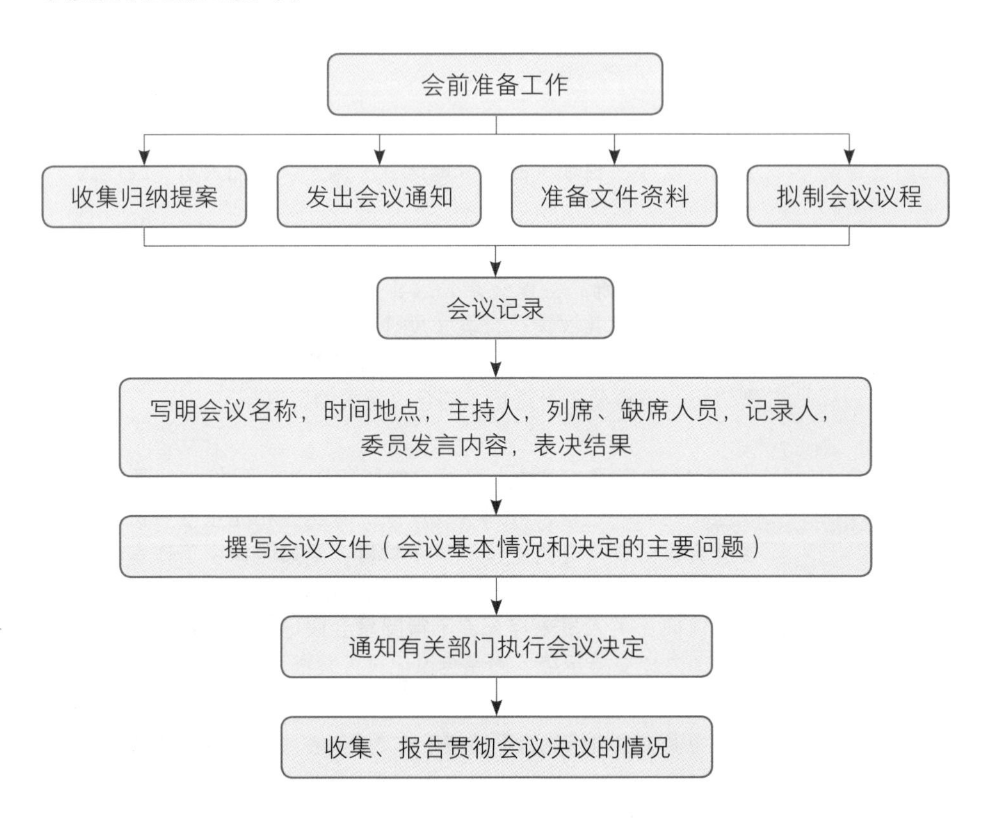

（一）议事类别

党委会会议讨论决定的事项主要包括党的建设的事项、干部队伍建设的事项，以及应由党委会会议对政治原则、政治立场、政治方向先行把关，再提交党政联席会议讨论决定的事项三类。

（二）会议程序

召开党委会会议要在会前进行议案审批、确定决策事项，会中做好会议记录并妥善保存，会后推进决议执行等。

» 党委会会议召开程序

任务	具体内容
会前工作	按照党委会会议议事规则规定的流程进行议案审批，确定决策事项
会议过程	**（1）规范记录。**统一会议记录格式，明确会议记录要素，包括会议的次序、日期、时间、地点、主持人、参加人员、缺席人员及原因、记录人等
	（2）真实准确。会议记录必须实事求是，忠实于发言者的原意，客观记载会议情况，真实反映会议的内容和全过程，不得任意增删和改动。要突出重点，有详有略，重要的内容和发言要详记，不重要的可略记，与会议无关的不记
	（3）妥善管理。记录人员要自觉履行职责，严格按照要求，一丝不苟做好记录，并对会议记录的真实性和完整性负责。党委会会议记录是党委工作的机密材料，要按照保密工作有关规定，及时归档。不得私自泄露会议酝酿、讨论决定等有关情况，任何无关人员未经允许不得阅看会议记录。保管人员更换时，须办理交接手续，确保会议记录无毁损、无遗失
会后工作	做好党委决议执行的督促检查工作。会议纪要或者决议形成后，要及时传达落实，推进决议执行，并及时向党委反映决议执行进度和执行情况

日常提醒：

（1）提醒按要求开展工作。如：落实“第一议题”制度，每年开展党委工作调研，研究党风廉政建设、意识形态工作等。

（2）提醒严格执行制度。要学习吃透党章和《中国共产党重大事项请示报告条例》《党委（党组）落实全面从严治党主体责任规定》《中共中央关于加强对“一把手”和领导班子监督的意见》《院（系）党委会会议议事规则》等党内法规和规范性文件，在处理相应工作时提醒党委注意。

（3）提醒党委委员落实职责。做好党委委员落实谈心谈话制度、联系教师和学生制度、联系师生党支部制度等的提醒工作。

十七、民主生活会“净思想之尘”

民主生活会是党内政治生活的重要内容，是发扬党内民主、加强党内监督、依靠领导班子自身力量解决矛盾和问题的重要方式。坚持和完善民主生活会制度，对于新形势下加强和规范党内政治生活，增强党自我净化、自我完善、自我革新、自我提高能力，实现党的正确领导，维护党的团结和集中统一，引导党员领导干部牢固树立政治意识、大局意识、核心意识、看齐意识，始终做到忠诚干净担当，具有重要作用。

（一）会议流程和要求

民主生活会应当遵循“团结—批评—团结”的方针，贯彻整风精神，充分发扬民主，开展积极健康的思想斗争，增强党内政治生活的政治性、时代性、原则性、战斗性，参加民主生活会的党员领导干部应当严肃认真开展批评和自我批评，坚持实事求是，讲党性不讲私情、讲真理不讲面子，按照“照镜子、正衣冠、洗洗澡、治治病”的要求，严肃认真提意见，满腔热情帮同志，达到统一思想、增进团结、互相监督、共同提高的目的。

（二）召开的频次和要求

民主生活会每年召开1次，一般安排在第四季度。因特殊情况需要提前或者延期召开的，应当报上级党组织同意。民主生活会到会人数必须达到应到会人数的三分之二以上。

如领导班子遇到重要或者普遍性问题，出现重大决策失误或者对突发事件处置失当，经纪律检查、巡视巡察和审计发现重要问题，以及发生违纪违法案件等情况的，应当专门召开民主生活会，及时剖析整改。开展党内集中性教育要求召开专题民主生活会的，应按照要求及时召开。

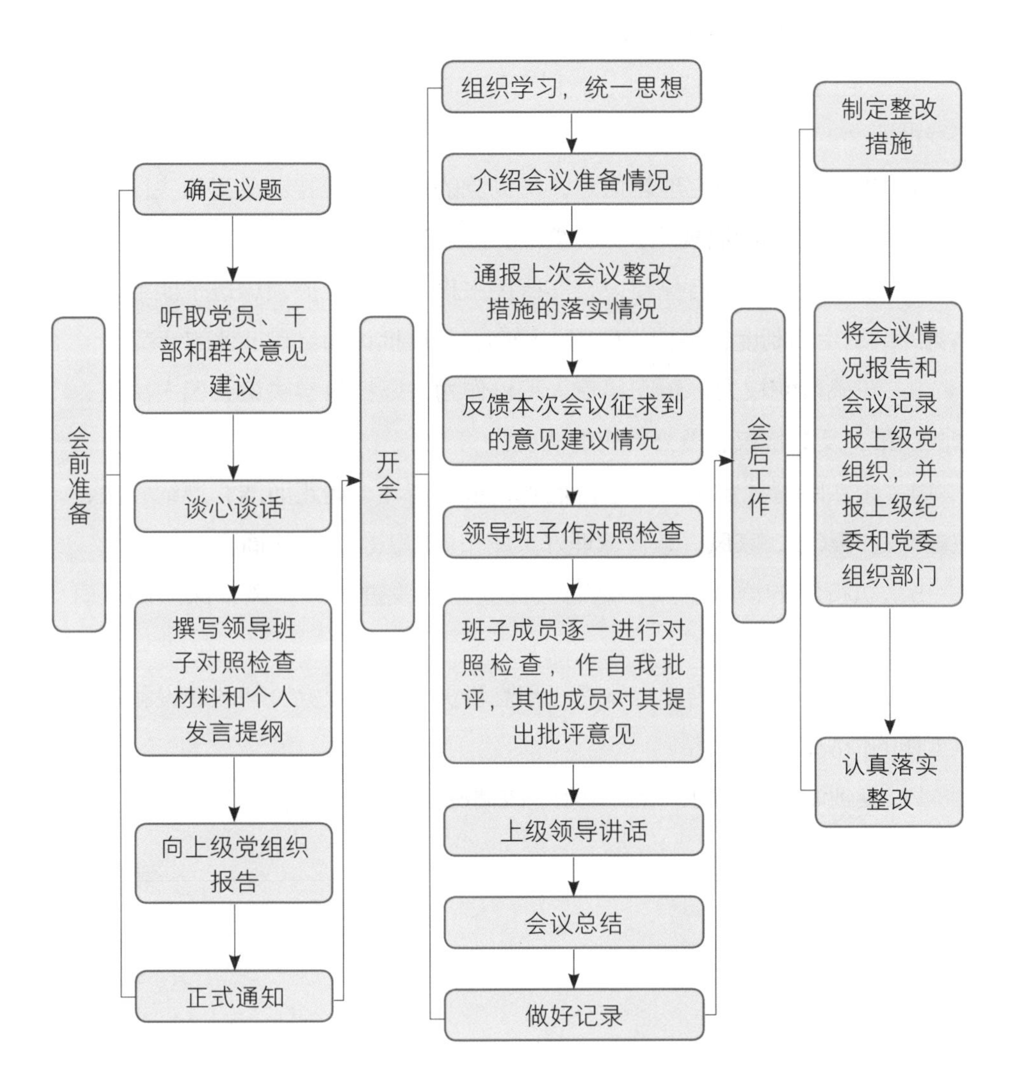
会前准备
确定议题
听取党员、干部和群众意见建议
谈心谈话
撰写领导班子对照检查材料和个人发言提纲
向上级党组织报告
正式通知
开会
组织学习，统一思想
介绍会议准备情况
通报上次会议整改措施的落实情况
反馈本次会议征求到的意见建议情况
领导班子作对照检查
班子成员逐一进行对照检查，作自我批评，其他成员对其提出批评意见
上级领导讲话
会议总结
做好记录
会后工作
制定整改措施
将会议情况报告和会议记录报上级党组织，并报上级纪委和党委组织部门
认真落实整改

（三）对照检查的基本内容

民主生活会应当围绕主题，就以下基本内容进行对照检查，开展批评和自我批评：

1. 遵守党章，坚定理想信念，贯彻党的理论路线方针政策和决议，执行党的政治纪律和政治规矩，维护党中央权威的情况；

2. 加强领导班子自身建设，实行民主集中制，维护领导班子团结，严格党的组织生活制度，坚持正确用人导向，开展批评和自我批评的情况；

3. 正确行使权力，履职尽责、积极作为，坚持科学决策、民主决策、依法决策，反对特权、秉公用权的情况；

4. 带头践行社会主义核心价值观，艰苦奋斗，清正廉洁，遵纪守法，注重家庭、家教、家风，教育管理好亲属和身边工作人员的情况；

5. 执行党的群众路线，站稳人民立场，改进领导作风，深入调查研究，密切联系群众的情况；

6. 履行全面从严治党主体责任和监督责任，加强党风廉政建设和反腐败工作的情况；

7. 受到诫勉谈话的，应当说明整改情况。

十八、述职评议考核“履担当之责”

开展基层党组织书记抓基层党建工作述职评议考核（简称“述职评议考核”），必须坚持以习近平新时代中国特色社会主义思想为指导，把党的政治建设摆在首位，全面从严治党；坚持围绕中心、服务大局，推动基层党建与中心工作深度融合；坚持书记抓、抓书记，强化责任落实；坚持分类指导、务求实效，重在解决问题，坚决防止形式主义。

（一）述职评议考核的内容

述职评议考核应聚焦坚持和加强党的全面领导，落实党中央和上级党组织关于基层党建工作部署要求，履行基层党建工作责任，增强政治功能和组织功能。

根据每年年初明确的基层党建工作重点任务，确定年度述职评议考核重点内容，注重考核上年度述职评议考核整改清单落实情况和巡视、巡察反馈中涉及基层党建工作问题整改情况，着力解决突出问题，防止面面俱到、走过场。

1. 党委书记述职评议考核内容

（1）推进基层党组织和广大党员、干部深入学习贯彻习近平新时代中国特色社会主义思想，认真落实习近平总书记重要指示批示精神和党中央重大决策部署，把不忘初心、牢记使命作为全体党员、干部的终身课题，坚定拥护“两个确立”，坚决做到“两个维护”等情况；

（2）履行抓基层党建和全面从严治党工作第一责任人职责，推动党委履行抓基层党建工作主体责任、班子其他成员履行分管领域基层党建工作责任等情况；

（3）落实基层党建工作重点任务，推进基层党组织建设，加强党支部建设和党员队伍建设，联系服务群众等情况；

（4）紧紧围绕党和国家工作大局、本地区本单位中心任务，充分发挥基层党组织战斗堡垒作用和党员先锋模范作用等情况；

（5）推动基层党组织落实党风廉政建设责任制、意识形态工作责任制等全面从严治党有关工作情况。

2. 党支部书记述职评议考核内容

（1）推进基层党组织和广大党员、干部深入学习贯彻习近平新时代中国特色社会主义思想，认真落实习近平总书记重要指示批示精神和党中央重大决策部署，把不忘初心、牢记使命作为全体党员、干部的终身课题，坚定拥护“两个确立”，坚决做到“两个维护”等情况；

（2）强化党支部落实支部职责，发挥党员作用等情况，其中，教师党支部突出围绕落实立德树人根本任务，加强教师党建、思想政治工作和师德师风建设等情况；学生党支部突出加强思想政治引领，筑牢学生理想信念根基，引导学生成长成才等方面的情况；机关党支部突出围绕学校模范机关创建、作风建设等情况；

（3）落实基层党建工作重点任务，加强党支部建设和党员队伍建设，联系服务群众等情况；

（4）推动基层党组织落实党风廉政建设责任制、意识形态工作责任制等全面从严治党有关工作情况；

（5）围绕中心、服务大局，推动学校和单位高质量发展有关工作情况。

（二）述职评议考核的要求

时间安排	一般安排在当年年底或次年年初进行
述职方式	可采取现场述职与书面述职相结合的方式进行
述职前	对履职尽责抓基层党建工作情况进行总结，为述职、点评做好准备
	党组织书记应经常深入一线调研了解基层党建工作情况，推动解决突出问题
述职时	紧扣述职评议考核重点内容，把自己摆进去，总结工作成效，主要查摆突出问题、分析产生根源，提出破解工作瓶颈的措施
述职后	上级党组织依据述职评议和实地考核结果，并结合平时调研了解，对党组织书记抓基层党建工作情况形成综合评价意见，肯定成绩，指出问题
	将述职报告在一定范围内公布，接受基层党组织和党员群众监督

（三）结果运用与整改

把对党组织书记述职考核结果作为评先评优、选拔任用干部、问责追责的重要依据。督促党支部列出问题清单、责任清单、整改清单，指导推动党支部持续抓好整改落实。对考核评价结果长期靠后、进步不明显的支部，负责定点联系的院（系）党委委员要通过谈心谈话、调研走访、参与指导党支部活动等形式，帮助党支部找准问题、扎实整改。

延伸阅读

1.《中国共产党党委（党组）理论学习中心组学习规则》（2017年印发）

2.《中央宣传部　中央组织部关于进一步提高党委（党组）理论学习中心组学习质量的意见》（2023年印发）

3.《党委会的工作方法》，毛泽东，人民出版社

4.《县以上党和国家机关党员领导干部民主生活会若干规定》（自2016年12月23日起施行）

5.《党委（党组）书记抓基层党建工作述职评议考核办法（试行）》（自2019年12月30日起施行）

2

进阶篇

八仙过海，各显神通

我已经是一名合格的组工人啦，但是好像还不够

在我以为能按照流程顺利开展工作的时候，总有一些难题冒出来：

成熟一个发展一个，究竟怎样算“熟”了？

怎么找对路子，让党员教育培训提质增效？

如何让党支部书记工作例会“料足味正”？

……

哎呀！

组织员工作怎么看起来就不容易，做起来更难呢？

这么多的“疑难杂症”

急得我就像那热锅上的蚂蚁……

听说有几位组织员能手分享了不少“锦囊妙计”

让我来看看他们是如何“八仙过海，各显神通”的！

一、如何提高发展党员的“含金量”？

马克思主义政党的力量和作用，既取决于党员数量，更取决于党员质量。党员发展质量是发展党员工作的永恒主题，及时总结高校发展党员的有效经验做法，提出新时代高校发展党员质量提升的路径，具有十分重要的理论价值和实践意义。华南理工大学部分院（系）党组织在健全制度、规范程序、整合资源、完善体系等方面进行探索实践，并从中凝练了“工作法”，希望对大家有所启发。

（一）入党启蒙教育做得好，从心动到行动！

入党启蒙教育是加强对大学生思想政治引领、筑牢理想信念根基的基础性工作，是大学生在政治信仰上的“启蒙第一课”，如何开展才能达到理想的效果呢？

华南理工大学广州国际校区党委通过**“三维浸润”教育体系**开展新生入党启蒙教育，学生提交入党申请书的积极性普遍提高。

华南理工大学党委组织部组织员，从事党务工作7年，曾获广东省高校思想政治工作实践优秀案例（基层党建类）一等奖。

“三维浸润”入党启蒙教育体系以引导广大学生积极向党组织靠拢为核心，从队伍、内容、载体三个维度发力，调动一切有效的育人元素，精准把握学生的思想状况、关注的热点问题以及成长诉求，针对学生的特点，进行全过程设计，着力提升入党启蒙教育的针对性、系统性和有效性，使大学生动心动情并积极行动起来向党组织靠拢。

一是聚力师资队伍，形成多元主体参与教育的“合力浸润”。

党员领导干部带头讲授“思政第一课”。党员管理干部全员担任成长导师、党建联络员，每周与学生面对面，话初心、谈使命。新聘党员教师全员担任学业导师，知名专家学者等开讲博雅学堂、博约讲堂，引领学生在探究中求真。辅导员工作室嵌入宿舍区，切实做到“与生为邻”。选拔优秀高年级学生党员担任朋辈导生，提升同辈辅学共促效能。

二是遵循成长规律，打造进阶式提升的“内容浸润”。

强化开学典礼、毕业典礼的“典礼育人”实效，办好青春告白祖国大课，营造学生爱国奋斗的浓郁氛围。推动“习语心传”学生党员宣讲团、“青年马克思主义者培养工程”培训班等广泛开展演讲报告、交流研讨、作品展示、文化展演等宣讲展示活动。开展知行课堂和社会实践大课堂，带领青年学子走进革命基地、基层一线、红色家园、最美乡村，看伟大成就、悟成才之道。

三是激活教育载体，丰富知识传授与价值引领的“环境浸润”。

在学生宿舍廊道悬挂习近平总书记对青年的寄语和党的理论、方针、政策等内容展板，在校区塑造“红色甲工”英雄群像，打造爱国主义教育的生动教材。依托党建活动室、红色读书角，举办党史专家报告会、专题读书班、“歌词里的党史故事”活动等。

（二）成熟一个发展一个，究竟怎样算“熟”了？

从入党积极分子到发展对象至少需要一年的考察期，我们应该从哪些方面来考察？又是怎么判断入党积极分子已经具备条件，可以列为发展对象了呢？

推选发展对象，就是要选拔政治觉悟高、能力素质强、道德品行好、现实表现优的入党积极分子。

入党积极分子被确定为发展对象，一般应具备以下条件：

1. 经过党组织一年以上的培养教育和考察。

2. 完成了规定内容的教育培训。党组织要对入党积极分子进行党章党规，党的基本理论、基本路线、基本方略等内容的教育培训；入党积极分子已按要求完成，并达到合格水平。

3. 基本具备党员条件。确定入党积极分子为发展对象，必须符合党章规定的党员标准。

衡量入党积极分子是否符合党员条件，应着重考察其对党的认识、入党动机、政治觉悟、道德品质、现实表现。具体地说，就是要从入党积极分子的具体行动和现实表现中，着重看他是否具有马克思主义信仰、共产主义觉悟和中国特色社会主义信念，积极拥护并认真贯彻执行党的路线、方针、政策；能否自觉践行社会主义核心价值观；能否密切联系群众，自觉地为人民服务；能否正确处理国家、集体、个人三者利益关系，自觉地以个人利益服从于党和人民的利益；是否模范地严格遵守党的纪律和国家的法律法规，在工作、学习和社会生活中起先锋模范作用。

在具体工作中，党支部可以结合实际，将考察内容分解得相对具体一些，列举入党积极分子培养过程中需要考察的多个方面，比如入党动机、政治立场、党的基本知识学习情况、学业表现、集体任务承担情况、支部意见、群众意见，参加社会实践的积极程度等。

一年后，支委会参照考察内容，结合谈话、党员及群众意见等情况进行综合考量。

（三）如何加大在低年级大学生中发展党员的力度？

“低年级少发展甚至不发展党员，高年级扎堆发展党员”的现象，造成党组织在低年级未能形成有效覆盖、学生党员未能尽早接受党性教育和组织生活锻炼。可以从哪些方面发力，发展低年级学生党员呢？

目前各高校都在积极探索有效举措，这需要学校党委和院（系）党组织上下协同发力，共同做好这项工作。

学校层面，党委组织部门可研究建立健全制度机制，压实工作责任，采取具体举措，如每年单列本科低年级发展党员计划，定期开展调度督导等。

院（系）层面，可加强统筹谋划和工作指导。

一是把握工作节奏。发展党员工作步骤环环相扣，时间上要做到高效衔接，及时在新生中开展入党启蒙教育，落实入党申请人和入党积极分子接续培养机制，紧凑有序开展与入党申请人谈话、团内推优等工作，扩大做好一年级新生入党积极分子“蓄水池”。

二是注重过程培育。依托院（系）分党校，及时开展教育引导，强化入党积极分子理论学习与实践，帮助他们不断坚定理想信念、增强他们向党组织靠拢的积极性和主动性，为党精心培养“好苗子”。

三是把好质量关口。结合低年级学生实际，有组织地引导入党积极分子适当参与党支部的工作任务，在实践锻炼中考察他们的政治素养和综合能力，同时注重发挥入党培养联系人作用，确保党支部能在低年级入党积极分子中辨识出党性好、品行优、作风正、肯奉献的“新血液”。

有党支部反映，在推选发展对象时，高年级学生综合能力和学习成绩更加突出，低年级学生不占优势，怎么办？

综合能力、学习成绩并非发展党员的首要标准，要把政治标准放在第一位，考虑高低年级学生实际，进行综合考察。

二、如何让教育培训“入脑入心”？

开展党员教育培训对于加强党员队伍建设，保持党的先进性和纯洁性，推进全面从严治党向纵深发展，具有十分重要的意义。我们党长期以来形成了以党的组织生活制度为基本形式，以集中培训为重要手段，以激励关怀帮扶为动力，以发挥先锋模范作用为落脚点的党员教育管理模式。新时代新征程，要不断加大党员教育培训力度，抓实教育培训，我们尝试从创新培训形式、贯通培训环节、打磨培训素材、激活工作队伍、健全工作体系等方面，提升培训效果，实现培根铸魂。

（一）用“精准滴灌”的思路来做党员培养教育

从入党申请人到正式党员，整个考察期至少需要2年，或更长的时间，请问如何在这么长的时间里做好不同阶段的培养教育呢？

我们可以根据发展党员五个阶段的不同特征以及培养需要来设置培训内容和方式。不妨了解一下华南理工大学土木与交通学院如何用“精准滴灌”的思路来做“入党全周期教育培训”工作。

华南理工大学机械与汽车工程学院党委副处级组织员，首批全国党建工作样板支部书记，曾获广东省教育系统优秀党务工作者。

1. 提前谋划早部署，全力下好“先手棋”

学院党委分党校每年初发布学生党支部全年工作月历，每学期发布学习和工作计划，每月发布组织生活指导，每个寒暑假发布假期学习要求，对党支部进行明确的组织生活指导。

制定学习计划时就考虑到不同时期、不同阶段、不同人群的学习任务，做到提前谋划、整体考虑。计划由学院党委分党校制定和发布，各党支部遵照执行，增强了党员教育工作的系统性。

2. 发展周期分阶段，不同阶段有特色

针对发展党员五个阶段，学院党委分党校作为党员教育培训的组织机构，策划了5个各有特色的培训班，以满足全周期的教育培训需要。

“看齐班”	入党申请阶段学理论
“社区微治理”	积极分子阶段有提升
“领航班”	发展对象阶段炼党性
“砼梦青训营”	预备党员阶段再提升
“砼星闪耀”	正式党员阶段争先进

入党申请人“看齐班”培训，设置理论学习和参观学习两个模块，通过开展入党启蒙讲座、优秀党员分享交流、宣讲团专题报告、市内红色景点参观学习、笔试考察、分组研讨等，引导入党申请人端正入党动机。

在入党积极分子培养考察期间，学院党委分党校与街道联合，策划“社区微治理”比赛活动。入党积极分子组队参与社区的具体民生事务，强化“为人民服务”意识。整个活动实施下来大约需要一个学期。

针对发展对象，结合学校党委党校组织的“领航班”，通过开展理论学习、分组研讨、课后调研、撰写报告等，达到增强党性、提升理论水平的目的。

针对预备党员，举办“砼梦青训营”，共8个学时。以小组竞技的形式开展理论学习，提升党员综合素质，坚定理想信念。

针对正式党员，开展“砼星闪耀”十大党员之星评比活动，以评促学、

争先创优，广泛宣传展示优秀党员事迹，带动更多党员发挥先锋模范作用。

3. 长期坚持成品牌，一册在手心里明

入党全周期教育培训，学院党委分党校已坚持开展10多年，每个阶段的培训方式和内容会随着实际情况略有调整，但是培训大纲、培训目标以及培训班的名称坚持不变。这对于入党申请人了解培训计划是非常有益的，对于学院党委凝练工作品牌，形成工作体系也是有利的。

在此基础上，学院还绘制了入党流程说明发放给入党申请人，通过明快清晰的“升级路线图”了解自己所处的发展阶段，知道下一步往哪些方面努力。

（二）分党校给力事半功倍，快来一键copy

目前各学院都成立了分党校，但是具体怎么建设，才能发挥其功能呢？

分党校作为党员教育培训的主阵地，在加强基层党务干部、党员、入党积极分子教育培训，提高基层党组织建设质量等方面发挥重要作用。

现阶段高校学生群体在思想观念、思维方式等方面发生了新变化，分党校在建设发展过程中存在工作机制不够健全、培训形式不够新颖等问题。我们坚持把党校姓党全面贯穿分党校工作始终，不断创新工作体制机制，从实际操作层面梳理总结出一些经验做法。

一是完善组织设置，明确工作职责。

分党校组织可在学校党委党校的指导下，根据各学院实际和业务需要进行设置。在机构组成上，可设立分党校校长、副校长、办公室主任、副主任等，同时可选派优秀的青年教师、高年级学生党员等担任教务、培训、实践活动、组织、策划、宣传、考核等工作板块的负责人，并明确职责分工。

二是分层分类培训，优化教学内容。

分党校建立教学大纲、特色教案、评价体系，制定切实可行的教学计划和措施，完善师资库、案例库、课件库等教学资源，并积极应用。

根据不同的培训对象与目的实行不同的教学计划，分层分类开展培训，有计划地采取专题讲授、自学、研讨和开展主题实践活动等方式进行，也可紧密结合校、院发展历史、特色、中心工作等，探索一院系一特色的专属培训课程。

三是突出师资建设，细化学员管理。

分党校教师需要有较高的思想政治素质和政策理论水平，可选聘本院（系）优秀的青年教师，也可外聘马克思主义学院教师、行业先锋人物、社会模范代表等，或选拔优秀学生党员承担授课任务。

学员管理是实现党校工作目标的重要环节。要建立学员管理和考核考评制度，严格培训规定，改进管理方式，提高管理效果。注重加强与党支部的密切联系，共同组织做好学员的选派、管理和考核评优工作。

（三）理论学习不枯燥的N种可能

加强党员理论学习是提升党员理论修养的重要途径。当前，党员理论学习大多停留在相对传统的灌输式、授课式和自学的层面，学习形式较单一、学习过程枯燥乏味，导致党员对参加理论学习兴趣不足、热情不高，既不容易学到知识中的精髓要义，也难以收到预期的学习效果。怎么使理论学习有效、有趣？这真是个难题！

分享一个华南理工大学机械与汽车工程学院本科生第三党支部探索创建的“**‘2+3’学习增效机制**”，看看能否打开工作思路。

“2”代表“双流转阅读法”，“3”代表“三步学习法”。

1. “双流转阅读法”实现促学

“流转”是指学习资源的流转，目的是提高学习资源的使用效率，强化理论学习的教育效果。

流转阅读法中的“流转”包含着并存的“双流转”即内流转和外流转。内流转：在规定时间内，给每个党小组提供一种学习资源，同时限定学习时间，提出学习任务，收集学习成果。外流转：党小组之间学习资源流转，一般每个党小组占有一种学习资源的时间为7—10天，一个月为一个流转周期。

“流转”限制学习资源的占有时间，变相督促了每个学习者按时间要求完成各自学习任务，实现了“促学”的效果。

2. “三步学习法”完成比学

以“双流转阅读法”展开自学，提供有限学习资源，根据学生实际情况规定学习时间和学习任务。交流研讨以党小组或其他形式的学习小组为单位，在一个流转周期内每个小组开展学习心得研讨会，成员之间互帮互学，交流讨论。汇报总结以比赛、汇报、宣讲、作品展示等形式，开展学习和成果总结，检验学习效果。

通过“比学”，达到了以下目的：小组内比较学习成果、交流研讨学习心得；小组之间、党支部之间比拼学习成果、相互学习借鉴。“比学”以朋辈教育的方式，深化了思想教育的互动，实现了变被动学习为主动学习。

3. 促学+比学=趣学

采用趣味赛制的比赛，以积分制在“环形赛道”进行计分。比赛开始前，各参赛队处于最外圈起点，比赛过程中根据每环节所得到的步数向圆中心的旗帜前进，抵达中心点（或离中心点最近的）队伍或总积分最高者获奖。

“双流转阅读法”实现的“促学”破除了“一个人读不下去”的“孤读”模式，减轻了阅读的枯燥感，增添了阅读的动力；“三步学习法”实现的“比学”在“促学”的基础上以读书比赛为目标导向，使得交流研讨有了方向，增加了互动交流、切磋备赛的积极性和主动性。你看这个“‘2+3’学习增效机制”是不是使理论学习变得有效又有趣了？

（四）手把手教你设计一堂微党课

讲党课不只是党支部书记的看家本领，普通党员也应具备一定的宣讲能力。尤其是近些年组织的微党课比赛，更是磨炼理论水平、锻炼党务能力的平台。那么究竟应该如何设计微党课，讲好微党课呢？

党课是一项基本组织生活制度，讲好党课还需要下一番功夫。

1. 微党课如何选题？

以小见大、见微知著：从基层党员最关心关注、最感兴趣的话题切入，激发听众的共鸣及兴趣。

量体裁衣、量身定制：选题既需符合授课者的专业背景，又要精准把握听众的需求与兴趣。

2. 微党课怎么备课？

资料准备：广泛搜集资料，如历史资料、图片和视频，确保内容的丰富性和说服力。

课件制作：PPT作为讲课的辅助工具，旨在强化而非分散听众的注意力，因此PPT设计应简洁大方，避免使用不必要的动画。

教学方法：融合丰富多样的教学形式和手段，提升课程的吸引力和感染力。可提前拍摄案例情景演绎，使抽象理论或案例具象化；深入分析案例，引导深入思考；巧妙设问，激发听众主动探索；组织互动讨论，促进思想碰撞与观点交流。

课堂组织：一开场即用引人入胜的导入语，吸引听众注意。授课者应精准切入课程核心，确保内容衔接紧密，逻辑清晰。

课程结尾：应深化主题，以简洁有力且升华主题的方式结束课程，如发起积极向上的号召，推荐红色资源与景点，预告下一期党课内容等，激发听众的期待与热情。

3. 一堂好的微党课的标准是什么？

选题意义	问题导向 主题鲜明 选题科学 针对性强	选题有代表性，能够符合认知规律、反映常见问题
		紧扣主题，能够突出中心思想
		体现微党课的基本原则，切口小、意义深，具有独立性、完整性、示范性
内容结构	立场鲜明 取材适宜 结构合理 逻辑性强	观点正确、判断准确、态度明确
		内容丰富具体充实，材料和素材来源可靠、权威、有说服力
		逻辑严密，详略得当，层次分明，脉络清晰
业务水平	业务精湛 理论扎实 严谨规范 政治性强	能够深度诠释、透彻分析，具有启迪作用
		理论功底扎实，能够紧密联系实际
		表述严谨，用语规范
形象表达	表达流畅 形象得体 遵守时间 传播力强	表达清晰、能够脱稿授课、语言连贯流畅，节奏适度
		运用创新性的表现形式，能够引起听众共鸣
		表情仪态自然，形象衣着、肢体语言得体
		时长控制在要求以内，不超时

三、如何画好组织建设的“五线谱”？

（一）筑战斗堡垒——怎么才叫把支部建在“连”上？

党支部是党的最基层组织，是党全部工作和战斗力的基础。“支部建在连上”是“三湾改编”时军队的重要组织原则和制度，通过在班排建立党小组、连队建立党支部，党的路线方针政策在基层单位的落实有了组织载体，确保党的决议能够传达到每一位党员和战士，从而有效解决了党对军队基层的领导问题。

高校中的党支部如何做到建在“连”上呢？

《中国共产党普通高等学校基层组织工作条例》第九条规定：高校院（系）级以下单位设立党支部，应当与教学、科研、管理、服务等机构相对应。教师党支部一般按照院（系）内设的教学、科研机构设置，学生党支部一般按照年级班级或者学科专业设置。下面一起来看看华南理工大学机械与汽车工程学院的做法。

华南理工大学电力学院党委组织员，从事党务工作10年，曾获学校优秀党务工作者、优秀组织员。

机械与汽车工程学院党委认真执行基层组织制度，不断优化师生党支部设置。教师党支部按照内设的教学、科研、管理服务机构（五系两所一中心、学院办公室）设置，每个二级机构设置1个党支部，总计9个教工党支部。

本科生党支部建在专业上，实行年级纵向设置。本科生党支部原本按年级横向设置，但大一新生中学生党员人数逐年减少，导致无法在低年级设置党支部，再加上低年级入党意愿强烈的学生逐年增多，急需联系培养，加强政治引领，于是纵向设置学生党支部的方案开始实施。根据学院各专业本科生的人数情况，总计设置5个本科生党支部，其中机械工程专业设置2个党支部，机械电子工程专业、车辆工程专业分别设置1个党支部，其他专业设置1个党支部。纵向设置既保证了学生党组织覆盖了低年级学生，又通过高低年级学生结对的方式解决了低年级入党积极分子培养的问题。

研究生党支部按学科方向纵向设置，实现“党支部建在学科方向，党小组建在研究团队上”。研究生党支部原本也按年级横向设置，考虑到研究生学业生活主要依托课题组和导师团队，将研究生党支部设置细化到各主要学科方向，党小组设置在导师团队上。以先进粉末冶金技术及装备研究生党支部为例，“先进粉末冶金技术及装备”是这个党支部研究生共同的学科方向，该党支部47名学生分属5个导师团队，于是党支部设置了5个党小组，每个党小组的成员均属于同一位导师的研究团队。

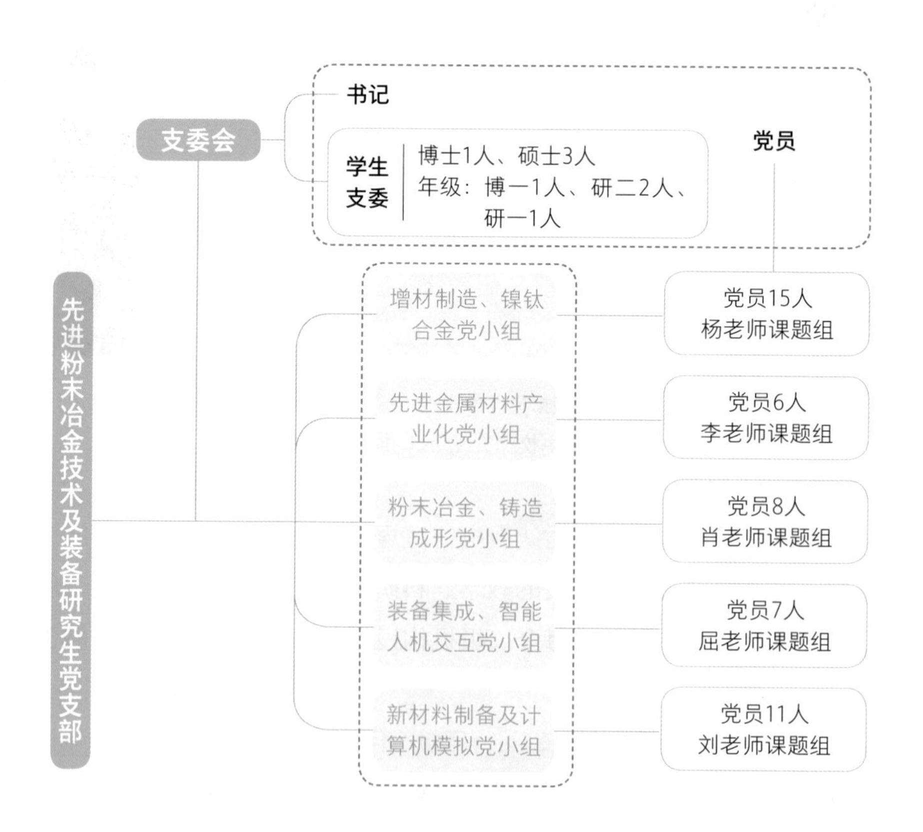

机械与汽车工程学院师生党支部的设置既注重覆盖全体师生，又做到层次合理，还与师生科研活动、学业生活的范围基本一致，真正做到了把支部建在“连”上。这样的组织设置，有利于把健全党的组织生活与师生业务学习、发展结合起来，为党建与业务的融合奠定了组织基础。同时，教师、本科生和研究生党支部设置统筹规划、密切贯通，有力地激发了相同学科领域师生党支部的共建积极性，实现师生相互促进、共同发展。

（二）严政治把关——教师党支部怎么做才有效？

教师是高校实现立德树人根本任务的主体力量，是落实党的教育方针、培养社会主义建设者和接班人的具体执行者。发挥好高校教师党支部政治功能，是坚持党对高校的全面领导、坚持高校社会主义办学方向的必然要求，也有利于增强教师教学和科研活动的组织性。对教职工职称评定、岗位（职员等级）晋升、考核评价等进行政治把关，是教师党支部的重要职责。在实际工作中，党支部会面临一个操作层面的问题：具体怎么把关才是科学、合理、有效的？下面让我们一起交流探讨。

高校教师党支部要开展有效的政治把关，需要注意什么？

要树立系统思维，坚持对教师发展全过程、各环节进行把关。《中共教育部党组关于完善高校教师思想政治和师德师风建设工作体制机制的指导意见》指出，“把教师思想政治素质和师德考评作为党支部发挥政治功能的重要抓手，在教师成长和管理各环节发挥政治和师德双把关作用。”华南理工大学制定和实施了《教师职业发展全过程思想政治与师德表现考察办法》，将教师思想政治与师德表现考察贯穿职业发展全过程，包括在教师招聘和人才引进、教师资格认定、专业技术职务晋升、岗位晋级、人才项目申报、评优评奖、出国访学、在职进修、考核评价等各个环节。

进行政治把关应坚持什么原则?

坚持党内民主决策，避免“一言堂”。政治把关的主体是“党支部”，而不是“党支部书记”。有的党支部书记简单根据自己对教师的了解，就直接在政治把关的相关表格上签字。这种做法不符合发扬党内民主的要求，对教师的考察也不够全面和客观。一般而言，应根据把关事项的实际，采取适当的把关方式进行了解考察，经支委会会议或党员大会讨论，提出党支部意见。

进行政治把关时具体可以采取哪些方式呢?

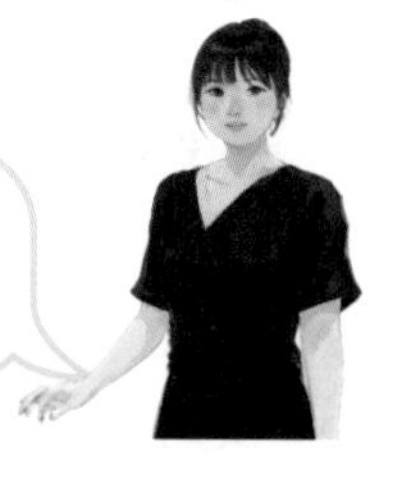

政治把关一般包括以下几种形式，党支部可根据工作需要，采取一种或多种形式。

1. 个别谈话。由党支部书记（支委）主持谈话，谈话对象为教师本人。内容重点围绕教师本人的政治立场和政治观点，谈话对象应正面回应、明确表态。

2. 座谈考察。由党支部书记、支委牵头，根据相关工作需要，组织教师所在科研团队、教研组、行政办公室等相关人员以开展座谈等形式进行考察。

3. 档案审查。

4. 民主测评。由党支部组织召开党员大会，以无记名方式开展测评或投票表决，会议人数须符合召开党员大会的要求。

5. 组织考察。党支部成立考察小组，由党支部书记或其他支部委员任组长，成员根据工作需要确定，通过实地走访、试听课程、查阅公开发表文章和学术成果等形式进行考察。

6. 书面意见。由党支部根据教师现实表现或考察结果，出具审核把关意见。

在**人才选聘**中，通常以档案审查、组织考察、书面意见等相结合的形式开展政治把关，考察结果提交各院（系）党组织讨论决定。

在**职称晋升**、**岗位聘任**、**年度考核**、**评奖评优**中，通常以个别谈话、民主测评、组织考察、书面意见等相结合的形式开展政治把关，考察结果提交院（系）党组织讨论决定。

在**干部考察**中，通常以个人汇报、组织考察等相结合的形式开展政治把关，由党支部书记参加考察谈话、代表党支部汇报有关情况，重点汇报其参加党内政治生活、发挥模范带头作用的情况。

针对其他需要政治把关的事项，党支部可根据工作需要，采取多种形式，让教师的政治表现评判有据可依、有据可查。

（三）抓关键制度——如何开好党支部书记工作例会？

党支部书记工作例会是及时传达党的路线方针政策，统一思想和行动意志，掌握党支部工作情况，开展工作部署和检查督导的重要途径，有助于破解基层党建工作“上热中温下冷”问题。下面让我们一起讨论如何开出高质量的党支部书记工作例会。

开好党支部书记工作例会要注意什么？

开好党支部书记工作例会，需要进一步提高思想认识，充分认识例会的重要意义，明确例会的主要任务，发挥好基层党委书记和党支部书记的主体作用，会后抓好任务落实。

提高思想认识，搞清楚例会“干什么”。党支部书记工作例会的主要任务是聚焦支部标准化规范化建设，推动支部坚决贯彻落实上级决策部署，不断增强党支部的政治功能和组织功能。例会一般需要保持一定的频次，有的党支部书记一开始不太适应，觉得在时间、精力上都加重了他们的负担。让党支部书记明确例会的主要任务，认识到例会的重要性，是帮助他们转变观念、提高认识的一个有效途径。

明确职责定位，搞清楚例会“怎么开”。指导党支部建设是院（系）党组织的主责主业，院（系）党组织书记在落实例会制度中要做好“第一责任人”，将“第一责任”落实到位、贯穿始终。院（系）党组织书记作为会议的召集人和主持人，会前要亲自谋划，对会议内容做好把关，会上要亲自部署，会后要督促落实。党支部书记应对基层实践过程中遇到的问题，以及师生反映的突出问题，及时进行分析，主动提出议题，在工作例会上积极讨论研究，切实推动问题解决。组织员要当好参谋助手，积极征集议题，分析党支部工作重难点，并和院（系）党组织书记商量确定议程，切实对会议内容、会议过程和会议质量做好把关，努力营造务实、高效的会风。

在具体组织策划工作例会方面，还需要注意什么呢？

要把工作例会开到党支部书记的心坎里，需要下一番“真功夫”，做好设计和沟通，使工作例会既“对味”，也“对胃”。华南理工大学为提高党支部书记工作例会实效，于2023年底特别组织了一次观摩学习会，由电力学院党委承办，邀请各院（系）党委书记列席旁听。以下是观摩学习会的复盘总结，我们一起来看看吧。

❖ 党支部书记工作例会观摩学习会复盘要点

会前做好充分沟通动员。组织员与各党支部书记充分沟通，结合2023年支部工作开展情况和2024年支部工作计划，统筹考虑党建品牌打造、“样板支部”培育、“标杆院系”申报等工作，协助学院党委确定会议议题。之后，学院党委书记就会议议题，与拟发言同志逐一沟通落实，要求发言落实到书面材料，控制时间，言之有物，为高效开会打好基础。

会议由学院党委书记主持。一些学院党支部书记工作例会由组织员主持，实际上把例会等同于一般的工作布置会议，在一定程度上削弱了例会的功能。因此，这次观摩学习会，提出由学院党委书记主持，并亲自部署学院党委下一阶段重点工作。会议内容包括研讨“样板支部”创建工作、部署学院党建工作品牌“追星计划”，讨论学院青年人才与教师党支部书记联动培养方案，开展党支部联建工作总结及制订下一阶段工作计划，布置年度党支部书记述职评议考核工作等。会议将党建品牌建设、党员干部培养、校企联合共建等工作同布置、同落实、同考核，注重体现党建和业务工作的深度融合。

党支部书记积极性得到充分发挥。对于大家普遍较为关心的“样板支部”创建工作，例会设置了研讨环节，各党支部书记围绕“样板支部”标准，就下一步如何加强党支部建设进行了研讨。6位党支部书记进行专题发言，其他人员根据建设标准和支部现状，畅谈感想、交流心得。通过计划分享和自由讨论相结合，避免了空谈、漫谈，研讨取得了实实在在的效果。会后由党支部书记传达例会精神，并带领支委会动员党员、师生，抓好工作落实。

附：

×××党支部书记工作例会制度
（参考示例）

为推动全面从严治党向基层延伸，加强对基层党支部的领导，提高基层党建工作水平和工作质量，根据《中国共产党普通高等学校基层组织工作条例》《中国共产党支部工作条例（试行）》等精神，结合学院（单位）实际，制定本制度。

第一条 党支部书记工作例会的主要任务是加强党支部标准化规范化科学化建设，增强党支部政治功能和组织功能，提升基层党务工作队伍建设水平，将党支部锻造成为坚决贯彻落实上级决策部署、坚定践行初心使命的坚强战斗堡垒。

第二条 党支部书记工作例会一般每月召开一次，如工作需要，可随时召开。

第三条 会议一般由党委书记召集并主持，党委书记因故不能参加时，可委托党委副书记召集并主持。

第四条 参会人员为党委书记、副书记、党支部书记、组织员（党务工作人员）等，根据会议内容和工作需要，可邀请相关人员参会。

第五条 会议由学院（单位）党委安排专人负责具体组织，做好议题收集、会议通知（含时间、地点、议题等）、会场安排、材料准备、会议记录等工作。

第六条 例会的主要内容包括：

（一）学习贯彻习近平新时代中国特色社会主义思想，落实党的路线方针政策，落实上级党组织重要决策部署和有关文件、会议精神。

（二）根据学院（单位）党委年度工作计划，指导制定党支部年度工作计划。

（三）听取党支部工作汇报，检查支部工作落实情况，安排部署近期党建工作重点任务。

（四）开展党建工作交流研讨，挖掘凝练基层好的经验做法和特色亮点，就党支部工作重点难点问题，开展调研活动。

（五）围绕提高党建工作能力，开展党支部书记政治素质、党务知识等培训。

（六）组织开展基层党建标准化规范化建设工作督导。

（七）其他需要研究或部署的事项。

第七条 例会实行考勤制度，与会人员应按时参加会议，因特殊情况不能参加会议的，应事前履行请假手续；参会情况纳入党支部书记抓基层党建工作述职评议考核。

第八条 与会人员要严格遵守会议纪律，集中精力开好会议，不得向外透露任何未经批准传达或公布的文件、内容及会议情况。

第九条 会议安排的具体工作，各党支部应及时做好学习传达和贯彻落实，并按要求向学院（单位）党委报告落实情况。

第十条 本制度自发布之日起实施，由学院（单位）党委负责解释。

（四）强队伍建设——怎样提前做好党支部委员培养？

党支部换届或者改选支部委员后，有时会出现一段时间的接续“困难期”。党务工作政策性、业务性较强，支部委员若没有党务工作基础很难胜任，而党务基础知识内容较多，党务工作标准要求高，也导致年轻党员对于担任支部委员存在畏难心理。下面我们一起探讨如何破解这一难题。

党支部遇到工作接续“困难期”问题了，怎么办？

针对新任职党支部委员存在党务知识欠缺、党务经验不够、党务能力不足等问题，院（系）党组织需要及时开展系统的党务知识培训，帮助他们了解工作全貌，明确职责要求，掌握基本的业务知识，尽快转变角色。但由于知识和信息量大，没办法仅通过一次培训就讲细讲透，需要结合具体工作时间节点，持续进行专题辅导和检查反馈。

要培养好支委不容易，有没有创新的做法呢？

考虑到党务工作需要理论学习和实践积累，比较好的一种方式是工作前置，着力培养支委人才梯队。华南理工大学化学与化工学院化学工程系教工党支部探索创建了**青年党务工作者培养的新机制——“见习支委制”**并落地实践。

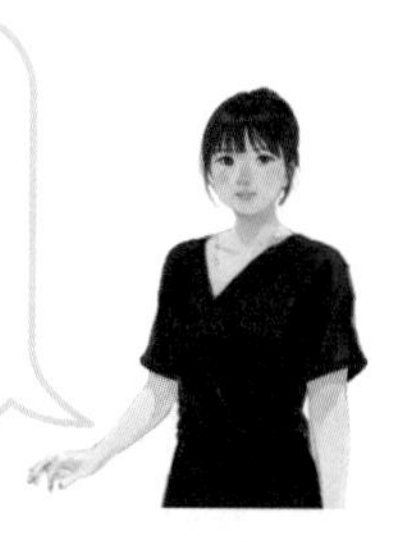

见习支委制度以半年为一个周期，每期邀请3位年轻党员成为“见习支委”，列席6次支委会。见习支委的工作分工由党支部书记负责制定，并指定委员负责指导见习委员。见习支委通过深度参与日常的支委工作，包括会议记录、撰写新闻稿、协助支委会组织支部党建活动等，积累党务工作经验。“见习支委制”让年轻党员有机会更深入地了解并参与支部工作，更全面地提高党性修养和党务工作能力，同时可以鼓励年轻党员创新，更好地提升支部工作活力。目前该支部已有10余位年轻党员担任“见习支委”，其中

1位已成长为优秀研究生党支部书记，带领所在研究生党支部获得学校“先进基层党组织”等荣誉称号。目前，“见习支委制”也已在化学与化工学院师生党支部中广泛采用，取得良好效果。

（五）重榜样力量——党员先锋模范作用如何融入日常、做到经常？

党员要做到“平常时候看得出来、关键时刻站得出来、危难关头豁得出来”，首要的就是把发挥先锋模范作用融入日常、做到经常，服务身边人、做好身边事，从一言一行中树立党员的良好风貌，在与师生的互帮互助中影响一群、带动一片，使广大师生发自内心地听党话、跟党走。下面我们一起探讨如何在高校中发挥党员的先锋模范作用。

都说党员要“亮身份”，具体怎么开展好呢？

试试“设岗定责”。“设岗”是指设置党员先锋岗，既可设个人先锋岗，也可以设集体先锋岗，“定责”是指确定党员责任区。此外，在对外服务群众的行业或部门等，可以评选设置党员示范岗；在执行特定或重大任务时，可设立党员先锋队或突击队。

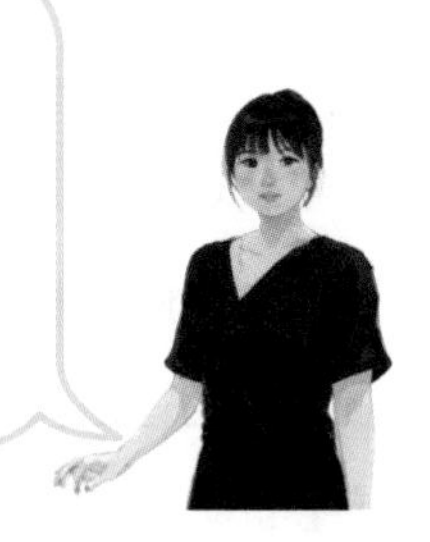

设置党员先锋岗，可以根据党员业务特点、能力水平等，确定一个服务师生的内容进行“设岗”，如专任教师可以围绕教书育人、科研攻关等方面；党政管理岗教职工可以围绕管理服务育人职责；学生可以围绕班风学风建设、工作学习生活、成长成才等。

确定党员责任区，党员班主任可以把所带班级作为责任区，辅导员可以把所带年级（专业）作为责任区，其他党员可以把管理服务对象、学生宿舍等作为责任区，如一个党员联系一个或多个宿舍，党支部根据学生宿舍分配情况，安排好每名党员的责任区，明确责任区职责。

设置党员示范岗，在承接师生办事业务的部门、师生综合服务中心、“一站式”学生社区、提供公共服务的饭堂、校巴等，可以评选设置示范岗。“亮身份、明责任、树形象”，自觉接受师生监督，提升服务师生的能力和水平。

建立党员先锋队。抗击新冠肺炎疫情期间，不少高校组建了“党员突击队”或“党员先锋队”，广大党员奋战在核酸检测、门岗值守、学生返校离校接送等重点任务一线。日常工作中，学校可以建立“卡脖子”技术攻关党员先锋队、党员理论宣讲队、防电信诈骗宣传队、实验室安全护航先锋队等。

近年来，华南理工大学在积极探索发挥党员先锋模范作用的途径和方法，其中在创建**“一面旗”学生党员先锋岗**的过程中，开展了**星级团队评选**。

“一面旗”党员先锋岗，是德、智、体、美、劳各方面优秀的学生党员结合身边群众的实际需求而创建的服务团队。从带动周围同学**守礼行善、学风优良、锻炼身体、发现和涵育美、积极劳动等五个方面**，组队开展实践工作，为群众办实事，充分发挥学生党员先锋示范、服务群众的作用。在评选中，分为5类星级先锋岗，包括：

“立德之星”团队：品德优良的党员带动周围同学守礼行善，得到社会美誉，形成积极广泛的影响；

“启智之星”团队：成绩优异的党员带动周围同学形成优良学风，周边同学有明显的成绩进步或者学习习惯明显改变，形成积极广泛的影响；

“健体之星”团队：热爱运动的党员带动周围同学定期锻炼身体，覆盖人群多，或参与度高，带来明显的成效；

“蕴美之星”团队：志趣高雅的党员带动周围同学发现美、涵育美，得到周围同学的高度评价，产生积极良好的社会反响；

“勤劳之星”团队：踏实肯干的党员带动周围同学积极劳动，提高劳动技能，成果显著，变化明显，产生积极良好的影响。

还有什么好的方法能督促党员发挥先锋模范作用吗？

机械与汽车工程学院本科生第三党支部在创建“全国党建工作样板支部”期间发起了**“学生党员发挥作用的正负面清单”行动**，用正负面清单把党章中对党员义务的要求具体化，让学生党员明确自己应该发挥什么作用，具体可以怎么做，让广大同学看得出来“我是党员”。具体做法是：

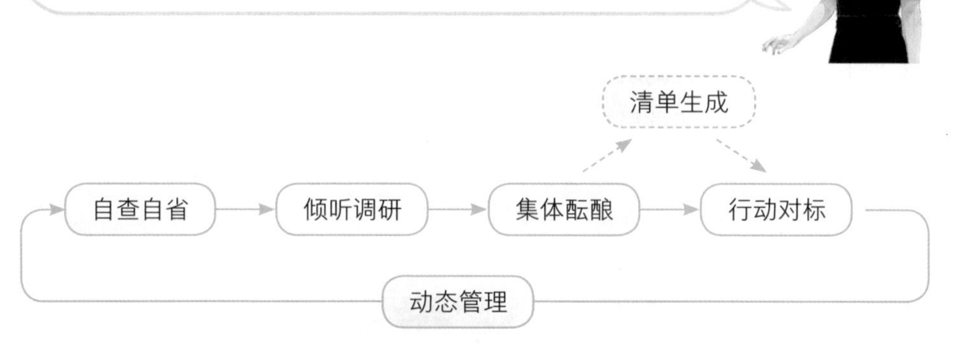

“学生党员发挥作用的正负面清单”行动示意图

1. 自查自省。让每位党员对照党员义务，结合自身实际，从理想信念、学业本领、道德品行、个人作风等多方面进行自查自省，提出正负面清单各一条；由支委会汇总、讨论、分析，并进行归类、总结和提炼，提出正负面清单若干条目。

2. 倾听调研。党支部全体党员通过对身边同学进行访谈，广泛听取团支部和广大同学意见，主要调研同学们对党员开展的工作是否满意，以及在同学们心目中党员发挥先锋模范作用的具体表现。调研方式不限，但是调研对象不少于3人。此后，各党小组召开党小组会议，根据调研结果进一步补充修改前一阶段提出的正负面清单条目和内容。

3. 集体酝酿。支委会汇总各党小组的意见，提出意见比较集中的清单条目，总计16条。党支部举行“我为师生办实事办好事”主题党日，全体党员和与会成员充分讨论交流，进一步完善16条清单，最终由党支部内外师生代表投票选出意见比较集中的10条清单。

4. 行动对标。自“学生党员发挥作用的正负面清单”初步形成以来，党支部在开展教育、管理、监督党员，组织、宣传、凝聚、服务群众等各项工作中引导党员深入理解发起清单、引导行动的目的，经常性用党员义务和清单上的具体意见指导党员的行动，引导党员多参与集体事务，多倾听群众意见，多加强理论和业务学习，不断坚定理想信念。

5. 动态管理。自首次提出正负面清单以来，本科生第三党支部已经开展两次动态管理，不断更新完善。结合党史学习教育和深入学习贯彻习近平新时代中国特色社会主义思想主题教育两次专题组织生活会，党支部按照“自查自省—倾听调研—集体酝酿”的方式，通过征求党员及团支部代表的意见，就党支部党员在日常学习生活及工作中的新情况、新问题重新审视，同时根据党员提交的自我检视报告进行总结分析，对正负面清单进行修改完善。

完善后的正负面清单如下：

正面清单（共7条）	负面清单（共5条）
①主动学习党的理论，拥护党的理论、路线、方针、政策，宣传党的主张； ②发挥先锋模范作用，让同学们看得出来“我是党员”； ③学习力争优秀，并且努力建设班级良好学风； ④及时制止同学们违规违纪行为和不当言论的传播； ⑤密切联系同学，遇事与同学们商量，了解同学们意见，勇于接受批评，做师生沟通的桥梁； ⑥选择职业后立足岗位、爱岗敬业，关键时候能拿得出手，能挺身而出，能解决问题； ⑦思想品行端正，作风优良	①对集体事务漠视，对班级没有贡献，在班风建设中没有发挥作用，只关注和了解少部分同学； ②理想信念动摇，在个人和集体利益冲突时产生迟疑； ③理论学习零碎且间断，没有深入理论学习，没有联系实际学习，没有用于指导实践； ④还不能准确把握理想和现实、大我和小我之间的辩证关系； ⑤对共产主义远大理想和中国特色社会主义共同理想认识不深刻

四、如何烹“鲜”组织生活“营养汤”？

（一）怎样调动党员参与支部工作的积极性？

组织员在实际工作中，有时会听到党支部书记或支委抱怨“支部建设的担子都压在支部书记或几位支委身上，其他同志参与很少”，久而久之，党支部书记或支委容易出现工作倦怠。与此同时，支委的协调资源能力、时间精力有限，组织生活形式难以避免趋于单一，大家参加支部活动的热情进一步下降。要想支部建设走得更远，需要支部成员齐心协力。围绕激发支部党员参加支部建设的积极性、提升基层党支部活力、提高基层党建质量，华南理工大学提出“三全五组工作法”，并在全国党建工作样板支部——华南理工大学食品科学与工程学院本科生党支部开展了生动实践和探索。

党员参与党支部建设较少的主要症结在哪里？

从主观上看，未担任支委的党员，往往认为支部建设主要是支委班子的事，与自己关系不大，缺乏为支部建设建言献策的主动性。从客观上看，支委会在如何调动支部党员参与支部建设方面缺乏深入思考，或者没有较为成熟的举措。

华南理工大学机械与汽车工程学院党委组织员，从事党务工作7年，曾获学校优秀共产党员、优秀组织员。

在激发支部党员参加支部建设积极性方面有什么对策和建议?

自2013年11月开始，华南理工大学党委组织部在食品科学与工程学院本科生党支部试点“三全五组工作法”，主要做法是：在全面梳理党支部日常工作的基础上成立五个工作组，即组织策划组、理论学习组、文稿资料组、宣传联络组和后勤保障组，每个工作组在支委的领导下负责党支部的一部分工作，每一位学生党员至少加入一个工作组，以此形成支部事务全员化参与、发展党员全过程考察、党建工作全方面覆盖的生动局面。

“三全五组工作法”实施后，发生了三个明显转变：一是党支部事务由只有少数学生党员参与转变为全员化参与，充分激发了每一位学生党员的主动性与使命感；二是学生党员发展由入党前紧、入党后松，前后松紧不一的考察转变为全过程考察，切实提高了正式党员的再教育力度和管理力度；三是党建工作由组织生活不严不实转变为全方面覆盖，有效推动了学生党支部建设的规范化和科学化。总体而言，学生党员在学风建设、学生工作、课外科研、学术竞赛、社会实践、志愿服务等方面的先锋模范作用得以有力彰显，学生党支部的战斗堡垒作用得到明显增强。

- 全员化参与
- 全过程受教育
- 全方面覆盖

三全五组

- 组织策划组
- 理论学习组
- 文稿资料组
- 宣传联络组
- 后勤保障组

① 组织策划组

实行小组轮值制，负责策划每月一期主题党日（形式丰富多样，如支部联建、实地践学、田野调研等），重点提升支部组织生活的鲜活力吸引力。

③ 文稿资料组

负责支部活动记录（党支部工作手册）、相关学习资料打印、购买；发展党员材料的整理、归档；党费收缴使用管理；撰写支部总结材料等。

⑤ 宣传联络组

负责活动通知发布，拍照、通讯稿撰写、对外联络等。

② 理论学习组

落实党支部“第一议题”学习；推进理论学习常态化，周一至周五安排专人轮值，每天在支部微信群上发布近期理论学习热点要点或者摘选一段习近平总书记金句。

④ 后勤保障组

负责支部活动会务工作保障，预定会议室，饮用水、党员徽章、党旗等物资保障；现场电脑、议程PPT、音响；外出学习用车等相关事宜。

“三全五组工作法”示意图

（二）有组织结对共建破难题促发展要怎么做？

近年来，高校基层党组织对于推动党建与业务融合，以高质量党建引领办学事业高质量发展的意识逐渐增强，紧紧围绕落实立德树人根本任务，围绕高校职能，积极探索党建与人才培养、科学研究、社会服务、文化传承创新、国际交流合作、管理服务等业务工作融合，发挥党建引领作用。在推进融合型党建工作过程中，最常见的举措之一是开展结对共建。下面聚焦如何通过有组织行为这一“催化剂”，使“物理结对”发生“化学融合”，真正产生“共建”的实效。

如何更好理解“共建”？

共建，重在一个“共”字，基于共同的信念和利益关切，锚定共同的目标，倾注共同的努力，一般有4个方面，具体如下：

共建组织——联合组织主题实践活动，共同开展组织生活，推进党支部标准化规范化建设。

共创载体——不断拓宽渠道、丰富载体，打造基层党建工作特色品牌。

共办实事——深入践行一线规则，有效解决师生“急难愁盼”问题，进一步完善机关管理服务，优化工作作风，提升内部治理水平。

共解难题——通过总结、提升、推广、固化，推动工作取得重大进展或实质性突破。

开展结对共建如何取得更好效果？

在实际工作中，党支部开展结对共建活动，往往缺乏对活动意义的深入思考，或者仅从党支部所在系、所、部门的角度，想到有什么资源就尝试联系结对，共建对象比较分散，双方努力的方向不统一，共建成效对推动发展不明显。二级党组织层面可加强统筹谋划，通过有组织的方式确定主题、统一步调，有效凝聚支部合力，共促发展。

以华南理工大学机关党委举办的“结对共建破难题促发展”活动为例。党委结合机关部门管理服务职能，对标“走在前、作表率”的要求，在设计活动时突出“破难题”和“促发展”的鲜明导向。活动形式上，实行“1+X”的共建形式，根据部门职能和业务工作需要，每个党支部至少与校内外1个基层党支部结对共建，设置了“推动学校高质量发展”“推动党建与业务深度融合”“推动全面从严治党向纵深推进”三个主题，打造“以共建促党建、以共建促合作、以共建促发展”的工作格局。下表列举了部分党支部开展结对共建的情况。

共建类型	党支部名称	共建单位	主题
推动全面从严治党向纵深推进	组织统战党支部	前沿软物质学院教工党支部 经济与金融学院金融系教工党支部 材料科学与工程学院办公室党支部 马克思主义学院硕士研究生党支部	构建“三位一体，一融双高”党建新格局
	纪监巡察联合党支部	党办校办、审计处、财务处、基建处、后勤处等所在基层党组织	聚焦“廉‘结’你我”品牌
	宣传部党支部	工商管理学院本科生第一党支部	讲好身边人身边事
推动党建与业务深度融合	保卫处党支部	广电校园服务公司党支部	打造“金盾护航”党建品牌
	大学城管委会办公室党支部	驻地派出所党支部 校区院系师生党支部	持续开展“我为师生办实事”
	公共关系处党支部	珠海校友会党支部	紧密联系服务对象
	教务处党总支	广州国际校区教学和全球事务办公室党支部 多个院系教工党支部	扎实推进课程思政建设
推动学校高质量发展	党办校办党支部	广州国际校区综合事务办公室党支部	凝聚联建合力共谱高质量发展新篇
	科学技术研究院党支部	广州现代产业技术研究院党支部 华南协同创新研究院党支部 珠海现代产业创新研究院党支部 轻工科学与工程学院造纸与污染控制国家工程中心党支部	党建赋能科技创新
	研究生院党支部	桂林理工大学研究生院党支部	党建引领对口支援促发展

（三）有意义、有意思的组织生活要怎么开展？

党的组织生活是党内政治生活的重要内容和载体，是党组织对党员进行教育、管理、监督的重要形式。党组织要严格执行组织生活制度，确保党的组织生活经常、认真、严肃。

有没有什么好的主题党日案例呀？

听说有的党支部别开生面地把集章玩法City Walk融入主题党日，新颖创新的形式受到学生热捧，一起来了解一下吧。

华南理工大学材料科学与工程学院2023级硕士六班、七班党支部携手土木与交通学院研究生力学党支部，联合开展了一期“丈量城市文化·传承甲工基因·争做时代新人——广州1号线City Walk，拆开专属你的红色盲盒”的主题党日。活动以广州1号线沿线的红色景点，尤其是有华工元素的红色景点为集章打卡点，支部党员根据发放的集章卡随机组队，按照规划好的路线行进，完成团队打卡任务（标志性建筑打卡合照和广州红色历史故事分享），深度体验广州的历史、人文、景观。活动深挖广州红色教育基地中的华工元素，结合年轻人喜爱的潮流模式，引导学生党员主动了解本土红色文化，打造特色党建文化IP，推动主题党日活起来，引导青年党员动起来，把有意义的事情做得有意思。

谈心谈话该怎么开展?

开展谈心谈话要思想上重视、方式上创新、机制上健全，要坚持问题导向、真谈真听，有针对性地谈，讲方法地谈，确保谈出质量、谈出效果。

提高认识，强化开展谈心谈话的自觉。谈心谈话制度是党的组织生活的重要载体，是加强党员日常管理的重要手段，是建立健康的党内关系、实现上下一心的重要保证。习近平总书记强调，对干部经常开展同志式的谈心谈话，既指出缺点不足，又给予鞭策鼓励，这是个好传统，要注意保持和发扬。支委班子尤其是支部书记应主动带头开展谈心谈话，他们对这一制度的认识，直接影响着谈心谈话在组织生活中的运用成效。因此，应首先加强宣传教育，弄清楚谈心谈话制度的历史由来、实践价值与现实必要，以便及时了解党员思想动态，有针对性地做好思政工作。

创新方法，注重提高谈心谈话的质量。如何避免形式主义，谈出心里话、真心话，谈出实际效果，毛泽东同志曾有过论述："要在谈话过程中和做朋友的过程中，给他们一些时间摸索你的心，逐渐地让他们能够了解你的真意，把你当做好朋友看，然后才能调查出真情况来。"新时代大学生更加自信开放、富于思辨精神，有的学生党支部创新谈心谈话形式，开展餐桌上的"零距离"——支部党员"约饭"活动，将传统谈话的封闭会议室转移到相对开放的餐厅，党员在融洽、开放的氛围中，分享了快乐、拉近了距离，又能从中得到解决问题的思路和启发，大大加强了支部党员间的情感联系。有的教师党支部设立"谈心谈话周"或开辟"谈话角"，针对年轻党员的思想困惑，邀请老党员现身说法，分享其丰富的工作经历和感悟，让年轻党员教师深受鼓舞，在工作、生活中"少走弯路"。

健全机制，着力增强谈心谈话的效能。谈心谈话制度是由实施主体、谈话对象、环节程序、监督保障及成果运用所构成的一个完整体系。在支部日常谈心谈话实施过程中，往往容易“一谈了之”，缺乏对整个谈心谈话过程的设计，从实施主体上看，应由支委尤其是支部书记带头开展；从环节程序上看，要对谈心谈话流程进行科学设计，使谈心谈话有准备、有方向、有成果；从监督保障上看，对谈话中提到需要整改或解决的问题进一步调查核实，使每一次的谈心谈话都是一次分析问题、解决问题的过程，而不是为谈而谈；从结果运用上看，要促进谈心谈话嵌入各项工作开展，融入党员思想政治引领、作风建设和成长发展。

怎么指导党支部做好民主评议党员？

民主评议党员是党的组织生活的重要内容，用好这一经常性手段，能有效加强党员党性锻炼，增强党的组织生活活力。党性分析是开展民主评议党员的重要环节，下面重点介绍如何有效开展党性分析。

一是要明确为什么要进行党性分析。党章指出，“中国共产党党员是中国工人阶级的有共产主义觉悟的先锋战士”。共产党员的党性修养是党的事业所要求的，对于每一个党员都是必须的和重要的。每个党员都应该在工作、学习、生活实践中进行自我修养的学习和锻炼，不断取得进步。

二是要清楚党性分析应该着重分析哪些方面。党员应对照党章和入党誓词，结合自身实际，围绕理想信念、政治立场、身份意识、宗旨意识、遵纪守法、先锋模范、道德品行等方面进行自查自省，少谈不痛不痒的“假问题”和总提不改的“老问题”。以下材料可参考。

> 要有马克思列宁主义理论的修养，要有运用马克思列宁主义的立场、观点和方法去研究和处理各种问题的修养；要有无产阶级的革命战略、战术的修养；要有无产阶级的思想意识和道德品质的修养；要有坚持党内团结、进行批评和自我批评、遵守纪律的修养；要有艰苦奋斗的工作作风的修养；要有善于联系群众的修养，以及各种科学知识的修养等。
>
> ——摘自刘少奇《论共产党员的修养》，人民出版社

三是要找到方法有效开展党性分析。每个党员均应在党员大会上或党小组会上逐个发言，要敢于触动思想深处，弄清楚为什么会有这样的问题，它是怎样产生的，产生的问题经历了哪些变化，表现出了哪些具体的行为特点。党员大会还可以就共性问题、重要问题集体讨论整改方法，并在今后的学习生活中付诸实践。预备党员也应该进行党性分析，提高党性认识，参加民主评议（不评定等次），加强党性锻炼。民主评议党员形成的组织意见应转告本人，并向党员大会报告。

五、如何进阶成为写材料“笔杆子”？

写材料贯穿组织员的全年工作。主题教育要起草工作方案、讲话稿、主持稿、通知、新闻、周报、阶段总结、整改方案、工作总结，民主生活会要起草会议方案、整改方案、综合报告，年末岁尾更是写作的“旺季”。可以说，写材料能力是组织员最基本也是最重要的工作能力之一。写材料如何“出活”又“出彩”？下面总结写材料的一些技巧和窍门，希望大家能“下笔如有神”！

（一）初写者如何拟写“大材料”？

今天领导给我一个通知，让我写个材料，后天给他。我还没写过“大材料”，时间还这么急，怎么办啊？

别急。跟着写材料“八步法”走，不难！记住，写材料总原则：“先完成，再完美”，好材料都是改出来的。

华南理工大学化学与化工学院党委副处级组织员，从事党务工作18年，曾获学校优秀党务工作者、优秀组织员。

写材料“八步法”即：明意图、搜素材、巧借鉴、搭框架、填内容、顺字句、增亮点、磨文采。

第一步，明意图。

即明确写作意图和要求。写材料要以领导意图为指引，综合考虑材料使用场合等因素。比如写会议讲话稿，要弄明白是动员部署会还是活动总结会，是正式大型会议还是内部小型会议。正儿八经的工作部署，要求一板一眼、语言精准；欢迎庆祝的致辞，要求轻松活泼、鼓舞人心；内部小型会议，可以拉拉家常、讲讲故事。明确写作意图就跟设定导弹目标一样，至关重要。

可以通过请示领导、参考领导的文章或以前用过的稿子、查上级文件、看工作通知等方式，弄明白写这篇材料的目的，是用于推动工作，向上级汇报，还是仪式性表态。弄清楚材料起草的背景、领导的想法、当前的形势任务、上级的部署要求、涉及的工作内容等。

交稿日期、字数要求也是公文写作前要明确的要素。确定交稿时间有助于我们合理安排好自己的工作时间和内容，把控自己的工作节奏和工作方法，而字数则决定了材料各部分的框架、结构和比例。

工作小贴士：

估算字数的3种方法：

① 要求的页数 × 每页500字=材料所需的大概字数

按照我国党政机关公文格式的规范标准，公文材料的正文使用仿宋三号字体，段间距28磅，每面排22行，每行排28个字。按照这样的格式套下来，一面A4纸大概可以写500字。

② 预计讲话分钟数 × 60 × 3=字数

根据语速，我们每秒钟能讲2到3个字，如果领导语速较慢，则一秒讲2个字。需要注意的是，Word软件自带的“字数统计”功能统计出来的字数，包括了文章的标点符号，而这类标点符号是不会被读出来的。因此，对于口语表达类稿件，在字数控制上遵循“宁多勿少”原则，尽量多准备一些内容。比如8分钟大概准备1600字的内容。

③ 参照以往经验，比如过去使用过的文稿进行判断

——摘编自《公文写作实战秘籍：笔杆子谈写材料》，清华大学出版社第二步，搜素材。

写材料的人不可能什么都懂，好的公文是靠搜索、研究、借鉴、综合、发散得来的。比如，善于借鉴《人民日报》重要言论库的人，论述就可能写得更精彩；知道到专业数据库搜最新专家观点和研究成果的人，写关于某个行业发展的讲话，就能写得更加深刻。素材收集应贯穿写作全过程，要如饥似渴地占有素材，这是我们文思泉涌的“弹药库”。

搜本单位的新闻网获取“第一手”鲜活资料；搜自己的计算机，看本单位这几年有没有类似材料。平常注意积攒精彩篇章和好词好句，形成自己的素材库。素材搜集得越丰富，自己写起来就越能游刃有余。

第三步，巧借鉴。

对于没接触过的写作题材，在本单位以往成熟稿子上直接“套改”是捷径。更常用的是搜索类似题材，学习借鉴、模仿创新。对于初涉公文写作的“小白”来说，起步阶段就是从模仿借鉴开始，找到一个合适的模仿对象，按照材料范式拿出合格文稿。

第四步，搭框架。

搭框架也就是列写作提纲。列提纲是写好材料的“关键一招”。这时候各级提纲还不一定要特别工整美观，“美面子”工作可以后面再做，但材料分哪几个部分，每个部分大概写什么观点，要基本明确，最好细化到二级标题。搭框架的好处：一是可以明晰写作思路；二是可以少折腾，避免写完后再推倒重来的情况发生。

第五步，填内容。

把之前搜集到的可用的材料填进去，对于可以模仿的素材，修改提法，加上自己单位的实际内容，以最快的速度先写出一篇初稿。千万不要想着一举而竟全功，逐字斟酌着写。要知道，好材料都是改出来的。

第六步，顺字句。

顺就是文从字顺。从头到尾梳理一遍，消灭硬伤，比如语意重复、语法错误、数据前后不一致、篇幅失衡等问题。要删去不必要的“的”和“了”，长句尽量变短句。

第七步，增亮点。

初稿拿出来后，要在加料和增亮上下很多功夫。标题、开头、结尾和一两句亮眼的话，是我们着力的重点。改造标题、用新词、加金句、加典故、用数据和故事丰富细节，都是提升文章亮点的办法。

第八步，磨文采。

磨文采就是继续深入修改。“文章不厌百回改”“三分写，七分改”，重要的稿子，最好请多人一起改。

写材料，要始终牢记，**研究工作比研究材料更重要，研究问题比研究文字更重要**。对问题思考的高度和深度，决定了材料的高度和深度；对工作的关注度、融入度，决定了材料的适用度。所有的文字材料都必须围绕工作，围绕问题，特别是围绕中心工作、主要问题、重大问题来进行构思和写作。只有这样，才能把握大局，站位全局，才能把问题说透点准，把对策提准提实，写出的材料才能切合实际，解决问题。

最后，我们把写材料“八步法”编了一段“顺口溜”，请各位笑纳：

明确意图是前提　打破砂锅问到底
天南海北到处搜　掌握窍门不用愁
好词好句勤摘抄　切忌不能一键拷
移花接木巧借鉴　融会贯通善思变
搭好框架填内容　事半功倍更从容
文从字顺是基本　加料添彩磨观点
字斟句酌反复改　拈精撮要细揣摩
内容硬伤不能犯　一字错误全白干

（二）年年写的工作总结怎样写“出彩”？

领导说我写的党委工作总结太平淡，没有新意，让我再改改。怎样才能写出一份出彩的年终总结啊？

搬好小板凳！教你工作总结出彩“四招”：提前储备+提炼亮点+擦亮标题+提升高度。

第一招，提前储备。

写材料，“功夫在诗外”。平时要经常浏览《人民日报》等党报经典栏目的文章，感受新颖、时尚的文风。比如《人民日报》的社论，任仲平、人民论坛、人民时评、评论版的文章，《人民日报》电子版左下方有个点击量排名，可以作为选择自己要读的内容的参考。同时，要注意收集单位内部素材，培养对素材的敏感性，比如获知单位某些活动的开展，能够找到其与党建工作的“联结点”，为总结中的典型案例、经验做法做好素材准备。

第二招，提炼亮点。

工作“出色”，材料才能“出彩”。如何才能发现工作“亮点”？

■ 看“有无”找信息差

纵向看，以往没有做的，现在做到了，就是亮点。横向看，别人没有做到的，我做到了，也是亮点。从无到有是质变，最具说服力和视觉冲击力，“亮度”最高。

■ 看“多少”找数量差

有些工作成效是可以用定量的指标来衡量的，数量多少也是亮点的体现。可以横向比指标，看高出兄弟学院多少；可以纵向比，看同比增长了多少、翻了几倍、超过目标几个点。

■ 看“快慢”找速度差

无法量化的工作，可以对比推进速度和节奏。比如，部署时先人一拍、快人一步，早安排、早落实就是亮点。

■ 看“优劣”找质量差

工作优劣可以通过工作成效来衡量，关键看表彰奖励情况及上级领导、基层群众的评价情况，还可以看媒体宣传报道情况，孰优孰劣，一比较，高下立判。

第三招，擦亮标题。

文章要“出彩”，标题得“亮眼”。以下材料标题的两个版本，你看哪个更“出彩”？

A版本：

人才引育成效突出

攻关“卡脖子”技术

加强海内外交流合作

全面推进服务社会

B版本：

聚焦“引育用”，提升聚才“强磁力”

攻坚“卡脖子”，提升科研“创新力”

拓展“多维度”，提升国际“影响力”

构建“新格局”，提升社会“服务力”

毫无疑问，后一种更抓人眼球。平时可多积累标题的素材，建立自己的资料库。各种写材料公众号里前辈无私分享的好词好句集合，可收藏起来好好利用。比如《公文写作标题结构速查宝典》《公文写作金句速查宝典》等图书，也可以在写材料时翻一翻，找找灵感。

第四招，提升高度。

提升文章高度的方法有：

■ 在材料开头或结尾，直接引述相关论断、观点

比如，写如何发挥党支部战斗堡垒作用，可以引用领导人论断体现高度：学院党委始终贯彻习近平总书记倡导的“用党的光荣传统和优良作风坚定信念、凝聚力量”的方式方法，以作风建设新成效凝聚起担当作为、攻坚克难的磅礴力量。

■ 引用上级会议、文件精神

引用领导人讲话或上级会议、文件精神时，要注意把上级精神与本单位实际进行融合，使说理更加充分，建议引用后加上几句评价，比如引用：××报告提出……某某同志多次就××工作作出重要指示，强调……评价：这为我们做好××工作，指明了前进方向，提供了根本遵循。

■ 对标重要战略思想

比如谈加强科技创新就不能不提“四个面向”导向；写党风廉政建设材料，就必须提到“全面从严治党”这个党风廉政建设领域最大的战略思想。

■ 着眼当前局势

材料里写的任何一项工作，都离不开时代的大背景、大局面、大进程。要体现材料的高站位，必须立足当前的形势背景、关注当前的大局大势，做到因时而作。

■ 挖掘历史纵深

写某个话题的时候，对问题的历史源流进行回顾。比如，写党纪学习教育材料，可以通过回溯党章与纪律建设的历史来挖掘历史纵深：

建党伊始，纪律就被视为党生存与发展的重要条件。党的一大通过的第一个纲领，埋下了纪律“种子”，虽然没有使用纪律的概念，但是包含了政治纪律、组织纪律、保密纪律的相关内容。党的二大制定的第一部正式党章，开辟“纪律”专章，规定了极为严格的纪律。党的五大通过的《组织问题议决案》，细化了违纪处分规定及审查程序，第一次明确提出了“政治纪律”的概念……回溯党章与纪律建设的历史，可以深刻感受到，严明的纪律和规矩是我们党的基本特性和宝贵品质。

（三）如何写好讲话稿?

学院后天要开主题教育动员部署会，我要起草讲话稿，第一次写，吃不准该怎么写。

讲话稿被认为是公文中难度最大的一种稿子，人称“文稿之王”，主要是因为讲话稿要因人、因时、因事、因势而异。要写好讲话稿，重点把握以下三点：

第一，起草讲话稿前，问清四个问题。

- 为什么讲？即讲话的背景、目的，针对的现象和问题；
- 讲什么？即讲话稿的主题、内容、范围、重点等；
- 在何种场合讲？
- 何人讲、何人听？即讲话人的身份、角度；受众对象以及希望讲话对受众对象起到什么作用。

第二，把握8类讲话稿的写作重点。

（1）动员部署类讲话注重条理清晰

① 讲清开展的工作内容及重要意义；

② 讲清开展这项工作的步骤、方法及具体要求。

（2）总结类讲话注重凝练经验教训

① 对前期工作开展情况作出基本评价；

② 总结工作取得的成绩（列举具体数据和事例），并指出存在的问题；

③ 总结经验，分析不足，剖析原因；

④ 提出下一步工作计划，明确指导思想、设定工作目标、制定具体方法措施。

（3）传达类讲话要求简明扼要

① 讲清上级的指示是什么，要有出处和原文内容；

② 讲清贯彻上级精神的重要性和深远意义；

③ 提出结合实际贯彻落实的具体意见，明确时间安排、方法要求。

（4）表彰类讲话注重案例与理论并重

① 阐述受表彰的先进典型案例；

② 号召与会者重点学习什么，要提炼归纳出具有普遍意义的思想和工作方法；

③ 提出具体措施和要求。

（5）批评类讲话注重抓典型

① 列举代表性案例，深入分析错误性质及影响；

② 深入剖析问题产生的原因并明确责任；

③ 总结经验教训，提出防止错误产生的措施。

（6）探讨类讲话注重深入浅出

① 提出新颖深刻的问题，引发思考；

② 列举丰富、客观的事实依据证明观点的正确性；

③ 得出具有实际指导意义的结论。

（7）汇报类讲话要求突出重点

① 要抓住重点，语言要精练；

② 汇报已完成的工作，指出下一阶段工作；

③ 说明存在问题，提出解决方法。

（8）礼仪类讲话要求简短、热情、礼貌

① 表达欢迎、感谢；

② 介绍双方情况；

③ 表达期望。

第三，掌握写实讲话稿的“3招式”。

（1）既要“顶天”也要“立地”

撰写讲话稿既要“顶天”，准确把握讲话的大背景，掌握中央和上级的总体要求和具体部署；又要“立地”，能根据本单位现实情况，实事求是地讲问题、摆现象，把一般要求化为具体可行的举措做法；既要搞清楚领导想讲什么，又要搞清楚最需要解决的问题是什么，从而找到领导思想与现实问题的最佳结合点，做到“讲得切中要害、听得解渴过瘾”。

（2）力求短、实、新

短，就是要力求简短精练、直截了当，要言不烦、意尽言止，观点鲜明、重点突出。能够三言两语说清楚的事绝不拖泥带水，能够用短小篇幅阐明的道理绝不绕弯子。古人说“删繁就简三秋树”，讲的就是这个意思。鲁迅先生说过，文章写完至少看两遍，竭力将可有可无的字、句、段删去，毫不可惜。

实，就是要讲符合实际的话，不讲脱离实际的话；讲管用的话，不讲虚话；讲有感而发的话，不讲无病呻吟的话；讲反映自己判断的话，不讲照本宣科的话；讲明白通俗的话，不讲故作高深的话。力求反映事物的本来面目，分析问题要客观、全面，既要指出现象，更要弄清本质；阐述对策要具体、实在，要有针对性和可操作性。要实事求是，是则是、非则非，不夸大成绩，不掩饰问题。要深入浅出，用朴实的语言阐述深刻的理论。要有感而发，情真意切。

新，就是力求思想深刻、富有新意，正所谓“领异标新二月花”。这里所说的新意，既包括在探索规律、认识真理上有新发现，又包括把中央精神和上级要求与本地区本部门本单位实际结合起来，在解决问题上有新理念、新思路、新举措；既包括角度新、材料新、语言表达新，又包括富有个性、特色鲜明、生动活泼的语言描写。需要指出的是，讲出新意，并不是要去刻意求新，甚至搞文字游戏，更不能背离马克思主义立场观点方法，背离党的路线方针政策去标新立异。

（3）体现个性化

不同的领导所处的岗位不一样，经历不一样，思维方式不一样，讲话特点不一样，文风笔法要求也不一样。有的要求有理论高度、思想深度、实践厚度，要用严密的论证、系统的分析深入说理；有的要求用质朴平实的群众语言，列举鲜活的事实案例说明问题；有的要求引经据典，通今博古；有的要求用数据说话。因此，为领导起草讲话稿，在领会行文意图的同时，还要适应其思维特征、性格特点、语言习惯，全面把握领导谋划全盘、驾驭全局、处理问题的思路，做到与领导“同频共振”。

工作小贴士：党建材料人推荐关注的5个报刊和 4个网站

① 推荐关注的5个报刊

报刊名称	推荐理由
《人民日报》	中共中央机关报，中国第一大报，世界十大报纸之一
《求是》	中共中央机关刊
《党建研究》	中组部主管的唯一公开发行的党刊，是研究党的建设问题的理论月刊
《党建》	中宣部主办的关于党的建设的综合性党刊
《学习时报》	中共中央党校（国家行政学院）主管主办的专门讲学习的报纸

② 推荐收藏的4个网站

网站名称	推荐理由
人民日报重要言论库、人民网领导人活动报道专页	从语言到观点到素材的全方位辅助
人民网“习近平系列重要讲话数据库”	让材料接上“天线”的宝库
求是网	借鉴框架、结构、标题的“大文章”库
党建网	

六、如何用好调查研究“传家宝”？

没有调查就没有发言权。重视调查研究，是我们党的优良传统和重要优势，是我们党在革命、建设、改革各个历史时期做好领导工作的重要传家宝。党的十八大以来，党中央高度重视调查研究，从2012年调查研究被列为《十八届中央政治局关于改进工作作风、密切联系群众的八项规定》之首，到2023年印发《关于在全党大兴调查研究的工作方案》，均充分体现了新时代共产党人将调查研究当作谋事之基、成事之道的政治、思想和行动自觉。提高解决实际问题能力是应对当前复杂形势、完成艰巨任务的迫切需要。

最近，学校安排我参与一个调查研究项目，我既兴奋又紧张，因为这是我第一次参与此类工作，对于如何着手有些迷茫。您可以给我一些宝贵的建议和指导吗？

要弄清楚这次调查研究的目的和背景，抓住重点，精准出击，还要学习调查研究的基本方法和技巧，掌握问卷设计、访谈、数据分析等必备技能。中共中央办公厅2023年3月印发的《关于在全党大兴调查研究的工作方案》对调查研究的重大意义、总体要求、主要内容、方法步骤等提出了明确要求，为我们做好调查研究提供了重要遵循。

华南理工大学经济与金融学院党政办公室主任，曾任组织员7年，曾获学校优秀共产党员、优秀组织员。

（一）调查研究的方法步骤

1\. 提高认识。要深入学习领会习近平总书记关于调查研究的重要论述，学习习近平总书记关于本地区本部门本领域的重要讲话和重要指示批示精神，继承和发扬老一辈革命家深入基层调查研究的优良作风，增强做好调查研究的思想自觉、政治自觉、行动自觉。

2. **制定方案**。围绕调研内容，结合本地区本部门本单位实际，广泛听取各方面意见，研究制定调查研究的具体方案，明确调研的项目课题、方式方法和工作要求等，统筹安排、合理确定调研的时间、地点、人员。

3. **开展调研**。针对相关领域或工作中最突出的难点问题进行专项调研。要坚持因地制宜，综合运用座谈访谈、随机走访、问卷调查、专家调查、抽样调查、统计分析等方式，充分运用互联网、大数据等现代信息技术开展调查研究，提高科学性和实效性。要深入院（系）、党支部、学生社区等基层一线，掌握实情、把脉问诊，问计于师生、问计于实践。要转换角色、走进师生，了解师生的烦心事、操心事、揪心事，发现和查找工作中的差距不足。要结合典型案例，分析问题、剖析原因，举一反三采取改进措施。要加强督查调研，检查工作是否真正落实、问题是否真正解决。

4. **深化研究**。全面梳理汇总调研情况，运用习近平新时代中国特色社会主义思想的世界观、方法论和贯穿其中的立场观点方法，进行深入分析、充分论证和科学决策。特别是对那些具有普遍性和制度性的问题、涉及改革发展稳定的深层次关键性问题，以及难题积案和顽瘴痼疾等，要研究透彻、找准根源和症结，研究对策措施，形成解决问题、促进工作的思路办法和政策举措，确保每个问题都有务实管用的破解之策。

5. **解决问题**。对调研中反映和发现的问题，逐一梳理形成问题清单、责任清单、任务清单，逐一列出解决措施、责任单位、责任人和完成时限。对短期能够解决的，立行立改、马上就办。对一时难以解决、需要持续推进的，明确目标，紧盯不放，一抓到底，做到问题不解决不松劲、解决不彻底不放手。

6. **督查回访**。建立调研成果转化运用清单，加强对调研课题完成情况、问题解决情况的督查督办和跟踪问效；定期对调研对象和解决问题等事项进行回访，注意发现和解决新的问题。

（二）调研报告成稿八步曲

1. 立意要高远。调研报告体现调研工作的高度，动笔前需深思熟虑立意与方向。

- 起草时应立足国家大局，聚焦新时代党的中心任务，与党的二十大精神对标，确保方向正确。
- 应坚持人民立场，从群众利益出发，避免部门利益导向。
- 报告应勇于创新，反映新情况，解决新问题。

2. 标题要响亮。调研报告标题服务于主题和结构，好的标题能升华主题、区分层次。好标题如调研之眼，需亮、有吸引力。

- 规范式标题：如《关于深化产学研融合，加强有组织科研的调研报告》，要素齐全、规范完整。
- 直述式标题：如《基层党的建设信息化过程中存在的问题及对策建议》，简洁明了、直奔主题。
- 文学式标题：如《“最强大脑”入党记——××大学高层次人才党员发展工作纪实》，鲜明生动、引人入胜。
- 复合式标题：如《问渠哪得清如许 为有源头碧水来——南水北调中线工程水源区生态保护调查》《只要有信心 黄土变成金——河北阜平县骆驼湾村和顾家台村脱贫调查》，前虚后实，主副标题结合，广泛使用且效果好。

3. 结构要清晰。报告结构讲究详略得当，避免平均分配或过度堆砌。结构形式因调研目的和内容而异。

- 递进式：介绍整体情况、列出问题、提出对策，适用于典型案例。
- 并列式：按逻辑分成并列部分叙述，适用于内容丰富、综合性强的报告。
- 综合式：兼具递进式和并列式特点，适用于复杂事件和新事物推介。

要注意的是：无论何种结构形式，都要注意每级标题之间的逻辑关系，避免逻辑混乱。

4. 问题要精准。坚持问题导向，直面深层问题。报告应反映事业、政策关键症结和群众强烈反映的问题，坚持实事求是、党性原则。问题分类整理，区分表面与根本、技术与机制问题，以及解决层级。全面听取意见，结合当前、历史、地域及全球视角，找准症结。

5．**分析要透彻**。调研报告需系统、理性分析，揭示本质和规律。去粗取精，提炼共性问题，严谨论证观点。运用全面、辩证、发展的观点观察，洞察本质、把握方向。如毛泽东的《湖南农民运动考察报告》《中国社会各阶级的分析》等报告是典型。

6．**案例要典型**。调研报告需选典型案例，做到见人、见事、见物、见数据、见对比，让大家产生共鸣。

- **运用代表性事例**，以小见大，避免陈词滥调。如《北京东城：以文化浸润城市》报告，通过"美后肆时景山市民文化中心"事例，展示东城区文化惠民成果。
- **运用数字性材料**，增强科学性、权威性。如《习近平新时代中国特色社会主义思想的生动实践——浙江省嘉善县全面贯彻落实新发展理念调查》报告，用70多个数据展现嘉善县新发展理念的成效。
- **运用群众语言**，增强生动性、感染力。如《铿锵的时代乐章——党的十八大以来习近平总书记考察调研过的贫困村脱贫调查》报告中，用土族群众的"花儿"歌谣展现脱贫后的精神面貌。

7．**对策要可行**。调研应重实用，其对策建议应能够为决策层提供参考，并具备实际应用价值。

- 对策建议要硬实：聚焦问题，提出切实可行的对策，确保建议"语当其时，谏当其用"，避免"假大空"。
- 基层实践为灵感源：务实对策通常源于基层实践、群众智慧和专家建议，经多方交流、比较、反复后形成。
- 尊重首创精神：提出对策时，尊重基层干部群众、专家学者的首创精神，不争"出镜率"和"发明权"。

8．**文风要务实**。调研报告非文学作品，无须华丽语言，不要盲目求新，要讲实话、短话，切忌空话、大话、套话，做到有感而发，用词准确、言简意深。

总而言之，我们在调研工作中一定要保持求真务实的作风，努力在求深、求实、求细、求准、求效上下功夫。“深”，就是深入党员群众，深入师生基层，善于与教师、学生交朋友，到院系、教室、学生宿舍、党员群众中解决问题。“实”，就是作风要实，做到轻车简从，简化公务接待，真正做到听实话、摸实情、办实事。“细”，就是要认真听取各方面的意见，深入分析问题，掌握全面情况。“准”，就是不仅要全面深入细致地了解实际情况，更要善于分析矛盾、发现问题，透过现象看本质，把握规律性的东西。“效”，就是提出解决问题的办法要切实可行，制定的政策措施要有较强操作性，做到出实招，见实效。

七、如何沟通才能有效推动工作？

党委日常事务的推进落实，小到一项数据的获得，大到一次党代会的召开，都涉及大量的沟通协调工作。高校组织员更是要经常与领导、同事、师生进行交流合作，才能够高效完成党委工作任务。可以说，良好的沟通协调能力是组织员必须具备的重要能力素质之一。有效的沟通协调，可以避免和化解在工作中可能出现的矛盾，营造和谐、轻松、愉快的工作环境，提高工作效率。然而，有效的沟通并不容易达成。下面给大家带来一些沟通的小贴士，希望对大家有帮助。

我发现，有时在工作沟通中，我“想”表达的与我表达出来的，以及你所理解到的，可能相距甚远。身处E时代，进行有效沟通要注意些什么？

我整理了一些高校组织员工作关系表及E时代高校组织员有效沟通的注意事项，分享给您。

人工智能与数字经济广东省实验室（广州）党委组织员，从事党务工作10年，曾获学校优秀共产党员、优秀组织员。

（一）高校组织员需要协调处理的六类工作关系及沟通要求

<table>
<tr><th colspan="2">工作关系类型</th><th>沟通协调要点</th></tr>
<tr><td rowspan="2">对上关系的协调</td><td>与上级部门关系的协调</td><td>坚决服从上级，全面领会意图，不折不扣执行，及时沟通联络，准确传达“上情”，精准反映“下情”</td></tr>
<tr><td>与本单位领导关系的协调</td><td>理解领导意图，维护领导威信；处理不越位，参与不干预，遵从不盲从，建议不错位，工作要到位，干事不误事</td></tr>
<tr><td rowspan="2">平行关系的协调</td><td>与兄弟学院之间关系的协调</td><td>主动沟通求共识，相互尊重顾大局，积极配合不设障，共享利益不贪功，共担责任不诿过</td></tr>
<tr><td>与办公室同事之间关系的协调</td><td>相互补台不拆台，信任尊重勤助人，平等待人不搞“小圈子”，谦虚谨慎不居功，荣誉面前少伸手，出了问题不推诿，坦诚沟通利团结，常常联络感情好，仪表礼仪要讲究，多用“您”“请”“多谢”等文明语</td></tr>
<tr><td rowspan="2">对下关系的协调</td><td>与党支部之间关系的协调</td><td>任务下达要清晰，沟通渠道要畅通，解释政策要耐心，工作细节勤跟进，制定决策要调研，督促检查勤反馈，取得成绩要肯定，好的点子要支持，推动进步是前提</td></tr>
<tr><td>与党员群众之间关系的协调</td><td>主动联络，真诚沟通，在“关爱”上用真情，在“成长”上予帮助；对于党员群众反映的重要问题、意见和建议，要及时、适时向领导汇报；发现党员群众对新政策、新改革措施不理解或认识有偏差时，要认真做好沟通解释工作，并及时请示领导，创造条件尽快处理</td></tr>
</table>

（二）E时代高校组织员有效沟通的注意事项

1. 工作群沟通需要注意什么？

建立工作群，应提前告知，最好的方式是和在场人沟通建群，与非在场人建群时，则应先征得同意，再请他加入工作群。

建群后应快速修改群名称，名称要针对工作、一目了然。群主需要在工作伙伴入群后，编辑群公告，告知建群目的、群内规则。同时有必要向大家介绍一下重要成员，也欢迎大家自我介绍，这有利于工作的顺利开展。

退工作群也有讲究。根据工作任务临时组建的工作群，工作结束后，要及时公告群成员，“本群工作任务已完成，即时解散，感谢大家”。调离工作单位，要主动退群。

2. 在线发布通知需要注意什么?

组织员要通过信息平台接收通知，同时也会向相关工作对象发布通知，具有通知接收和反馈的双向流动性。因此需要在快速编辑与接收中掌握必要规范，呈现沟通工作的高质量。

（1）发布通知请一次性说完

完整的线上通知结构应该是这样的：

■ **带上称呼显得被重视**

在线发布通知，也要如同真实生活中的沟通，先称呼对方再进行沟通。同时要使用尊称，让群内的人感到被尊重。

■ **带上数字显得有逻辑**

如果有必要，可以采用“1、2、3”或“第一、第二、第三”等逻辑清晰的词汇分段。一个冗长的通知或者是多条发出的通知，容易使人忽略其中部分信息，也有可能迅速被某些回复覆盖掉，因此，能够一次性完整发出就显得非常必要。

■ **带上感谢显得更周到**

如果是比较重要的事情，可在结尾处注明：“收到请回复，谢谢！”并且可以在通知发出后，做一个“群接龙”小程序方便大家回复。如果是转发相关通知，结尾可以加上“望周知，谢谢。”

（2）政务通知最怕遇到“甩手链接”

当已有政务通知发布在网站上，我们需要在群里转发此通知时，尽量不要做通知链接的“搬运工”，最好是除了复制标题和网址外，还要简单写明该通知可公开的相关要求，如上报/提交/完成时间、反馈方式、联系人和联系方式等，便于接收者即时得到提醒、提前做好准备以及后续的回顾查看。

（3）收到通知尽快回复是责任

很多沟通工具具有“免打扰”“隐藏群消息”等功能，这就使通知发布方无法确知对方是否已经被通知到。

原则上，看到群通知，只要与自己有关就应回复“收到，谢谢”或者完整回复相关内容。这是通知发出的意义，也是阅读者的责任。有些不用回复的通知，比如结尾有“免回复”的，就阅读了解即可，不用回复。

3. 哪些工作注意要当面沟通?

紧急任务说不清：遇到时间紧急但任务重要的情况，应负责任地当面沟通，而不是仅通过邮件通知。这样可以更直接地讨论解决方案，明确思路，确定分工等。

需要对方给意见：涉及主观看法的事情，如提需求、提意见、谈思路等，应尽可能面对面沟通，便于有来有往地商量对谈。

敏感信息不上网：当工作涉及敏感的信息或人际关系时，如同事的不良行为、离职或调岗请求等，需要领导的保密和协调。当面沟通有助于谨慎处理这些情况。

复杂数据要展示：如果工作涉及复杂的数据或图表，如年度数据统计对比或年度工作总结，需要领导详细了解和分析。当面展示有助于领导仔细查看和理解。

八、互联网时代高校党建如何做到更准、更实、更活？

在当前信息化时代背景下，高校党建工作已逐步与“互联网+”信息技术深度融合，这不仅推动了高校党建工作的智能化、科学化发展，还极大地丰富了党建工作的内涵。面对高校基层党建工作与数字融合过程中的挑战，我们需要从固有的工作理念中蜕变，勇于学习、接纳新时代的先进理念与工作模式，时刻跟随着时代的潮流来确定自身的发展方向。

如何在互联网与新媒体技术的助力下，使党建工作变得更加精准、务实且充满活力呢？下面，我们将分享一些新媒体技术在党建工作中的具体实践经验，期望能够激发大家的思考，为党建工作注入新的灵感与活力。

（一）运用互联网技术，让党建工作更精准

在党员管理和发展党员过程中，我们应如何创新工作方法，并充分利用互联网技术，以实现党建工作的精细化管理呢？

可依托网络数据平台的力量，构建一体化的党建系统，把党务平台、理论学习、数据分析等功能整合在一起，以达到“三个精准”的目标。

华南理工大学党委组织部组织科科长，在党委办公室、党委组织部（党校办公室）工作16年，曾获学校优秀党务工作者。

1. 精准覆盖。确保党员在校期间都能纳入一个支部管理，避免出现“失联党员”，这样就能实现多地多校区办学条件下党员教育管理服务工作的全覆盖。

2. 精准分析。充分利用大数据平台，收集各项数据，随时掌握党员发

展工作进度，根据培养情况合理制定发展党员计划，保证“成熟一个，发展一个”。

3. 精准施策。对发展党员工作数据进行横向对比和追踪分析，发现问题及时提醒相关单位改进，提高党员发展和培养质量。

目前发展党员工作大多依赖线下纸质的形式，每个流程和环节均需组织员与党支部细致执行与严格把关，唯恐有疏漏。这方面有啥高招吗？

发展党员工作必须遵循严谨的程序，包括5个阶段、25个步骤，每一个步骤都不能马虎。信息化时代，我们应当充分利用信息技术，让发展党员工作更高效、更精确。您所提的这个问题，其核心在于探讨“如何借助信息化工具来强化发展党员全流程中关键节点的提醒功能”。

华南理工大学生物科学与工程学院在这方面就做得挺好，他们搭建了一个“发展党员工作提示平台”，已经运行了2年。这个平台通过自动化提醒功能，让发展党员全流程的关键节点变得一目了然，大大减轻了组织员和党支部的工作负担，让发展党员工作更加精准。

发展党员工作提示平台

【平台简介】该平台的构建以提高工作效率和准确性为目标，将发展党员工作视为一个整体，实现各环节的有机衔接，通过将自研的本地数据管理程序与钉钉等通信工具相结合的方式，实现发展党员全流程关键节点的自动化提醒功能。

【功能设计】平台包括3大模块：工作计划模块、自动提醒模块、数据分析模块。

工作计划模块：根据年度发展党员目标，制定详细的工作计划并为每项工作设定起止时间。

自动提醒模块：根据设定的时间节点，平台自动提醒党支部目前的工作进度、工作要求及注意事项。

数据分析模块：自动分析党支部的入党申请人、入党积极分子、发展对象和预备党员四类人员情况。

【数据分析与决策支持】

1. 工作进度分析

展示每个阶段的工作进度，包括已完成和未完成的工作项。对比计划与实际进度，发现偏差并提出改进建议。

2. 人员情况分析

平台自动统计各阶段人员的总数和状态。分析是否有不符合规定的人员，提醒党支部及时进行调整。

3. 发展条件分析

分析符合下一阶段发展条件的人员情况。提供发展建议，为党支部决策提供数据支持。

发展党员工作提示平台：数据分析模块

下面通过一张图来给大家展示这个平台的具体情况。

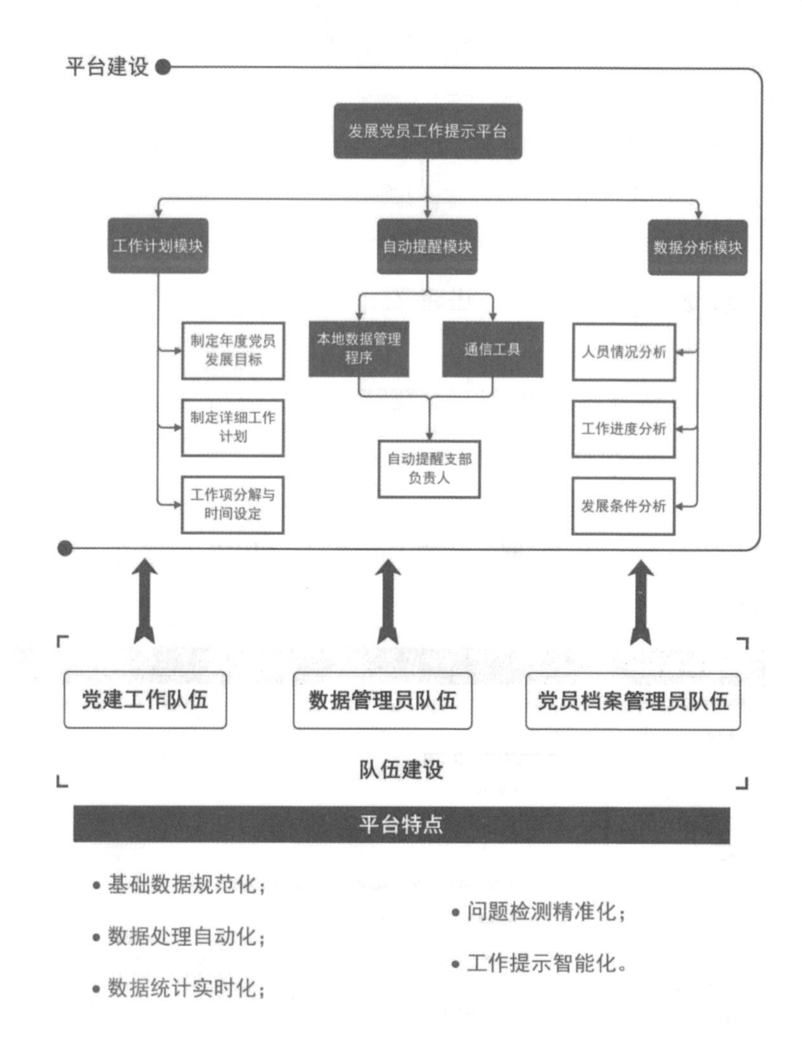

发展党员工作提示平台架构图

（二）借助互联网手段，让党建工作更便捷

在互联网时代，我们如何利用各种先进技术工具和平台，使党建工作更加便利高效呢？

党员教育培训管理是可以通过互联网技术实现更便捷的。

为进一步提升培训效果，各地党组织纷纷创新手段，开发多元化的党员网上培训管理系统。比如，华南理工大学开发了“入党积极分子在线学习平台”，实现入党教育培训的报名、选课、成绩查询、申诉、证书查询和申领等工作在线管理，提高了入党教育的效率与透明度，使每一位入党积极分子都能享受到更为优质的培训资源。针对党员培训，学校依托中国教育干部网络学院平台、“云”党课、网上党校等线上资源，结合集中学习培训班等线下活动，为党员提供丰富多样的学习方式。同时建立党员教育培训个人电子档案，实现“数据全上线”，从而精准地掌握每位党员的教育培养全过程。

作为学院组织员，需及时了解掌握各党支部的组织生活开展情况，加强指导和管理。但那么多分散的党支部，如何才能高效全面地了解并监督他们的组织生活呢？

当前，对支部组织生活的了解与监督，主要还是通过列席会议、检查党支部工作手册等线下方式，实时指导与监督有一定难度。为提升管理效率与透明度，亟须构建一个线上党建活动管理平台，实现组织生活的“可视化”管理，便于组织员即时掌握各党支部的动态，进而提供更为便捷与高效的远程指导与监督服务。华南理工大学党委组织部基于这一需求，搭建了组织生活平台，并成功运行6年。

华南理工大学组织生活平台

【搭建目的】为有效应对实际工作的3大业务痛点，搭建一个适合本校基层党支部开展各项工作（尤其是组织生活）的系统，以推进本校的党建信息化，提升管理效率与组织能力。

3大业务痛点

- □ 有的党支部未按要求开展组织生活
- □ 有的党支部开展组织生活的记录不完整不齐全
- □ 加强组织领导和督促检查缺乏技术手段

【平台概述】该平台由五大核心模块构成，即“制定指导性方案”“活动计划报备”“登记主题记录”“监督”“统计”。学校党委组织部负责发布总体活动指导方案，二级党委依据实际情况细化并发布各自的活动指导方案，各党支部根据上级指导方案进行活动计划的报备，并详细记录活动执行情况。作为二级学院党委的管理员，组织员通过该平台能够及时发布工作计划，监督基层党支部活动开展情况，及时发现问题并准确提供指导，确保各基层党支部组织生活的规范化、多样化、常态化和长效化。

【运行成效】该平台实现了对各基层党组织组织生活开展情况进行精准汇总，形成可视化数据并实时在线呈现，为上级党组织管理各基层党组织提供数据支撑，使党建工作由“事后处理”转变为“实时处理”，大幅提升了党务工作的实效性与创新性。

（三）利用新媒体资源，让党建工作更鲜活

随着互联网和智能手机等新媒体技术的迅猛发展及其广泛的应用，新媒体已经成为党员干部进行自我学习、表达观点、反映问题的关键途径。我们应如何顺应这一新形势的需求，充分利用新媒体资源，以服务于党建工作，并为其注入新的活力呢？

在互联网时代，要让党建工作不断进步，充满新鲜感，我们可以从以下四个方面入手：

1. **加强新媒体平台的建设与管理。**通过建立官方微信公众号、微博、抖音等新媒体账号，定期发布党建相关内容，与师生党员进行互动交流。这些平台不仅可以成为宣传党的基本理论、基本路线、基本方略的重要阵地，还可以成为展示学校党建工作成果、传递正能量的重要窗口。

2. **注重内容的创新与多样化。**在新媒体平台上发布的内容应该具有时代性、针对性和趣味性。可以通过图文、视频、音频等多种形式，将党的历史和理论知识、先进典型事迹、校园文化活动等生动形象地展现出来。同时，也可以结合热点话题和时事政治，引导党员进行讨论和思考，激发他们的爱国热情和社会责任感。

3. **积极探索新媒体在党员教育和管理中的应用。**可以利用新媒体平台开展在线学习、远程教育等，方便党员随时随地学习党的知识和理论。同时，也可以利用新媒体平台对党员进行日常管理和考核，比如通过签到、答题等方式检验党员的学习成果和思想动态。

4. **借助新媒体平台开展丰富多彩的党建活动。**可以在线上组织主题党日、演讲比赛、知识竞赛等，也可以邀请专家学者、先进典型等到新媒体平台分享他们的经验和见解，与党员进行互动交流。

确实，您说得对！“互联网+党建”是个大课题，想要取得显著成效，需要多方共同努力。作为组织员，我们如何才能巧妙利用新媒体，给基层党建工作带来新活力呢？

我在工作中用到、碰到、看到的一些有效方法，跟您分享一下，可以归纳为“四微”工作法，希望对您有所帮助和启示。

1. 开设“微课堂”：（1）在单位的网页和微信公众号等平台开设“党建之窗”专栏。通过文字、图片、语音、视频等多种形式第一时间推送至每位党员，丰富党员学习内容，实现及时掌上阅览。（2）制作“党建微课堂”系列微信宣传。鼓励各支部党员走上讲台。比如可以每月由一个党支部选出一名党员代表分享党建知识和经验，使普通党员由“倾听者”转变为“讲授者”，提升学习的积极性和自主性。（3）在新媒体平台（如微信群、QQ群、微信公众号等）开设党员学习园地。每一名党员都可以进行互动交流、各抒己见，提升学习交流效果。

2. 提供“微服务”：（1）创新党员管理载体。针对无法进行线下集中会议等特殊情况，特别是党员因工作需要外出学习、工作的，通过党建微信群、学习强国等平台因地制宜召开远程视频会议，组织党员交流学习。（2）充分用好现有党务系统。做好发展党员工作管理、党费收缴管理、党组织关系管理等，提升支部工作效率，为师生党员提供便捷服务。（3）加强退休党员管理服务工作。利用新媒体网络平台，组建退休教职工党员联系群，定期发送党员学习资料、院内活动信息、节日祝福，分享院内动态，了解并关注他们的身体健康状况，以增进退休干部与学院的互动与交流。

3. **开展“微公益”**：（1）利用新媒体平台精心策划与发布党员志愿服务活动，提升师生党员的党性修养和志愿服务意识。如组织并引导师生党员投身所在区域及学校的环境卫生创建、安全保障、教育支援以及乡村振兴等各项社会实践，以提升党员队伍整体素质。（2）组建新媒体志愿宣传团队。充分挖掘并发挥高校学生党员在新媒体运用方面的敏锐度与创新能力，选拔优秀学生党员组成宣传团队， 采用年轻人喜欢的方式开展党建宣传，适时对外发布典型案例、宣传感人事迹，做好法律知识的宣传者、网络谣言的制止者。（3）发挥新媒体优势助力乡村振兴。通过微信群、公众号等平台发布学校乡村振兴系列宣传，全方位宣传乡村振兴的相关政策和工作动态，唤起更多人的关注与参与，共同携手为乡村振兴贡献力量。

4. **树立“微榜样”**：（1）开展“线上微直播”，将杰出典范引入校园，开展党建主题宣讲活动。活动全程采用网络直播，实时分享给未能到现场的师生党员，共享精神盛宴。（2）进行“网络云宣讲”，促使身边楷模走出校园。借助网络平台，广泛传播师生党员在工作与生活中涌现的感人事迹，让正能量跨越时空界限，触动更多人的心灵。（3）强化“网络云宣传”，积极树立并弘扬身边党员的杰出榜样。通过宣传生动真实的案例，师生党员中的优秀代表成为激励人心的力量，引导广大师生以身边的先进典型为镜，不断提升自我。

工作小贴士：7个党建工作权威网站与7个优质公众号推荐

网站名称及网址	公众号名称
共产党员网 （www.12371.cn）	党建网微平台
中国共产党新闻网 （cpc.people.com.cn）	学习小组
旗帜网 （www.gongwei.org.cn）	学习大国
中共中央党校（国家行政学院）网站 （www.ccps.gov.cn）	党员小书包
中央纪委国家监委网站 （www.ccdi.gov.cn）	小建智库
学习强国 （https://www.xuexi.cn/）	上海支部生活鲜知先觉
全国高校思想政治工作网 （https://www.sizhengwang.cn/）	机关党建研究

参考文献

[1] 滕帅，岳坛．强化高校基层党组织政治功能路径研究：以教师党支部为例[J]．公关世界，2020，（20）.

[2] 像玉的石头．秘书工作手记2：怎样写出好公文[M]．北京：清华大学出版社，2019.

[3] 薛贵辉．公文写作32讲：从思维构思到笔法语言[M]．北京：清华大学出版社，2023.

[4] 韩海蛟．起草调研报告应掌握“八段锦”[J]．秘书工作，2023，（4）.

[5] 中共中央办公厅．关于在全党大兴调查研究的工作方案[EB/OL].（2023-03-19）[2024-09-30]. https://www.gov.cn/zhengce/2023-03/19/content_5747463.htm?_refluxos=a10.

[6] 纪亚飞．志愿服务礼仪[M]．北京：中国纺织出版社，2023.

3

攀登篇

四轮驱动，行稳致远

今天，有新同事夸我党务工作业务精湛，我受宠若惊

回想当初，我也曾是一名党务“小白”，在探索中摸爬滚打，最终收获了些许成长

现在，熟悉了业务，把准了方向，能够在基本业务上守正的我，准备挑战工作创新啦！

我满怀期待，想真正成为党建业务的“行家里手”，在组工战线将习近平总书记“把基层党组织建设成为有效实现党的领导的坚强战斗堡垒”的嘱托落实到位！

我已迫不及待！

希望能立刻与组织员战友们并肩作战

用好强基固本、铸造先锋、双融双促、创新创优四个强有力的驱动

推进基层党组织建设，助力学校和学院事业发展行稳致远！

一、强基固本，基层组织建设提质增效

“欲筑室者，先治其基。”华南理工大学党委扎实开展师生党建和思想政治教育工作，夯实基层基础。2012年，学校启动实施青年教师党员发展“领航计划”，通过思想引航、业务助航、生活护航，探索新时代教师政治引领的创新路径，让“最强大脑”早日站在党旗下。2015年，“岭南追梦：大学生社会主义核心价值观实践行动”启动，通过活用广东独特的历史文化资源，让社会主义核心价值观入脑入行。2017年，“先锋筑梦”支部书记原创精品微党课建设工程落地实施，通过打造一批精品党课、建设一支微党课讲师团、搭建一系列党员教育优质平台，让微党课成为点燃思想教育的燎原之火。

（一）让“最强大脑”早日站在党旗下

——华南理工大学青年教师党员发展“领航计划”的实践与探索

认真做好对青年教师的政治引领和政治吸纳，源源不断地把更多优秀的学术骨干和青年教师吸收到党内来，是学校落实立德树人根本任务、保持党员队伍先进性、建设高素质教师队伍的内在要求。近年来，教师来源结构日趋多样，海外引进人才比例不断提高，教师群体面临的竞争与发展压力日益增大，他们思想意识的多元性与差异性明显增强。面对这一挑战，华南理工大学开始了加强青年教师思想政治引领工作的思考和探索。2012年5月，学校启动实施青年教师党员发展“领航计划”；2018年12月，在总结“领航计划”实践经验的基础上，学校进一步研究制定了《发展高知党员工作方案》，并将“领航计划”工作涵盖范围扩展至博士生、博士后等人员。

10余年来，学校各级党组织坚持“一张蓝图干到底”，以“领航”为核心任务，以思想引航、业务助航、生活护航三大行动为抓手，持续加大工作力度，完善培育机制，着力搭建青年教师群体成长发展平台，探索新时代青年教师政治引领工作的创新路径。经过不断努力，一批批德才兼备的青年教师纷纷加入共产党员的光荣行列，进一步优化了学校党员队伍结构，增强了党组织的影响力、凝聚力和感召力，实现了青年教师发展入党工作“水长流、量渐大、质更高”。2018年以来，学校共发展高知党员615人，其中专任教师60人、高层次人才10人。

第一，“一把手”带头联系培养青年教师入党

学校党委充分认识到，实施“领航计划”关心、支持和引领青年教师的最终目的，是使青年教师通过组织的帮助和个人的努力，加快成长的步伐，早日进入先锋队伍的行列，在学校建设一流大学、服务教育强国实践、支撑高水平科技自立自强的征程中，更好地施展才华、发挥作用。学校坚持把青年教师党员发展“领航计划”确立为“书记项目”，作为一项战略性、长期性的人才工作和党的组织建设的“一把手工程”来抓。学校党委书记亲自谋划部署、制定方案，带头参与“领航计划”，定期召开书记会议研究形势、沟通信息、落实责任，召开高层次人才代表座谈会，开展关键发展对象谈话工作，重点难点事项牵头协调解决。各院系党委书记担任“书记项目”子项目负责人，实现上下贯通、一体推进。

2018年起，建立健全学校党委常委、二级党委委员、党支部委员“三级”联系制度。在校级层面，由学校党委书记带头，每位校领导、党委常委每年联系1—2名教师入党积极分子，实行校领导专人联系、重点培养，定期与联系对象谈心谈话，关心其工作、生活等情况，帮助其协调解决实际问题，全程深度参与、直接联系培养，并参加接收新党员大会。

第二，“抵人心”引领青年教师思想政治航向

创新“六个一”教育载体，引领思想航向。针对青年教师思想活跃、上进心强、可塑性大的特点，学校着眼发展全局，积极探索创新，注重熏陶渗透，以“六个一”为载体，深入细致地做好青年教师的思想引导工作，即通过建立“每院一批”思想导师队伍，在校领导直接联系之外，安排一名学院党委班子成员和一名教工党支部教学科研骨干联系一名党外青年教师；开展“每月一谈”活动，联系人每月与联系对象谈一次心，做好谈心笔记，在

思想上引导青年教师树立先锋意识、强化奉献精神；组织“每学期一会”交流研讨，每学期召开一次青年教师代表座谈会，开展专题学习讨论，构建思想交流、催生共鸣、相互促进的青年园地；落实“每年一班”学习培训，每年开展一期非党员骨干教师红色教育专题培训班，帮助青年教师提高政治觉悟和理论修养，使思想引领更具系统性和专业性；安排“每地一学”实地考察，每年组织一批青年教师到井冈山、古田等革命老区和中共三大会址纪念馆等教育基地参观学习，使他们现场感悟中国共产党人的初心使命，加深对党的了解和认识；坚持“每人一档”，为每名申请入党的青年教师建立思想教育引领工作档案，记录谈心谈话等联系培养内容，把握他们的思想动态，引导他们坚定理想信念。

搭建个性化成长平台，加快发展航速。青年教师精力充沛，潜力充足，发展需求强烈，成长空间广阔。学校党委积极顺应青年教师成长需求，努力把思想政治工作与青年教师的教学科研发展有机结合起来，积极争取和整合学校、政府、企业、科研机构等政产学研资源，为青年教师搭建优质平台，构建青年教师成长发展体系。一方面，积极完善优秀教师“传帮带”团队协作平台，安排专业对口或相近的党员学科带头人和教学科研骨干进行“一对一、手把手”的帮扶，并进一步加大对青年教师教学科研的支持，为青年教师成长发展提供良好的外部环境。另一方面，结合学校“双一流”建设和广州国际校区建设，组织党外青年教师参与乡村振兴、“百千万工程”、地方政府挂职锻炼、对口支援等社会实践工作，到国内外重点高校开展学术交流合作，让他们在一线锤炼中接受熏陶，在实践磨炼中早日成熟，拓宽学术视野，助力青年教师学术成长发展。

健全“三办三融入”关怀机制，爱护成长航程。青年教师上有老、下有小，中有教学科研的压力，负担重、挑战多、压力大，把党组织关怀延伸到他们生活的每一个角落，帮助他们解决后顾之忧，实现安居乐业，对于增强他们对党组织的归属感和向心力具有积极的意义。学校建立健全党委书记领办、组织部门主办、二级党委承办的“三办”工作机制，健全二级党委主要负责人护航“三融入”机制，即融入解决教师实际困难的办事过程中，融入丰富多彩的文体活动中，融入走访合作单位争取更多机会、优化科研平台的工作中，帮助青年教师解决思想、工作和生活上的实际问题。同时，各院（系）党委书记定期与青年教师面对面谈心，全方位掌握情况，努力为青年教师解决住房、子女入托入学等困难，加强了教育引导，促进了党群沟通，密切了干群联系，巩固了和谐稳定，凝聚了人心力量。

第三，“机制化”巩固青年教师党员发展工作长效

构建协力推进、协同配合的工作格局。成立学校党委教师工作委员会，积极构建学校党委统一领导，党委组织部牵头抓总，党委教师工作部、学生工作部协力推进，人事处、教务处、研究生院、科学技术研究院、社会科学处等部门协同配合，院（系）党委负责实施，党支部具体落实的工作格局。成立并独立设置党委教师工作部，统筹做好教师党建和思想政治工作。成立教师发展中心，为提高教师教学水平和业务素质、更好促进教师全面发展提供优质服务。构建全链条责任体系，明确党委组织部、党委教师工作部等部门，二级党委、党支部等基层党组织，以及学院党委书记、组织员、党支部书记等在高知群体党员发展中的具体责任，并把发展高知党员情况纳入党组织书记抓基层党建述职评议考核内容。

建立落实高知党员发展工作台账。制定发展党员工作实施细则、二级党委全面从严治党工作责任清单、党的组织建设（教职工）工作建议清单等，将高知党员发展工作列入重要工作内容。每年开展两次高知群体申请入党情况摸底调研，实施青年教师党员发展单列计划，建立发展工作台账，及时掌握高知群体尤其是青年教师党员发展情况。建立定期报告机制，各院（系）每半年向学校报告发展高知党员工作情况，学校每半年对各院系发展党员工作情况进行检查，及时给予指导。建立“一人一策”机制，有针对性地制定培养措施，对每一名对象的培养和发展工作全过程跟踪问效。

发展高知党员重在做人的思想工作，需要用心用情投入、长期持续跟进，努力以教育打动人、以感情温暖人、以真诚赢得人，通过“春风化雨、润物无声”的不懈努力，取得“久久为功、水到渠成”的良好效果。

中青年教师是改革发展的中坚，是教书育人的主力，与学生沟通互动多，对学生影响大。与大学生相比，参加工作多年的高校中青年教师在思想观念和价值取向上已经成型且呈多元化倾向，其培养和发展工作长期被视为高校党建工作的难题。华南理工大学实施青年教师党员发展“领航计划”，把更多优秀的青年教师吸收到党内来，为破解这一难题进行了积极的探索。

“领航计划”实行的校—院—党支部“三级联系人”制度，拓宽了原有的党支部联系人制度，并通过“一人一策”，为青年教师提供个性化、常态化、有实效的全过程教育、培养和引导。该计划从思想引航、业务助航、生活护航三个方面，加强对青年教师成长发展的“领航”，做到了一切从实际出发，坚持问题导向，实现了青年教师思想引领、关心关爱和政治吸纳工作的全方位、系统性和科学化。

新党员教师的入党故事

教授、博导
2023年入党

在一次和校领导交流的过程中，他了解到我还不是党员，便问我有没有入党的意愿，后来经过郑重考虑，我发现自己确实在责任心、工作动力上与党员有差距，而且过了50岁后，我是有点迷茫的，有时会感觉找不到今后人生的方向。后来，通过学习习近平总书记系列重要讲话、党史、党章等，我了解到，我们党永不变色的三大法宝之一“党的建设”，要求党员“永远不能骄傲自满，始终艰苦奋斗”，这正是激励我前进的动力。通过一系列的学习，我找到了努力的方向，所以我递交了入党申请书。现在，我已经是一名光荣的中国共产党党员，我深深地懂得，共产党员意味着拼搏、奋斗甚至牺牲，我会始终坚定理想信念，矢志不渝，坚守初心，潜心立德树人、执着攻关创新，做一名合格的共产党员。

教授级高工、博导
2021年入党

入党是一个严肃而神圣的承诺，代表着个人对共产主义理想的信仰和对党的忠诚。我渴望成为党组织的一员，更好地为人民服务，贡献自己的力量。在入党过程中，我深受党的教育与熏陶，通过深入学习党的理论、方针、政策，以及党的百年奋斗史，我的理想信念更加坚定，对党员的责任、初心与使命有了更深刻的理解。这一过程，于我不仅是知识的积累，更是个人品德的淬炼。

2021年，在我们党百年华诞之际，我光荣入党。这不仅是我人生的重要里程碑，更是我不断追求成长与发展的新起点。成为党员以来，我坚持不断加强理论学习，尤其是对习近平新时代中国特色社会主义思想的学习，思想境界显著提升。我也更加注重提升自我修养，力求知行合一、以身作则。在参与建设全国首批12家未来技术学院这一重大任务中，我始终以一名共产党员的标准严格要求自己，积极发挥先锋模范作用，不断提升业务能力，全身心投入学院建设与发展。未来，我将继续努力，不断提升政治素养和专业技能，为建设教育强国、以中国式现代化全面推进中华民族伟大复兴贡献自己的力量。

教授、博导
海外高层次人才
2023年入党

我于2021年回国，当时还在疫情期间，而且在国外时对国内情况不是很了解，回国后看到在中国共产党的领导下国内抗疫所展现出来的号召力、凝聚力如此之大，我由衷地感佩。来到学校后，校领导和院领导对我都非常关心，经常了解我在思想、工作、生活上的情况，指导我成长发展，让我感受到了组织的热情和温暖。加上我的研究方向主要是能源与国防，我想在这方面有更大的作为，为国家多做贡献。于是，我就萌生了加入中国共产党的想法。

在入党过程中，我积极参加学校举办的学习贯彻习近平总书记重要讲话精神座谈会、海归青年教师国情校情研修班、骨干教师红色教育专题培训等系列学习教育。我深深地体会到，作为高校青年教师，要充分发挥自己的学术专长，心系“国家事”、肩扛“国家责”，为国家培养优秀人才。入党后，我更加注重加强学习和提高自己，不断探索教学方法和教学模式的创新，努力在为国家培养拔尖创新人才、实现高水平科技自立自强方面发挥更大作用。

（二）岭南追梦，让社会主义核心价值观入脑入行

——华南理工大学“岭南追梦：大学生社会主义核心价值观实践行动”的实践与探索

2013年12月，中共中央办公厅印发《关于培育和践行社会主义核心价值观的意见》，提出要紧紧围绕坚持和发展中国特色社会主义这一主题，紧紧围绕实现中华民族伟大复兴中国梦这一目标，把社会主义核心价值观贯穿于国民教育各领域，落实到教育教学和管理服务各环节。怎么让学生相信中国特色社会主义道路是行得通的？怎么把学生培育成社会主义建设者和接班人？怎么使学生做到对社会主义核心价值观“真学、真懂、真信、真用”？华南理工大学党委2015年起实施基层党建创新项目“岭南追梦：大学生社会主义核心价值观实践行动”（以下简称“岭南追梦”实践行动），把具有本校特色的人才培养目标和中华民族伟大复兴中国梦结合起来，活用广东地域资源、创新育人内容形式、深化实践育人成果，推动社会主义核心价值观在大学生中内化于心、外化于行，教育引导大学生担负起民族复兴大任和强国建设使命。

第一，把活用广东独特的历史文化资源和着力培育大学生社会主义核心价值观有机结合起来，让历史和文化说话

鸦片战争、太平天国起义、资产阶级民主革命和中国共产党的许多重大革命活动都发生在广东，这里是中国近现代史的“活教材”；南方谈话、设立深圳特区、启动顺德模式等一系列改革开放的大事件首先在广东大地开花结果，这里是中国改革开放前沿的“活样板”；珠三角集结了众多现代化大企业，鲜活地体现出中国综合国力日益增强的事实，这里是中国现代化工业的“大标本”；尽管广东经济总量全国排名第一，但粤东西北欠发达地区与沿海地区的经济对比依然呈现出明显差距，这里是发展不平衡的国情“大写实”。广东是中国革命和改革开放的重要阵地，汇聚着许多社会主义核心价值观教育的优势资源。华南理工大学充分利用广东的地域特色和空间优势，

深度挖掘“活教材”“活样板”“大标本”“大写实”这四种资源中的育人元素，让历史说话、让文化说话，精准运用中国共产党团结带领中国人民进行伟大创造的生动记录，引导学生传承红色基因、感悟发展成就、认识国情社情、肩负时代使命。

第二，把推动思想政治教育的内容和形式创新与有力践行社会主义核心价值观有机结合起来，让师生深度参与和体悟

学校党校和院系分党校组织5762名正式党员、预备党员、入党积极分子参加了“岭南追梦”实践行动，组织辅导员、专业教师行走于岭南大地开展红色解说，通过师生结对行走深入调研，引导广大教师在“岭南追梦”实践行动中将社会主义核心价值观融入教书育人的价值追求、职业操守、精神境界和日常行为等各个方面，突出教师言传身教的模范带头作用。学校把“岭南追梦”实践行动与暑期社会实践有机结合起来，2015年暑假共组织36支校级团队、230多支“岭南追梦”小分队参加“岭南追梦·青春足迹”暑期社会实践，走读岭南大地，观古鉴今。更重要的是，学校党委积极推进思想政治理论课教学与“岭南追梦”实践行动的有机结合：在内容上把“四种资源”作为课堂教学的有益补充，在教学模式上通过中班和小班化教学、研究式教学、实践教学、网络教学等方式，将课堂教学拓展到校外，延伸到岭南大地；着力改革考试方式，改变单纯的知识点考核，突出评价学生对社会认识和人生价值的思考，激发青年学生对社会主义核心价值观的思想自觉和行动自觉，不断提高社会主义核心价值观教育的实效性。

第三，把深化“岭南追梦”实践行动的成果和大力弘扬社会主义核心价值观有机结合起来，让主旋律更加嘹亮动人

2015年11月，《在这里，感悟爱国》《在这里，领悟创新》《在这里，追求富强》《在这里，勇于担当》——“‘在这里追寻梦想’大学生社会主义核心价值观教育实践系列读本”（也称“岭南追梦四部曲”）编撰出版，发放至学院党委书记、副书记、党支部书记、组织员、辅导员等545名基层党务干部手中。各学院结合实际，利用“三会一课”，在青年

教师和学生，特别是党员和入党积极分子、优秀团员青年中宣传推广、组织学习，系列读本已然成为引导广大师生培育和践行社会主义核心价值观的实践手册。学生们纷纷表示，“岭南追梦四部曲”为自己走读岭南行千里路、感悟社会主义核心价值观提供了时间表和路线图。通过学习，学生们进一步明确自己作为青年一代肩负的历史责任，增强了对社会主义核心价值观的自信和认同。与此同时，“岭南追梦”实践行动还开辟了网络新阵地，通过开发“岭南追梦”实践行动专题网站、“岭南追梦”实践行动APP和设置“岭南追梦”实践行动微信、校报专栏，将系列读本的鲜活材料搬上网络，组织大学生积极参与、订阅、转发，用正面声音和先进文化建强网络阵地，弘扬主旋律，传播正能量。

“在这里追寻梦想”大学生社会主义核心价值观教育实践系列读本——“岭南追梦四部曲”

“岭南追梦”实践行动引导大学生用心感受历史和现实，增强他们作为社会主义建设者和接班人的身份归属感、角色认同感和责任使命感，有效推动了社会主义核心价值观入脑入心入行。2016年6月，“岭南追梦”实践行动获得中国共产党新闻网报道，被评价为“最有温度的高校党建书记项目之一”。“‘在这里追寻梦想’大学生社会主义核心价值观教育实践系列读本”还入选了广东省原创精品出版资金扶持项目。更值得一提的是，学校思想政治理论课中的走读岭南实践教学环节依然延续至今。2024年暑假，新一轮“岭南追梦”实践行动——“湾区筑梦”行动火热开展，反映新时代伟大成就的系列读本“在这里追寻梦想”正在翻新升级，即将出版面世。

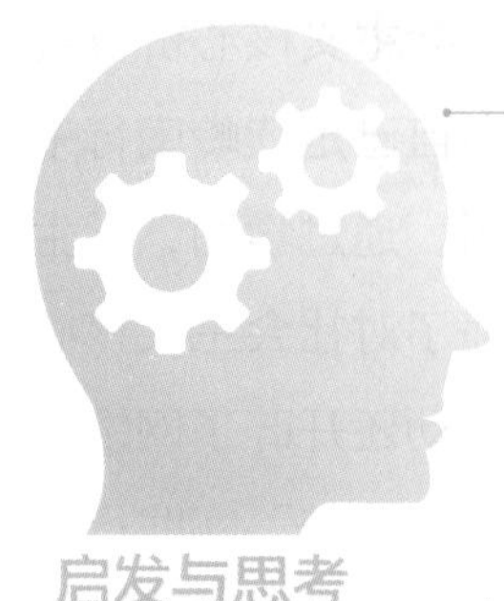

华南理工大学历来重视把广东独特的历史地理优势和大学生社会主义核心价值观培育结合起来，把具有学校特色的人才培养目标和中华民族伟大复兴中国梦结合起来。学校党委组织部牵头实施“岭南追梦”实践行动，带领学生党员和入党积极分子，沿着近现代革命和改革开放的一串串足迹，深入广东各地的革命遗址、教育基地、现代企业、改革开放重大事件发生地和粤东西北山区对口帮扶村实地践学。广大青年边看边记、边学边思，用手中的纸、笔和相机，展示了波澜壮阔的历史画卷，再现了南粤儿女的飒爽英姿，同时也书写了青年一代踏着先烈足迹奋勇前行、为实现中国梦而不懈奋斗的豪情壮志。

“活教材”“活样板”“大标本”“大写实”，这些广东历史文化资源所展现的身边人、身边物、身边事，对于大学生更好地领会和践行社会主义核心价值观，具有特殊而重要的意义。华南理工大学积极用好这些资源，把它们串联起来，编成系列教材读本，为学生开展实践教育、党团活动提供了时间表和路线图，使学生们从活生生的历史和现实材料中汲取营养、感悟人生。

学子心声

饮水思源，作为一名党员，我们在享受今天社会主义现代化建设成果的同时，不能忘记先辈们艰苦奋斗、浴血拼搏的岁月，我们要继承和弘扬革命先烈的精神，在自己的岗位上勤恳工作，发光发热，为实现国家富强、民族振兴、人民幸福的中国梦做出自己应有的贡献。

——摘自《在这里，感悟爱国》中共三大会址观后感

“象山文化”“陈桥文化”“后山文化”“浮滨文化”等都是潮州陶瓷发展的重要推动力。越是民族的，就越是世界性的，行走于潮州的大街小巷，观赏着每一件精致的陶瓷制品，深感潮州人民的勤劳及智慧。正是他们践行了辛勤耕耘的精神、敢于创新的勇气，千年窑火才得以传承和发展，才有了今日的灿烂文化。我们当代青年也应具备改革创新的能力，为社会主义现代化建设增加新能量。

——摘自《在这里，领悟创新》寻访瓷都潮州的感悟

华为的一草一木、一人一景让我获益匪浅，细微之处也可以见其精神。一个敢于在向世界“叫板”的企业里工作的人必须发自内心地追求卓越。只有让自己与企业一起进步、一起成长，自己才不会被淘汰。随着社会的发展，公平公正是大势所趋，付出与回报匹配是竞争法则，华为不养闲人，这个社会更不养闲人，所以，自我成长、自我超越是我们在这个社会能够扎根下来、在未来的竞争中胜出的唯一方法。

——摘自《在这里，追求富强》华为实地见学的体会

作为大学生，作为祖国的未来，我们不能安于现状，坐享其成，徒作点缀繁荣的花朵，而是应当低下头看看脚下的土地，做扎根大地、耸立云天的栋梁之材，为这片土地的持续改善和美好明天，献出自己的力量。如今，已经有一群人走在前面，他们扎根在贫困山区，点亮希望，放飞梦想，让我们以他们为榜样，以他们为老师，共同努力，脚踏实地，铿锵前行，一起让这片土地的明天，让我们祖国的明天更加美好！

——摘自《在这里，勇于担当》调研华南理工大学驻村帮扶工作感悟

（三）让微党课成为点燃党员思想教育的燎原之火

——华南理工大学“先锋筑梦”党组织书记原创精品微党课建设工程的实践与探索

党课制度是我们党在长期实践中创造的经常性教育制度，是加强党员思想教育的重要途径。2016年，华南理工大学贯彻落实党中央要求，抓住党支部书记这一关键队伍，开展“两学一做”党建主题活动之“支部书记讲党课”比赛，反响热烈。2017年起，以推进“两学一做”学习教育常态化制度化为契机，在全校实施“先锋筑梦”党组织书记原创精品微党课建设工程（以下简称“先锋筑梦”建设工程），以讲授微党课为主要形式，持续开展打造一批精品微党课、建设一支优秀党支部书记讲师团、搭建一系列党建与思想政治教育优质平台等“三个一”活动。2020年以来，学校贯彻落实中组部关于开展“党课开讲啦”活动要求，进一步深化“先锋筑梦”建设工程，扩大授课群体至各级党组织书记、委员，不断优化内容，丰富形式，创新载体，党课教育质量和效果持续提升。截至目前，学校已成功举办主题微党课比赛9届，累计吸引各级党组织书记等800余人次参赛，受众达万余人次。

第一，打造一批精品微党课，让思想教育有高度有深度

学校依托“强基培优”党建工作坊、党支部书记党建工作能力提升培训班、微信公众号推送“微学习 | 如何讲党课”系列文章等形式打造校院两级精品党课，做好赛前辅导培训。二级党委结合单位实际，认真研究落实“先锋筑梦”建设工程的具体举措，制定工作方案、细化工作内容、明确责任分工，进一步加强对师生党支部书记的教育培训，带领师生党支部书记集体备课，精心设计党课选题、充实党课内容、撰写党课教案，组织院级比赛，择优推荐党课参加校级评比。校级获奖党课经进一步打磨，已成为精品党课。

这些精品党课主题涵盖爱国、理想、奉献、进取、求知、创新、守纪等多个方面，主要有两个特点：一是选题上突出“准”，小角度大视野，围绕

"学做改"三个重点环节设计内容，一次党课明确了要帮助党员树立什么、提高什么、反对什么，做到了以小见大、以点带面、有的放矢；二是内容上突出"实"，围绕主题，联系党支部实际，将当前党支部建设的重点任务和业务工作融入其中，注重挖掘身边党员的先进典型和感人事迹，引用鲜活事例和详实数据，将要阐明的观点讲透彻讲到位。近年来，学校2门微党课获评全国高校"两学一做"支部风采展示活动优秀作品，2门微党课入选教育部高校党组织示范微党课，1门微党课获2020年度广东高校新生入学教育微课一等奖。

第二，建设一支优秀党支部书记讲师团，让基层骨干当好党务尖兵

学校通过遴选制（选拔党支部书记讲党课竞赛活动中思想政治素质高、选题精准、教学效果好的党支部书记进入讲师团）、推荐制（各二级党委、党支部推荐）、邀约制（通过校内各种党建活动挖掘合适人选，尤其是党委职能部门工作人员、一线辅导员、马克思主义学院专业教师、优秀共产党员等群体）等方式，构建了一支规模为30人左右的讲师团队伍，定期组织讲师团成员参与集中培训、集体备课、现场观摩，并积极承担学校发展对象培训"领航班"、预备党员"先锋班"和正式党员"卓越班"的授课任务。讲师团授课方法灵活，充分运用直播、短视频等新技术、新手段，将政治性、思想性和知识性融为一体，寓理论宣讲于现实工作，寓思想教育于鲜活案例，做到了深入浅出、通俗易懂。2021年，学校1名教师获评全省"百名优秀党史宣讲员"。

同时，学校以"先锋筑梦"建设工程为载体，有组织地选拔和培养党支部书记成为党务尖兵。二级党组织把有担当、肯奉献、业务强、作风正的支部书记输送到学校微党课比赛大舞台，使"先锋筑梦"建设工程成为打造基层党务尖兵的"桥头堡"。以学校首届微党课比赛为例，2名一等奖获得者（1名专任教师，1名辅导员）均已成长为学校中层干部，带领所在党支部入选"全国党建工作样板支部"。前者入选教育部"高校思想政治工作中青年骨干队伍建设项目"支持对象、全国第二批高校"双带头人"教师党支部书记工作室负责人、广东省理论宣传青年

优秀人才，当选中国共产党广东省第十三次代表大会代表，获评广东省优秀党务工作者、广东省“南粤优秀教师”等；后者获评广东省教育系统优秀党务工作者、广东省“高校辅导员年度人物”，主持广东省名辅导员工作室，出版著作《（1+1）^{n}：高校学生党支部组织育人模式创新》。

第三，搭建一系列基层党建优质平台，让思想教育重“需求”又重“供给”

一方面，学校聚焦党员思想教育实际，围绕挖掘党员身边的故事、回答党员关心的问题、适配党员学习的习惯搭建平台，做细“需求侧”。一是大力建设实践平台，持续擦亮主题微党课比赛校级活动品牌，拓展党课讲授渠道。将思想理论、先进事迹、经验做法等及时提炼形成微党课，融入支部“三会一课”、主题党日，形成常态。二是建立丰富资源平台，组织党支部书记讲师团成员围绕“为什么要坚定共产主义信仰”“如何做新时代有世界视野的青年”“如何在班级中发挥作用”等党员关心和热议的问题，精心策划并录制微党课视频22部。三是建设完善推广平台，线上线下构建宣讲传播矩阵，组织讲师团利用重大节日、纪念日开展微党课巡讲、“送讲到基层”活动，将优秀微党课视频推荐至校内外主流媒体平台，弘扬主旋律，传播正能量。其中，由学校领导、师生党员代表共同主讲的微党课《传承红色基因　铸牢青年之魂》和《向新向智　制造强国阔步启新程》在教育部高校党组织示范微党课平台展播；1门微党课入选2020年度广东高校新生入学教育微课并在“广东学习平台”强国号展播。

另一方面，学校坚持党建工作“一盘棋”，统筹“先锋筑梦”建设工程在支撑党管干部、党管人才等方面发挥作用，做强“供给侧”。一是党员领导干部带头参赛，形成“你追我赶比着学”的良好氛围。学校把微党课比赛作为实施学校领导干部政治能力提升计划的“校场”，通过实打实的“大阅兵”“大练兵”，检验领导干部理论水平。2023年和2024年，学校主题微党课比赛分别设立二级党委书记组和二级党委副书记、纪委书记组，校领导全程观赛并点评。二是加强部门协同，打造联学联培新生态。建立党委组织部（党校办公室）、党委教师工作部、党委学生工作部、教务处、研究生院等部门常态化工作联动机制，共享优秀教师资源信息，及时吸收专业课讲得好的教师进入师生讲师团，发挥示范带动作用，引导教师深度参与课程思政建设、教师思政与师德师风建设、学生思想政治教育等工作。

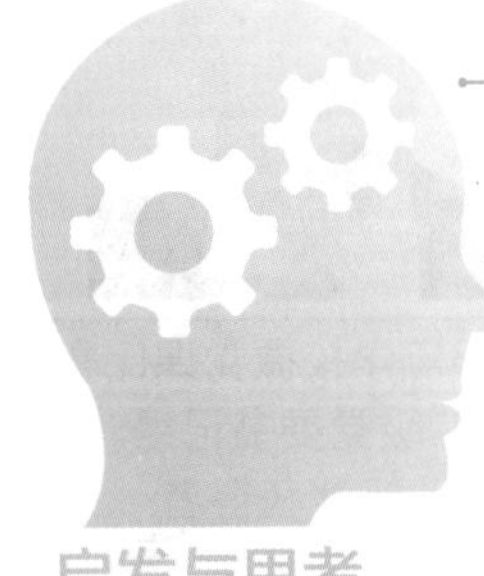

华南理工大学以常见的组织生活方式——讲党课作为“星星之火”，点燃推动基层党建工作，特别是党员思想教育工作创新创优的“燎原之火”，突出党性锻炼，坚持政治性、时代性、原则性、战斗性，持续开展“三个一”活动（打造一批主题明确、贴近实际的微党课，一支信念坚定、业务精湛的讲师团队伍，一系列辐射引领、示范带动的优质平台），探索出了一条党员教育和师生思想政治教育品牌化、体系化建设的路子，提高了党员学习实效，激发了基层党建活力，营造了有温度有深度的思想政治教育工作氛围。

参加学校主题微党课获奖师生说

2023年学校微党课比赛
二级党委书记组
一等奖获得者

2023年，我以“从‘奥运三问’到体育强国——中国体育百年崛起历程”为题参加学校微党课比赛，取得一等奖的优异成绩。随后，我面向学院研究生讲授该专题党课，激励学生传承体育精神，引领学生思考体育人在体育强国建设中如何作为。2024年，学院老师在学校教师组微党课比赛中，通过对足球腐败案例、体坛权钱交易现象、腐败对体坛影响等的讲解，贴合实际、生动形象，让党员深切感受到由纪律意识缺失、背离体育精神与公平竞赛原则所引发的严重后果，深刻理解遵守党的纪律的重要性，凝聚起师生党员奋进体育强国建设新征程的力量。

近年来，学院党委不断探索通过微党课、微话题等形式，创新党员教育方式，首先在学生党支部试行“人人讲十分钟党课”，引导普通党员站上“讲台”，从聆听者变为讲述者，用不同视角聚焦主题，讲接地气、鲜味足的党课；依托学校微党课比赛这个载体，深挖体育育人元素，选拔优秀师生党员参加比赛，扩大影响力。在参加微党课比赛前，学院组织各参赛队伍，结合本专业、身边事精准选题，运用视频图片素材、动画技术等，通过形式的创新、技术的叠加，精心打磨授课内容，使微党课不仅保留了“党味”，还增添了“趣味”和感染力。

认识源于实践，提起比赛时所讲述的微党课，还与一段历史的结缘有关。2016年，我响应中央和省委、省政府关于精准扶贫、生态文明建设、乡村振兴等战略号召，加入广东省规划师建筑师工程师志愿者行列，投入南粤古驿道保护与活化利用工作，在调研过程中，一段尘封的历史被发掘出来。在抗战期间，粤港澳的许多大、中学校经过多次辗转，迁徙至韶关乐昌坪石镇、清远连县、云浮、梅州等地，坚持在烽火前线办学，直至抗战结束。在艰苦的办学环境下，各校自建校舍、钻研学问，培养出了一大批国家栋梁之材，诞生了诸多学术成果。这段烽火逆行、弦歌不辍的抗战教育史让我深感震撼。血泪的民族屈辱已经远去，光辉的教育精神永远流传。也就是在这个时候，我萌生了将这段故事讲述给更多人听的想法。

随着对历史细节的不断调研和整理，我们团队开始进行华南教育历史坪石研学基地的规划建设工作，先后完成了研学基地总体规划、坪石老街景观设计、定友图书馆和中师剧场建筑设计等项目。项目先后获2023年国际风景园林师联合会亚太区风景园林奖等多项荣誉，获《南方日报》《广州日报》和南粤古驿道公众号多次报道。我们发挥学科专业特长，主动服务当地的经济文化发展，获得了积极的社会反响。2022年，我根据自己的工作经历和学习体验，将抗战时期华南教育史的相关内容制作成微党课参加了学校微党课大赛，与大家一起交流何为教育家精神以及如何传承和发扬教育家精神。这一次微党课的参赛经历，对于我而言，既是总结过去对初心的再感悟，也是面向未来笃定努力方向的再出发。

2022年学校微党课比赛
教师组一等奖获得者

在观摩了前些年学校的微党课比赛后，2019年，我从一名基层组织者摇身一变成为参赛者，站上了学校微党课比赛的舞台。从报名比赛开始，我就不断思考，作为一名基层党务工作者，要如何讲好一堂微党课。相比传统党课，微党课具有无法比拟的灵活性与互动性，但微党课在本质上还是党课，不能缺少党味、偏离党性，一场好的微党课，能春风化雨、熏陶精神，而讲出有党务工作者特色的微党课，是我参加比赛的主要目的。

2019年学校微党课比赛教工组一等奖获得者

在确定了围绕日常工作、以学生党员发展动机为主线讲授微党课后，短短半个月时间内，我反复与入党积极分子和学生党员谈心谈话，翻阅大量书籍资料，反复打磨讲稿和PPT，通过简述发展党员工作的历史沿革，结合发展党员流程及规范，勉励广大学生端正入党动机，首先从思想上入党。

回顾这次参赛经历，我收获的不只是一张奖状，更多的是准备过程带来的成长与对本职工作的再思考。在整个备赛过程中，我对中国共产党的历史有了更深的认识和更新的感悟，也让我深刻感受到作为一名基层党务工作者所肩负的责任与使命：立足新时代新形势新要求，不断从内容、形式、载体、方法、手段等方面对基层组织生活进行改进和创新，以小见大、见微知著，努力做到“以一个人影响一批人，以一批人带动一群人”。

2022年学校微党课比赛学生组一等奖获得者

2022年6月，我和党支部的各位同学接受了备战微党课比赛的光荣任务。作为“在马言马，在马用马”的马院人，这个宝贵机会让我们备感振奋。正所谓“独木不成林”，微党课与党支部的任何一项工作一样，绝非“单打独斗”所能成就。从内容的谋篇布局到讲稿的修改润色，从视频的拍摄剪辑到现场的协调保障，支部全体通力配合，可谓是“台上十分钟，台下众人撑”。记得备赛中的一天，我们支委四人在结束了五山校区拍摄工作赶回广州国际校区时，已近晚上十点，但大家依然马不停蹄前往课室，围坐在一起对讲稿和讲授细节进行仔细推敲……团结奋进的热烈氛围洋溢在整个团队中。经过十几天的并肩战斗，支委之间的默契得到了更好的磨合，党支部战斗堡垒在这次微党课比赛的攻坚中越发坚固。

除此之外，这次微党课备赛也是对我自身的一次宝贵淬炼。作为一名从计算机专业跨考到马克思主义理论专业的研究生，我深知领悟、把握并阐释好党的创新理论是我迫切需要提升的核心能力。在备课中，我系统地回顾了马克思、恩格斯的经典著作发展历程和党的光辉历史，深入学习了习近平总书记的系列重要论述，并努力据此把握时代脉搏。就这样，在构建起党课“理论骨架”的同时，我自己也补足了“思想上的钙”，对理论探索越发热爱。以此为契机，我更加坚定了在这一专业继续深耕的决心，选择攻读博士学位，立志成为马克思主义的优秀研究者、实践者、传播者，在更大的讲台上传递理论旋律，传播中国声音。

二、铸造先锋，党员干部队伍领航前行

全面建设社会主义现代化国家，以中国式现代化全面推进中华民族伟大复兴，关键在党，关键在人。广大党员是实现民族复兴的先锋战士，党的干部是党和国家事业的中坚力量。华南理工大学全面贯彻落实新时代党的组织路线，实施干部队伍“百炼工程”，抓好全过程、全链条党员教育的“三水联动”，以锻造德才兼备的高素质干部队伍和建设信念坚定、作用突出的师生党员先锋队，强力推动学校办学事业发展，支撑服务教育强国战略。

（一）“三力”并举锻造高素质干部队伍

——华南理工大学高素质干部培育“百炼工程”的实践与探索

事业兴衰，关键在人，主要在干部。华南理工大学党委深入学习贯彻习近平新时代中国特色社会主义思想，坚持以高素质干部队伍建设助推学校高质量发展，系统实施高素质干部培育“百炼工程”，采取切实有效的措施提升干部能力、激发内生动力、强化整体合力，为建设中国特色、世界一流大学提供强力支撑和坚强保证。

第一，注重知行合一，锤炼本领强能力

一是抓思想淬炼“铸魂”。突出政治训练，坚持把思想理论武装作为首要任务，充分发挥党校主阵地作用，统筹用好上级调训、专题培训、网络学习等渠道，不断完善线上线下同频共振、理论实践有机结合的干部教育培训新模式。强化党性教育，组织新提任中层干部、青年骨干教师等120多人次，到红旗渠干部学院、古田干部学院等参加专题培训。注重分层分类，针对不同干部群体特点精准施训，引导广大干部及时填知识空白、补素质短板、强能力弱项，不断提升政治判断力、政治领悟力、政治执行力。

二是抓实践磨炼“铸剑”。从2017年起开始实施“墩苗”行动，选拔优秀青年教师到机关部处挂职锻炼，累计选拔82人136人次，其中22人得到提拔重用，包括1名副校长、2名中层正职人员、19名中层副职人员。开展“与学生同行，做良师益友”主题活动，安排67名党政管理系列年轻干部，到学生工作一线担任成长导师、党建联络员、社团指导老师等。有组织、有计划地把干部放到乡村振兴、定点帮扶、“双百行动”、粤港澳大湾区建设等改革发展稳定一线接受真刀真枪的磨炼，提升干部推动高质量发展本领、服务群众本领、防范化解风险的本领。

三是抓纪律建设“铸盾”。坚持用好纪律这把管党治党的“戒尺”，始终把纪律和规矩挺在干部队伍建设最前面，将纪律教育融入日常、抓在经常、落在平常。通过定期开展警示教育活动、新提任干部集体廉政谈话等，以案说法、以案释纪，用典型案例教育警示广大干部。以党纪学习教育为契机，坚持机制、要素、主体、载体“四维协同”，进一步推动干部队伍纪律建设和作风建设走深走实，促进广大干部锤炼绝对忠诚的政治品格、筑牢拒腐防变的思想防线、增强遵规守纪的行动自觉。

第二，突出能上能下，激励担当强动力

一是用正确用人导向引领人。坚持选干部、用干部就是为了干好事业、促进发展，事业发展需要什么样的人就选什么样的人，岗位缺什么样的人就配什么样的人，切实把政治上绝对可靠、牢固树立正确政绩观、实绩突出、群众公认的好干部选出来、用起来。大力弘扬有为者有位、优秀者优先的鲜明导向，近三年提任的中层干部中，26人为国家级人才项目入选者，41人为学校疫情防控党员突击队队员，60%以上经过上级部门借调、校内挂职、驻外援派、驻村扶贫等工作以及党支部书记、系所中心负责人等岗位的历练。

二是用奖优罚劣机制激励人。用好考核“指挥棒”，突出实际业绩、彰显价值贡献，推动考核结果与年度绩效奖励全面挂钩落地落实，让多干能干、善作善成的干部更有成就感获得感。着力打破“天花板”，积极拓宽干部成长空间，主动向上级部门和有关方面推荐优秀干部人才，2017年以来学校向校外推荐输送领导18人，包括中管高校校长2人、部属高校党委书记1人、省属本科高校正职人员4人。严厉鞭策“后进者”，强化追责问责，整治庸懒散奢，果断调整发挥作用不好的领导班子和工作不在状态的干部。

三是用严管厚爱机制感召人。坚持专常结合，注重“田间管理”，及时“修枝剪叶”，不断完善从严管理监督制度体系。持续巩固个人有关事项报告“攻坚行动”成果，坚持思想认识到位、教育培训到位、家属沟通到位、审核把关到位“四位一体”推进，近一年查核一致率保持100%。健全完善容错纠错机制，落实“三个区分开来”，对于受到组织处理、整改到位的干部，适时安排使用。满怀真情关心关爱干部，对在条件艰苦地区负责定点帮扶、乡村振兴等任务的一线干部，及时帮助解决困难，着力加强关怀鼓励。

第三，提升整体功能，系统施策强合力

一是大力选拔优秀年轻干部。坚持“用当其时、用其所长”，视优秀年轻干部人才为珍宝，制定实施《优秀年轻干部队伍建设规划》，用全面、辩证、发展的眼光看待干部，破除论资排辈、平衡照顾、求全责备等观念，对政治素质好、工作实绩突出、群众普遍认可的，敢于打破隐性台阶大胆使用。学校新提任院长、处长以“75后”为主体，中层干部“80后”占三分之一，优秀年轻干部不断涌现的生动局面进一步巩固。

二是统筹用好各年龄段干部。坚持“选士用能，不拘长幼”，不搞唯年龄论，不追求片面年轻化，结合学校事业发展需要和干部队伍建设实际，将换届续任年限优化调整为3年，充分发挥年长干部经验优势和积极作用。统筹用好处级组织员和职员职级，从一贯表现好、任现职级时间较长、经过急难险重等工作检验的干部中提任9名处级组织员，成立2个组织员工作室，聘任28名五级职员、70名六级职员，老中青梯次配备进一步巩固。

三是增强领导班子整体功能。坚持“个体强整体优、结构服从功能”，加强对领导班子动态分析研判，注重素质能力和岗位匹配度；坚持又红又专选书记、又专又红选院长，抓好党政“一把手”关键少数选配；坚持交流轮岗、全面历练，统筹考虑教学科研、机关部处、学院行政、党务干部等各条战线；坚持优势互补、同向发力，引导广大干部提高站位，融入发展促发展、适应变化谋变化，让领导班子从“物理整合”向“化学反应”的转变进一步巩固。

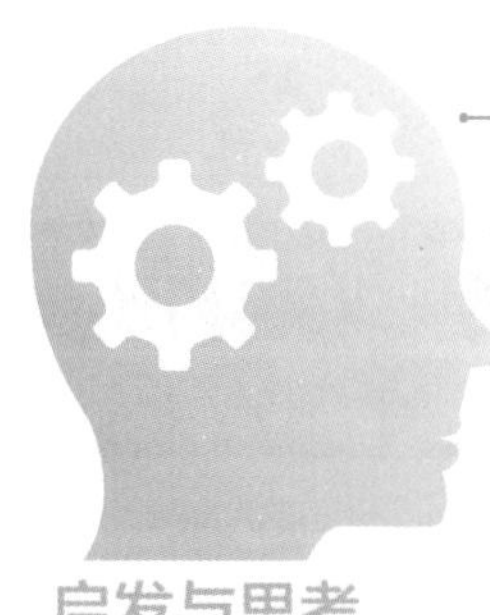

打通干部选育管用，可以提质增效。树人如树木，从选种育苗、浇水施肥，到修枝剪叶、田间管理，必须贯通起来、一体推进。一开始种子选好了，后面的成材率就高。2017年9月，在学校党委部署和推动下，华南理工大学首次选拔优秀青年教师到机关部处挂职锻炼，取得了实实在在的成效：一是提供了年轻教师参与学校治理的机会和平台，二是搭建了机关与院系之间深入了解的桥梁纽带，三是有效加强了“双肩挑”干部的储备和培养，四是逐渐形成了多方共赢的良好局面（教师得到锻炼成长、机关得到力量补强、干部梯队得到健全优化），五是有力推动了学校各项工作的高质量发展。

提高干部能力本领，才能善作善成。2022年，学校开展中层领导人员换届，从换届后的情况来看，大家的干事热情都很高涨，但实现“想干事”到“干好事”的飞跃并不容易，干部的能力本领不会随着职务的提拔而自然提升，必须加强学习尤其是政治理论学习。根据事业需要，学校党委突出抓好换届后领导班子思想政治建设，开展全方位、多层次、高质量的党性教育培训，有针对性地强化专业训练和实践锻炼，推动树立和践行正确政绩观。教育引导干部干中学、学中干，注意思考总结、不断提升自我，做到越干越会干、越干越能干、越干越想干。

激发干部队伍活力，重在能上能下。从“上”来看，通道要拓宽、导向要鲜明，这样干部就更有盼头，干事创业的积极性、主动性就更强。从“下”来看，方式要多元、力度要加大、关心关爱要实实在在。学校党委特别注重“上”和“下”的统一与对接，侧重将能上和能下作为一个辩证统一的有机整体进行分析研究并组织实施，从下溯上、以上防下，努力从根子上找问题，着眼育选管用全流程想对策，鲜明提出了“上”“下”协同、一体推进的观点，推动树立了完善“上”的机制、提高“上”的质量、丰富“上”的路径，就必然能减少“下”的阻力、降低“下”的概率、畅顺“下”的通道的理念，并给出了树导向、强培养、激内驱、拓渠道、严管理、重厚爱等具体举措，力争实现有效控制“下”的增量、努力转化“下”的存量、妥善解决“下”的余量效果。

亲历者说

挂职制度助力认知视野与职业能力的双向提升

现任机关部处正职，曾在党委宣传部和社会科学处挂职锻炼

我是校内青年教师到机关挂职制度的受益者，在学校机关这段宝贵的挂职经历，不仅让我实现了从“运动员”到“啦啦队”再到“组织者”的角色转变，更在科研、教育、社会服务、项目管理等多个维度上，实现了很多认知突破，深刻影响了我的个人成长与职业发展，实现了行政思维与学术思维的深度融合与相互促进。

一 角色转换：从“运动员”到“啦啦队”再到“组织者”

“运动员”阶段：深耕科研，积累实力。在挂职之前，我作为一名专职教师，主要聚焦于学术研究与教学工作，是名副其实的“运动员”。这一阶段，我有较好的学术成果产出，每年发表一些高质量学术论文，主持多项国家级科研项目，获得了一些学术奖励，积累了较为扎实的学术功底。当时觉得专业领域中的很多理论与实践相隔太远，现在看来，当时的自己很多时候还仅仅停留在学术研究的“一亩三分地”上；在学科发展和组织运作方面，自身也有一些理论感触，但很多都是理论的推演，并不是实践的总结，缺少个人经历的感悟，对专业实践的认知理解相对比较弱。

“啦啦队”阶段：融入管理，助力团队。挂职期间，我有幸参与社科项目的申报动员与后续管理工作，初步体验了从“运动员”向“啦啦队”的转变。我积极参与各类社科项目的策划与组织，认真学习和总结各类申请报告的优点与特色，推动不同学科的学术交流……在这过程中，我能够有效感受到学科差异，也能够理解学术组织者的关注热点，更能够体会项目与论文的核心指向，对学科发展有了更为深刻的理解。在这一过程中，我领悟到社会科学学术研究管理工作需要围绕学术研究的本质规律，更多地发挥好管理的激励效应，激发研究团队的整合力量，促进科研资源的优化配置。同时，我也领悟到学术研究团队化运作的一些规律，实现从有效科研到有效管理助推科研的转变。

“组织者”阶段：引领发展，创新实践。挂职期间，我参与了教育部高校思政创新发展中心的相关工作，特别是围绕思政工作如何创新做一些相关研究。经过持续摸索，我有意识地将高校思政创新发展中心的功能定位明确为研究中心与协作中心，聚焦各类咨政报告，用研究团队的运作方式，逐步提升中心影响力。作为中心负责人，从顶层设计到具体执行，我全程参与了中心的建设规划、项目申报、团队组建及国际交流等工作，引领中心的高质量发展。在这一过程中，我深刻体会到作为组织者的责任与使命，体会到如何通过创新实践推动学科交叉融合，实现了机构运作绩效的提升。

（二）校内挂职经历对个人成长的助力

一是科研能力有提升。挂职经历让我更加熟悉科研管理的流程与规范，学会了如何从管理者的角度审视科研项目，提高了项目申报的成功率。同时，通过与不同学科的学者交流合作，我拓宽了研究视野，促进了跨学科研究的尝试与创新。此外，参与高层次科研项目的评审与管理，也让我对科研质量的标准有了更深入的理解，从而反哺我的科研工作，提升了科研成果的质量与影响力。

二是教育理念有革新。挂职期间，我深刻认识到教育不仅是知识的传授，更是思维方式、价值观念和社会责任感的培养。在参与学生科研项目指导、组织学术讲座和研讨会等活动中，我注重培养学生的创新思维和实践能力，鼓励他们积极参与社会调研和公益服务，将理论知识与社会实践相结合。这种教育理念的革新，不仅提升了我的教学质量，也为学生的成长成才奠定了坚实基础。

三是工作思维有转变。校内挂职让我深刻体会到行政思维与学术思维之间的紧密联系与相互促进。行政思维注重效率、规范和整体协调，有助于我更加高效地组织科研活动、管理科研项目；而学术思维则强调创新、批判和深度思考，为行政决策提供了坚实的理论支撑和科学依据。两者相辅相成，共同推动了我的个人成长和职业发展。

在学校挂职锻炼中淬炼格局、能力、责任

现任学院院长，曾在党委组织部挂职锻炼

2005年7月博士毕业后，我来到华南理工大学工作，19个春秋积淀出我对学校的深厚感情，是学校成就了我。19年间，我从讲师晋升为教授，从教师成长为院长，学校的平台为我的教学科研发展提供资源，学校党委全过程培养为我的个人成长引领护航。特别是机关部处挂职两年多的经历，使我提升了党性、提高了站位，立志服务学校和学院发展大局。

不畏浮云遮望眼，风物长宜放眼量。挂职锻炼是教师加强政治历练、提高政治能力的“大熔炉”。我博士毕业后进入学校成为一名专任思政课教师，自此把教学与科研当作人生中唯一的头等大事，2016年获评教授，2017年获评博导。线性的人生可以望到尽头，虽简单从容但也时有迷茫。未来我要干些什么呢？人生的转变发生在2017年，学校开始实行专业课教师到机关部处挂职锻炼制度，一路机缘巧合下，我到了学校机关挂职。学校机关部处与学院的工作模式和工作风格不同，做行政和做教师蕴含两种不同的工作理念。与长期在教学科研工作中形成的独立创新品质不同，行政岗位更多地要求无我服务的品质，“我”与“我们”的平衡成为我新的人生课题，它包括工作与家庭如何平衡、个人成绩与集体服务如何平衡等。解决这些问题的机会出现在我两次到井冈山培训中。挂职期间，我于2018年和2019年暑假连续两次带领学校青年骨干教师到井冈山参加党性培训，完成工作任务的同时，我也想看看在艰苦岁月中革命者如何平衡“我”与“我们”的关系。我在井冈山与革命者的后代交流，听他们讲父辈的故事。在参加瞻仰革命者故居等实践活动后，我彻底改变了看世界的方式。我明白到，没有学校平台和学院平台也就没有个人的教学科研成果，服务学校、服务学院不只是做好教学科研，还要服务好更多教师做好教学科研，服务好学校学院发展大局，我从“我”走向了“我们”，人生依旧简单从容，但绝不是线性发展。

纸上得来终觉浅，绝知此事要躬行。党建工作是教师促进学用相长、练就干事创业过硬本领的“压舱石”。我是2012年经同志们选举担任党支部书记的，按上级党组织要求完成党支部活动，是我理解的基层党支部工作的全部内容，因为党支部活动成效与教师教学科研成果没有直接相关性，在教学科研首位思想指导下党支部活动很难取得成效。挂职期间，承担一些学校党建工作后，我的思想慢慢地发生了转变。一开始单位让我负责党校建设的规划工作，多年的科研习惯让我开始查阅资料、阅读经典，拿出做科研的劲头开始了党建工作。在理论阅读和实践推进过程中，我发现党建工作不是我肤浅认为的“完成上级党组织指派的任务”，它是引领教学科研方向、凝聚科研团队、推动科研持续发展的系统工程。自此，我不再以教学科研与党建两分思维看待党建工作，而是在各项工作中坚持党建与业务深融合、齐精进的理念。回看近五年的发展，我在服务学校党建工作的同时，自身也取得了较之前更全面的发展，最自豪的是把个人的发展与学校的发展关联起来了。当一个人不再只关注自身发展，而是能够着眼学校和学院发展大局时，打心底升起的是深深的自豪感、自信心和责任意识。

一点一滴见真情，情自华园缘在党。事上磨炼是教师增长才干、展现作为的“加速器”。当人的格局打开、觉悟提升后，就会发现“我”与“我们”的平衡不再是问题，发展才是硬道理。我努力提升自身能力，服务学校发展大局，也学会了在服务学校发展大局中不断锤炼自身本领。自2021年起，在担任学院行政职务的3年多时间里，我愈加认识到相信和依靠党组织、相信和依靠老师们，是服务学校和学院发展大局的根本遵循。在日常行政工作和教学科研中，有时我们会遇到问题、困难，最直接的反应是委屈、愤怒、担心，但我逐渐发现，只要是在工作中坚持底线原则，所有的问题最终都会公正解决，“相信党组织”不是一句空话。在统筹学院各项工作的过程中，老师们的信任是我们工作的最大底气。有时我们会遇到别人的不理解、不信任、不合作，但只要我们做到在工作中坚持公正公平原则，从学院发展大局出发做好解释工作，最终老师们都能理解和接受。坚持党的领导、坚持加强党性修养、以老师为中心一体协同，是学校和学院工作顺利推进的保障。

到基层和艰苦地区锻炼是年轻干部成长成才的重要途径

现任学院党委书记，
曾任驻村工作队队长、
第一书记

党的二十大报告指出，要“抓好后继有人这个根本大计，健全培养选拔优秀年轻干部常态化工作机制，把到基层和艰苦地区锻炼成长作为年轻干部培养的重要途径”。习近平总书记多次强调，要注重在基层一线和困难艰苦的地方培养锻炼年轻干部。自2019年以来，经过重点涉毒贫困村3年工作的锻炼，我深刻地感受到，能到基层和艰苦地区工作锻炼，经风雨、见世面，是多么难得的机会。

在重点涉毒贫困村的工作，让我更加坚定理想信念。虽然我知道，农村很苦，但直到在孔美村工作后，我才看到了最真实的农村。2016年孔美村被确定为省定贫困村时，部分村民无稳定收入来源，大部分为无劳动力、没上学或小学一年级学历、家庭涉毒、患有慢性病和精神病人员。贫困人员中，有的房子漏水，有的长年衣食无法保障，有的孩子因为长年处于压抑的环境、父母不善于交流、与外界缺乏沟通而有轻微内向自闭的情况。身处其中，了解了他们的情况，我的思想触动很大，更深刻地理解了“中国共产党人的初心和使命，就是为中国人民谋幸福，为中华民族谋复兴”。我的工作信念更加坚定了，改变孔美村落后面貌的决心也更加坚定了。

在重点涉毒贫困村的工作，让我更加勇于担当作为。孔美村当时作为“重点涉毒村”，共有10名村民因制毒贩毒先后被判死刑，约100名村民因涉毒被列为“重点监控人员”，村居环境严重脏乱差，产业基础薄弱，仅少量农业，无第二、第三产业，村子空心化严重，在村人员大部分为留守儿童和老人。经过多次沟通，我们取得了市县镇村四级领导的支持，确定了“规划先行、党建引领，‘基建扶贫、产业扶贫、教育扶贫和社会扶贫’四擎驱动”的扶贫思路。在学校支持下，经过几年的奋斗，孔美村建成美丽红色村，先后获批“中国传统村落”“广东省古村落”“广东省卫生村”“广东省民主示范村”“全省全民禁毒工程示范村”“揭阳市示范村”和“揭阳市特色村”，学校驻孔美村工作队获评“全国脱贫攻坚先进集体”（广东高校唯一）。这些奋斗的经历，让我更加明白“所以动心忍性，增益其所不能”。

在重点涉毒贫困村的工作，让我进一步磨砺了能力本领。群众很朴实，他们不听你说什么，只看你为他们做了什么。在农村工作，特别是在孔美村工作，工作有没有成效、能不能打开局面、有没有为群众实实在在解决问题，群众心里是有一杆秤的。刚到孔美村工作，我也面临着不知道如何入手、不知道做什么、不知道做到什么程度的问题。后面，通过吃透乡情，调查研究，与群众、干部谈话，一年2次的贫困人员全覆盖调查，我真实地了解了村民的所想所急所盼和利益诉求。之后，我们与学校相关部门、专家对接，确定发展思路、目标、举措。我们一件事情一件事情地做，从村口修路，修建文化广场、党群服务中心，到修缮小学校舍，为学生提供校服、书包，举办华南理工大学帮扶孔美村小学生冬令营，再到打造大米、仙草、光伏产业，挖掘孔美村文化，结合实施党建“五个一”工程，提振村民士气，最终实现孔美村贫困户和贫困村高质量的“双退出”。在这过程中，我切实感受到“人需在事上磨”，艰难困苦就是增长才干的最好机会。

在孔美村工作的时候，我每天像陀螺一样高速运转，节奏快得让我无暇去感受满身的汗水与疼痛。但现在回首，发现那几年才是我人生经历和能力增长最快、意志磨砺最多的时候，是我最难得的人生体验和财富。任何本领的提升、意志的磨砺，都不是随随便便能实现的，脚下沾有多少泥土，心里就沉淀了多少真情，身上也就增长了多少本领。

党组织的全流程培养是年轻干部稳步成长的重要保证

现任机关部处副职，曾在国际交流与合作处挂职锻炼

中国共产党历来重视年轻干部培养。党的十八大以来，以习近平同志为核心的党中央将年轻干部的培养定位为百年大计。习近平总书记强调，“坚持一层一层考验、递进式培养干部，这是我们的制度优势”。可以看出，党组织循序渐进的关注、培养和考验对于年轻干部成长至关重要。在过去的7年间，我从回国工作的青年教师成长为广州国际校区中层干部，也充分感受到党组织的全流程培养是个人进步的指路明灯。

入党培养过程充实了理论知识，坚定了自己的信仰。归国伊始的忙碌掩饰不了我对自己的不满，常常在反思是否有在尽最大努力践行学成报国的初心。迷茫中，中国共产党全心全意为人民服务的宗旨像启明星一样指引着我。因此，我选择向党组织靠拢，将小我融入组织更好地服务国家和社会发展。党委组织部在多方面了解我的入党动机后，积极进行教育培养，并安排学校领导作为我的入党培养联系人。学校领导为我量身定制了学习计划，提出了明确学习要求，并定期开展谈心谈话，耐心指导和解答我在学习中遇到的问题和困惑。周密的学习培养，让我对党的历史发展和创新理论有了更加全面的认识。党委组织部定期组织青年教师前往红色教育基地进行党性教育，我参加了井冈山的教育培训，前往革命圣地进行实地研学，这一次研学让我切身感受到了红军大无畏的牺牲精神和坚韧不拔的革命意志，进一步加深了对井冈山精神的领悟，净化了心灵、纯粹了思想、提高了觉悟。

机关挂职锻炼强化了实践能力，提升了自身政治素养和服务水平。学校实施的选拔优秀青年教师到机关部处挂职锻炼专项计划，为我参与学校建设、进行实践锻炼提供了机会。通过个人申请和组织选拔，我有幸在学校国际交流与合作处挂任副处长，一方面，国外学习工作经历让我有机会发挥自身优势，服务学校发展；另一方面，经过具体行政工作实践，我在提高解决问题能力和提升心理抗压素质等方面得到了极大锻炼；更重要的是，在机关部处学习，有利于更全面地了解学校发展大局，我在潜移默化中提升了自己的政治格局和工作视野。这次挂职经历也是自己接受的一次检验，获得了党组织和学校师生的信任和支持，为以后承担学校重要任务打下基础。

任职中层干部砥砺了担当作为，全方位培训保驾护航。任职中层干部是党组织对我的肯定，也是对我的进一步培养和考验，不仅需要有更大的担当，还需要投入更多时间和精力。任职以来，我多线程处理管理服务与教学科研的能力得到提升，也进一步将个人发展充分融入学校发展大局中。学校通过定制化的培训方案，时时为中层干部充电，让我们以饱满的状态应对工作中的困难和挑战。新提任中层干部培训系列课程与活动，让我们进一步加强了党性修养，从身边人、身边事中学习到了管理服务经验。学校充分利用暑期开展中层干部党性修养培训班，为干部补钙强基。我参加了红旗渠干部学院的培训，深刻感悟蕴含其中的“自力更生、艰苦创业、团结协作、无私奉献”红旗渠精神伟力，增强了实干兴校的自信。为了进一步提升能力素质，学校选派我参加了全国高校中青年干部培训班，通过课程学习、小组研讨、大会报告和实地调研等方式，系统学习了教育强国理论与实践以及国内外教育改革优秀案例。我的党性修养、政治站位和管理服务水平得到了长足的提升，也为我创新性开展工作奠定了坚实基础。

回顾走过的路，党组织的全流程培养，充分体现了对年轻干部的重视和关心，为年轻干部的成长提供了源源不断的动力和指引。在以后的工作和学习中，我会更加珍惜每一次锻炼机会，加强理论学习，坚定理想信念，增强组织观念，做到积极履职尽责、勇于担当作为，充分发挥自己的各方面才能，为教育强国、科技强国做贡献。

党管人才是高层次人才成长的根本保证

现任学院副院长，曾在国家自然科学基金委挂职锻炼

党中央高度重视科技人才队伍建设，党的二十大对加快建设包括青年科技人才在内的国家战略人才力量提出了明确要求。作为我国当代青年科技队伍中的一员，我的职业生涯与“到本世纪中叶全面建成社会主义现代化强国”的时间高度契合，深感责任重大、使命光荣。自2009年入校工作以来，在各级党组织关怀下，我从讲师顺利晋升教授，成长为学院副院长，获得国家级高层次人才项目资助，这期间每一步提升都离不开各级党组织的关怀和支持。

参加政治理论学习，坚定理想信念。2016年在顺利晋升教授后，我感觉面临学术生涯天花板，陷入了一段时间的迷茫期。在此期间，我系统学习了习近平总书记关于科技创新的重要论述，在经历了回顾初心、反思差距的阵痛期后，明确了个人价值在国家需求中的定位，决心通过部委借调实现自我突破。适逢2017年底国家自然科学基金委员会公开招聘能源化学流动编制项目主任，在学校及学院支持下，我顺利通过答辩并被录用，其后3年在京借调从事国家自然科学基金方面的管理工作。借调期间，我积极参加基金委党组及学部组织的政治学习，到国家植物园“一二·九”运动纪念地、香山革命纪念馆、深圳莲花山公园等地开展实地研学活动，切身感受到了党在抗日战争、解放战争、改革开放等不同时期的伟大斗争精神，更加深刻领悟了以中国式现代化全面推进中华民族伟大复兴的思想体系，坚定了科技报国的理想信念。

参与基金管理工作，开阔视野格局。在基金委党组和化学科学部领导下，我参与了新时代科学基金改革工作，提升了眼界和格局。2018年基金委党组部署了优化资助导向改革任务，我作为主要人员制定了新时代基金分类评审标准等；2020年美国对我国芯片产业进行全面打压，化学科学部安排我对接某半导体有限公司，组织相关企业及业内专家共同制定“芯片化学与化工”重点项目群指南，吸引了全国范围内的相关学者进行技术攻关，为核心企业解决了部分关键芯片材料“卡脖子”问题；为提升我国电池研究的原始创新能力，化学科学部安排我组织双清论坛等学术活动，成功推动设立重大研究计划，为国家电池产业新质生产力形成和外贸“新三样”高质量发展提供了源头活水；此外，我还组织制定了能源化学、材料化学的“十四五”发展规划，为相关学科指明了发展方向。在工作期间，我深刻感受到基金委各级党组织对我的关怀和培养，学会了从全国乃至世界的角度观察我国基础研究的现状，更加深刻体会到如何把个人的理想追求融入党和国家事业之中。3年借调期间，年度考核结果均为优秀，这份成绩单既是基金委党组对我工作的肯定，更是对我奋力拼搏、勇毅前行的鞭策。

成长为中层干部，提升服务水平。2022年我成长为学院副院长，为我继续锻炼成长提供了宝贵机会。任职后，学院党委安排我分管科研工作，充分发挥我在基金委借调的经历优势。我履职尽责、努力作为，通过承办国家杰青项目中期检查会等活动，为学院师生参与重要学术交流提供了机会；主动出击推动国际交流与合作，与自然出版集团、美国化学会等重要平台建立合作，服务学校化学一流学科建设。任职中层干部的经历让我有机会站在学校全局角度更加深刻地理解学校发展理念，获得组织和学院师生的信任和支持。

（二）抓好党员教育培训的“三水联动”，锻造加快教育强国建设的先锋队

——华南理工大学党员教育培训的实践与探索

华南理工大学党委坚持以习近平新时代中国特色社会主义思想为指导，深入贯彻落实新时代党的建设总要求和新时代党的组织路线，贯彻落实《中国共产党党员教育管理工作条例》，坚守“为党育人、为国育才”使命担当，加强党员全过程、全链条教育培训，着力锻造建设中国特色、世界一流大学的先锋队。

第一，关口前移，抓好源头活水

抓好新生入党启蒙教育和入党积极分子源头教育，把入党积极分子、发展对象教育纳入党员教育培训全链条统筹谋划、一体推进，为发展党员蓄好“源头活水”。一是打造入党教育培训“中央厨房”。加大党员教育优质资源供给，精益求精打造有深度、有温度、有力度的“金课”，高质量举办入党积极分子在线学习网络培训、学生发展对象领航培训、教职工入党培训，近三年集中培训2.07万余人次。用好用活“红色甲工”等校史育人资源，科技赋能创建具有深度临场感、交互性的初心·校史馆和“智慧党建”体验室，精心编演大型原创话剧《红色甲工　血色浪漫》，组织开展校园红色史迹研学活动，以丰富多元的实境体验推动“红色种子”在师生心中落地生根。二是发挥好党校主阵地作用。完善党校机构设置，制定实施《华南理工大学分党校工作管理办法》，设立34个分党校，压实工作责任，结合专业特点定制个性化培养方案，构建校院两级党校高效协同的培训机制。广州国际校区突出党建引领，探索在地国际化办学新模式，建设学生“一站式”社区，打造实体课堂、网络课堂、行走课堂、体验课堂等全方位一体化“思政熔炉”，讲好党史国情、校史校情大课。三是发挥党支部直接教育作用。组织入党积极分子参加主题党日、志愿服务等活动，用好思想汇报、谈心谈话等经常性教育方式，实行成长导师制和党团一体化教育，引导师生端正入党

动机，解决入党思想问题，筑牢理想信念根基。实施中青年教师等高知群体党员发展“领航计划”，实行全方位全过程跟踪培养教育，强化思想引领和政治吸纳，2018年以来共发展高知党员615人。

第二，以点带面，育好一池春水

培育“关键少数”，领好头、做表率，带动“绝大多数”。一是实施政治能力提升工程，抓好党组织书记“领头雁”。紧紧围绕推动学校高质量发展重点任务，结合二级党委书记、新任党支部书记、“双带头人”教师党支部书记、学生党支部书记等岗位要求，分层分类开展专题培训，训强赋能党组织书记带头人。目前，“双带头人”教师党支部书记正高比例达100%，其中5名教师党支部书记牵头的工作室入选省级以上“双带头人”工作室。二是实施党建能力提升工程，建好党务骨干“生力军”。常态化开展“强基培优”党建工作坊，每年举办组织员履职能力提升专题培训，开实开好组织员工作例会，推动基层党建同题共答、协同攻坚；建设一批党建工作平台，培育组织员工作室、辅导员工作室、网络思政工作室等31个，不断提高党务骨干队伍专业化水平。三是实施南粤党员先锋工程，育好师生党员“先锋队”。举办骨干教师红色教育培训班、海外归国青年教师国情研修班、青年管理干部培训班、学生党员示范培训班，强化党员思想政治教育和价值引领，打造一支信仰坚定、作风过硬、作用突出的先锋队伍。新冠疫情暴发后，366名党员干部教师挺身而出，组成疫情防控党员突击队，迎难而上、逆向前行，扎实做好校园门岗值勤、宣讲政策沟通协调、化解冲突助弱扶困等工作，助力学校持续保持一校三区8万多人1048天本土零感染，没有因为疫情少上一节课、躺平一分钟。

第三，融会贯通，做到行云流水

坚持“围绕中心抓教育、抓好教育促发展”，不断创新融合式、全贯通培训模式，做到春风化雨、润物无声。一是线上与线下融合。共建党员教育基地，建好“网上党校”和“干部在线”等线上平台，创新运用线上直播、翻转课堂、弹幕互动等教学方式，融合开展理论讲授、互动研讨、观摩体验等线下教育，建立健全线上线下同频共振的党员教育格局，让党员更有参与感、认同感、获得感。二是理论与实践融合。上好扎实的理论大课，构建由理论名家、领导干部、先进模范、思政教师等组成的师资库，讲好党的创新理论必修课、党性教育基本课、新时代教育强国专业课，推动理论宣讲阐释走深走实。上好生动的实践大课，组织动员党员干部投入急难险重任务，如助力学校定点帮扶和乡村振兴工作取得亮眼成绩，学校连续8年获评教育部直属高校精准帮扶典型项目，连续6年获中央单位定点帮扶工作成效考核最高等次评价，驻孔美村工作队获评"全国脱贫攻坚先进集体"（广东省唯一入选高校驻村工作队）。三是引领与鞭策融合。邀请优秀共产党员、最美科技工作者、革命烈士后代等讲述先进事迹和红色故事，积极开展"校园十大学生党员标兵""我最喜爱的导师"等先进典型评选，以榜样力量强化示范引领、激励担当作为，近三年学校党员中2人获全国创新争先奖、1人获全国五一劳动奖章、3人获评全国高校"百名研究生党员标兵"。加强政治纪律和政治规矩教育，以开展纪律教育月活动等为抓手，在全校党员中广泛开展警示教育、廉洁文化教育、纪律教育谈心谈话，不断增强党员纪律规矩意识和自我约束意识。

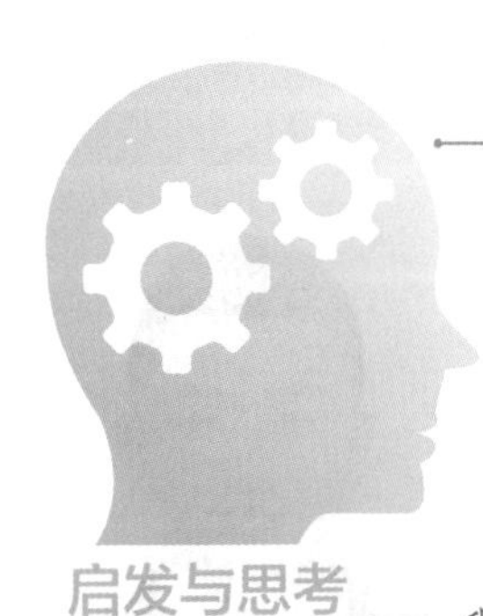

学习培训是党员干部立根铸魂、蓄能充电、增强本领的有效途径，没有全党大学习，没有干部大培训，就没有事业大发展。如何把教育培训真正办到党员干部的心坎里呢？关键在于精准对接需求，全面提升培训质量，让干部首先“听得进”，而后“用得上”。

增强吸引力感染力，提升课程质量。课堂质量是教育培训的生命线。华南理工大学注重加强师资队伍建设，开展党员干部思想动态研究，推进教学改革创新，打造一批党课“金课”，让培训课程不满足于简单的“我说你听”。注重把讲理论、讲道理同解决思想问题和解决实际问题结合起来，用师生听得懂的大白话、生动的案例、感人的故事，把彻底的理论讲彻底，把鲜活的思想讲鲜活，让党员干部愿意听、有收获。

增强针对性实效性，强化实战训练。学习的目的在于运用。学了以后怎么用、如何用好，是开展教育培训的“靶心”。针对党员干部能力短板弱项，学校积极开展个性化的履职能力实务培训，并积极拓展“干中学”实训大平台，让学员在参与急难险重任务的实践锻炼中、在为群众办实事解难题的服务中不断锤炼党性、增长才干，提升解决实际问题的能力，让党员干部学了用得上，变“要我学”为“我要学”。

师生党员参加教育培训的感想体会

全国“青马工程”
高校班学员

我清楚地记得，2019年5月，我跟同学们一起观看了学校大型原创话剧《红色甲工 血色浪漫》首演，那句“就让反动派的枪声，作为我们结婚的礼炮吧”让我深受震撼！我也希望能像先辈们一样，为理想燃烧青春。在学校新一轮演员招募时，我鼓足勇气报名并最终入选。在话剧中，我饰演了反动派警察局长的角色，为了把角色演好演活，我研读了很多史料，通过实地探访等走进那段历史、了解那个时代。在参演话剧的过程中，我站在反派的角度，更加深刻理解了当年“红色甲工”先辈们那种“头可断、肢可折，革命精神不可灭”的坚定信念，领悟了共产党人的初心使命。英雄先辈的精神一直激励着我、鼓舞着我，我也希望能和他们一样，融入党和人民的事业中。在先辈们的感召下，我选择成为一名“西部计划”志愿者，毕业后去了学校定点帮扶的云南省云县，在乡村振兴一线奉献青春力量。

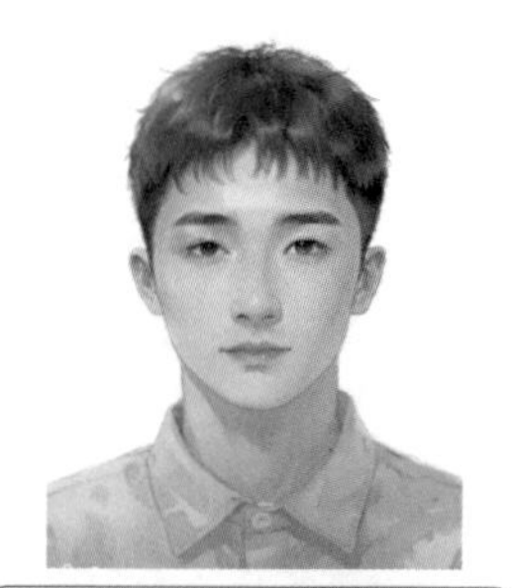
学校党委党校学生
发展对象领航班学员

我先后参加了学校组织的发展对象领航班、“青马工程”培训班、预备党员先锋班等学习培训。课堂上老师们都精心备课，通过他们深入浅出的讲解，我对马克思主义基本原理、中国特色社会主义理论体系、习近平新时代中国特色社会主义思想等有了更进一步的认识和理解。

我深知，一定要把理论与实践紧密结合，才能更好地服务社会、服务群众。我加入了学校“习语心传”宣讲团，以青春之声传播党的创新理论。我和队员们逐字逐句打磨讲稿、一遍遍排练演讲，组织开展了“党心述芳华”等多场宣讲活动，覆盖影响近6000人次。同时，我连续6个学期参与“百千万工程”行动等大学生社会实践，在乡村振兴一线，用学到的知识技术为西洋菜的种植与储存提供更好的方案、助力建设乡村图书馆、开展童趣课堂等。未来，我希望成为更有力量的人，做一名平常时候看得出来、关键时刻站得出来的党员。

学院基层党务工作者
学校首批组织员工作室负责人

过去三年于我而言，不仅是时间的流逝，更是心灵深处的一场革命。从最初的迷茫与不安到如今的坚定与从容，每一步都充满了挑战与自我超越。

2021年，我来到了组织员的岗位，作为一名组工新兵，我的内心充满了忐忑和彷徨。正在这时，学校举办了一期“强基培优”党建工作坊，一位在组工战线上深耕多年的“老”组织员，在台上为我们进行经验分享、倾囊相授的场景让我记忆犹新。在后续的组织员履职能力培训中，我们经常参与党建工作坊的交流，既获得了理论滋养，又学习借鉴了同行们的实践经验和创新做法，我的工作思路一步步打开，党建工作的水平也在不断提升。

2022年，我主持的党建课题获批学校立项。在开展党建工作研究的过程中，我不断深化对党的创新理论的学习，不断更新和拓展自己的知识结构和视野，找准问题、分析问题、提出解决方案并付诸实践，这样的研究训练，大大提升了我运用理论解决实际问题的能力。2023年，我所负责的“融合型党建”组织员工作室获批立项，成为学校首批组织员工作室之一。通过这个平台，我们协同电力、食品等学院组织员、辅导员、党支部书记等一批党务工作人员，聚焦“融合型党建”开展了一系列创新探索，针对教师融合型党建等实际难点问题，汇聚多方力量开展协同攻坚、同题共答，激发基层党建工作的创新活力。

三、双融双促，干事创业动能全面迸发

基层党建不落虚，离不开与业务工作的深度融合。抓融合是党建工作的优良传统，“三湾改编”把支部建在连上，“古田会议”确立了“思想建党、政治建军”的原则，都是在抓融合。抓融合也是党建工作的应有之义，只有深度融合，才能把虚功做实，才能实现互促双强。怎么抓融合？

找准融合方向是前提。方向一：党组织引领和保障改革发展，在业务工作上切实把好方向、管好大局、促进落实。方向二：与业务推进的重点工作结合，坚持把业务工作的重点难点作为党建工作的切入点和着力点。方向三：与队伍建设的重点结合，把基层组织建设、党员队伍建设与人才队伍建设紧密结合起来。方向四：深刻理解“支部建在连上”的含义和用意，把“支部”工作与“连”的建设结合，具体到高校，就是与系所、课题组、科研团队、班团等的建设结合。

建立融合路径是关键。一是抓理论学习与业务实践融合，从实化理论学习入手，一次学习出一个实招，直指中心工作。二是抓思想与行动融合，从解决思想问题入手，针对性做好思想政治工作，在开展一项工作前，首先激发起人的精神动力和工作激情，并转化为坚决的行动。三是抓党员作用发挥与“正在做的事情”融合，让党员当主角，创设抓手载体，凝聚智慧力量，发挥党员在攻坚克难中的先锋模范作用。

善用融合方法是根本。把开展组织生活与解决实际问题紧密结合起来，找到融合“小切口”。一是灵活用好中心组学习、“第一议题”等集体学习制度，着力解决理论武装不到位、思想不统一问题，以更加有利于开展业务工作。二是发挥好“三会一课”在促进业务工作中的基础作用，党员大会围绕本单位业务工作做好民主议事决策，支委会做好日常工作的组织领导，党小组开展党支部决策的学习传达和贯彻落实；党课注重突出联系党员思想、工作实际，发挥好思想引领作用。三是用好民主生活会、组织生活会、谈心谈话和民主评议党员等制度，做到处处讲党性、时时强党性，尤其是在工作打不开局面、推不动的时候。

（一）党建引领，凝心聚力，高质量开展帮扶共建

——华南理工大学帮扶共建工作的实践与探索

习近平总书记在党的二十大报告中指出，全面建设社会主义现代化国家，最艰巨最繁重的任务仍然在农村。全面推进乡村振兴，加快建设农业强国，扎实推动乡村产业、人才、文化、生态、组织振兴。华南理工大学党委一直高度重视乡村振兴工作，坚决扛起党和国家赋予的政治责任，贯彻落实党中央和广东省相关决策部署，充分发挥高校科技、人才、校友等优势，将党的建设与乡村振兴工作深度融合，高质量开展对云南省云县的定点帮扶、对揭阳市隆江镇和孔美村的驻镇帮镇扶村以及与鹤山市、惠来县的“双百行动”结对共建工作，打造了服务乡村振兴的“高校样板”，为加快推进乡村全面振兴做出了有益的探索和实践。

第一，强化党建引领顶层设计，构建校地联动新机制

加强顶层设计，不断完善组织领导、激励机制和系统设计，构建校地联动的工作机制。

一是健全组织机构，强化乡村振兴工作的组织领导。完善学校党委负总责，党委组织部牵头、二级党委负责人分项负责，党支部带动党员开展结对帮扶、精准施策的三级联动机制。加强以党建结对共建为牵引，全面整合学科、专业和人才优势，创新支撑县域振兴的高校帮扶机制和模式。每年召开党委常委会会议和校长办公会议安排部署帮扶共建工作，学校党政主要领导每年坚持深入帮扶共建地区调研走访，对接推进工作。

二是健全激励机制，把帮扶共建科学纳入考评体系。将做好定点帮扶、驻镇帮镇扶村、“双百行动”等工作纳入学校“十四五”规划和年度重点工作，将帮扶共建工作贡献纳入二级党委书记抓党建考核、教师聘期考核，作为教师职称评审、干部岗位晋升、研究生指标分配等工作的参考条件，引导各二级单位和广大教师强化助力帮扶共建工作、服务乡村振兴事业的使命担当。

三是强化系统设计，提升乡村振兴整体实效。与帮扶共建县所在的地级市人民政府签订战略合作协议，纵向助推帮扶共建工作。与帮扶共建县、组团高校和科研院所签订三方协议，建立健全联席会议、共商共建、促进合作的工作机制。举全校之力整合优势学科、专家校友、重大平台等多类资源，成立由党委书记、校长担任院长的城乡高质量发展研究院，配备专职干部，结合学科特点和服务乡村振兴任务，打造“十大组团”，精准对接帮扶共建地区的发展需求，有组织、集成化深入推进帮扶共建各项工作。

第二，强化党建引领智慧赋能，打开双优对接新局面

充分发挥科技、人才等高校所“长”与帮扶共建地区的地理区位、资源禀赋、产业企业等地方所“优”，通过党建引领智慧赋能，提升帮扶实效。

一是突出科技优势发展新质生产力。在帮扶共建地区成立乡村振兴与科技成果转化中心、中新国际联合研究院鹤山基地等创新平台，组建包括院士在内的多个专家团队，选派科技特派员送科技“入企下乡”，逐步探索形成“一个龙头企业+一个高校团队+一批科技项目”的科技服务模式、“高校科研成果+科技转化平台+校友企业投资”的科技转化模式和“实践基地建设+学生联合培养+人才引进推荐”的人才服务模式，以新质生产力的高质量供给助力帮扶共建地区产业高质量发展。学校通过为云县茅粮集团、信合农业派驻科技特派员，为产业发展提供技术支持，分别带动销售产值达9000多万元和3亿元。自2023年“双百行动”启动以来，学校与结对共建地区达成产业发展科技合作项目近30项，科研项目合同经费超3000万元。

二是突出学科优势赋能美丽乡村建设。学校充分发挥“建筑老八校”的学科领先优势和建筑设计院“全国甲级设计研究院”整体优势，探索形成“党建引领，组织领航”的组织领导模式、“校地联动，专业赋能”的项目推进机制以及“双向育人，双融双促”的人才培养体系。由建筑学院党委牵头成立“中国式城乡现代化研究中心”，强化校地联动，并在帮扶共建地区建立基地，对接结对地区组建技术服务团的需求，在地化、陪伴式服务结对

地区城乡建设。在精准扶贫阶段，帮助云县编制全域旅游发展总体规划，助力云县于2018年成为云南史上首次、滇西首批、临沧首个脱贫摘帽县；帮助揭阳市孔美村获“中国传统村落”“广东省古村落”等称号；在驻镇帮镇扶村阶段，帮助隆江镇编制镇域规划并获广东省优秀镇域乡村振兴规划一等奖，推动学科强转化为帮扶共建地区的山水美、城乡美。“双百行动”启动以来，校地迅速推进20个县镇村规划设计项目，打造鹤山“云龙竞渡”科技文旅中心、惠来三中等一批精品项目，学校师生团队设计的项目获得“粤美乡村”风貌设计大赛5个一等奖等14个奖项，获得首届广东省装配式农房设计大赛一等奖，实现县域规划建设高质量发展与学校规划人才高标准培育的双融双促、互利共赢。

三是突出智库优势服务城乡发展。依托学校59个国家、省部级智库方阵，发挥智库集群优势，通过举办高端智库论坛、提交资政报告、输送智库专家等形式，为帮扶共建地区全面发展贡献华工智慧，为更好推行乡村振兴和“百千万工程”等重大战略提供政策建议。旅游管理/规划学科团队承担乡村振兴纵向课题20余项，完成100余项村、镇、县、市文旅和乡村规划，10余份战略咨询成果被国家级、省级领导批示，60余份战略咨询成果受省市采纳，牵头成立的华南理工大学数字乡村与文旅可持续发展重点实验室获批广东省哲学社会科学重点实验室。2023年，公共政策研究院（国家高端智库）举办“城乡区域协调发展与共同富裕学术研讨会”，邀请一批“大咖”为乡村振兴出谋划策。

第三，强化党建引领汇聚合力，争当帮扶共建排头兵

通过支部联建、党员结对、组团帮扶等形式，为帮扶共建地区的发展广泛聚力。

一是汇聚各方校友合力。邀请校友企业开展招商引资、农特产品采购，积极对接校友企业助力结对地区发展。充分激活学校作为“新能源汽车界黄埔军校”的强大校友力量，推动国家级专精特新小巨人校友企业落户鹤山，引入新能源校友企业到惠来投资光伏能源项目。

二是汇聚高校协同合力。学校积极参加国家乡村建设高校联盟，教育部

城乡规划、旅游帮扶、农林帮扶、消费帮扶，广东省“双百行动”乡村建设规划等多个高校帮扶联盟，并在其中担任副理事长以上成员单位，为整合高校资源协同推进帮扶共建工作不断汇聚“各家所长”。

三是汇聚社会帮扶合力。协调社会企业、爱心人士捐资捐物、推动消费帮扶等，共同助力帮扶共建地区发展。每年举办“6·30”助力乡村振兴活动，发动师生、校友和社会爱心人士为帮扶共建地区捐款、认购。与中国农业银行广州分行共建消费帮扶智慧体验馆，引入云县茶企开设“云·鲤”奶茶店，与惠来企业家携手共建帮扶地区农特产品直销中心，形成近师生、惠民生的“一馆一店一中心”消费帮扶布局，市场引领深化消费帮扶。

跋山涉水不改一往无前，山高路远但见风光无限。华南理工大学始终如一、全情投入，工作得到受扶地区干部群众的高度认可和上级部门、领导的高度肯定。学校驻孔美村工作队被评为“全国脱贫攻坚先进集体”，学校定点扶贫经验被收录至国务院扶贫办《中央单位定点扶贫案例》，学校连续8年获评教育部直属高校精准帮扶典型项目，连续6年获得中央单位定点帮扶工作成效考核最高等次评价。2021年，学校作为唯一高校代表，在教育部新闻发布会上介绍定点帮扶和服务乡村振兴工作情况；2024年，学校作为全省唯一高校代表，在省委农村工作会议暨深入实施“百千万工程”推进会上，介绍学校“双百行动”工作情况。

（二）构建认知、实践、价值“三个层面”融合模式，推进教育、科技、人才“三位一体”建设

——华南理工大学食品科学与工程学院党委“全国党建工作标杆院系”建设经验材料

党的二十大报告指出，“教育、科技、人才是全面建设社会主义现代化国家的基础性、战略性支撑”。如何发挥党建引领作用，有效推进教育、科技、人才“三位一体”融合发展，为中国式现代化提供强大人才支撑和知识创新贡献，是高校党建工作亟待探索解决的问题。近年来，华南理工大学食品科学与工程学院党委坚持以习近平新时代中国特色社会主义思想为指导，始终坚守人才培养、科学研究、社会服务等重要使命，紧抓国家“科技强国”“健康中国”“乡村振兴”等重大战略实施重要契机，借助粤港澳大湾区经济实力、创新要素、区位分布和政策融通优势，整合全球顶尖学科地位优势，从发展目标和方向“是什么”“为了什么”的认知层面出发，落实到党建引领“做什么”“谁来做”“怎么做”的实践层面，再以“对不对”“好不好”的评价反馈检验工作成效，探索形成一套从认知、实践、价值三个层面推动的党建与业务融合互促工作模式。

第一，坚持服务国家战略，落实立德树人根本任务，确保学科建设和人才培养目标符合党和国家事业方向，实现办学目标与政治方向深度契合

学院党委在学科建设规划和优化布局工作中，确立“党建引领，双环联动”的思路，经过谋篇布局，探索形成“以人才培养为中心，学科建设一体带动，专业教学、科研服务两翼齐飞，思政教育强基固本”的党建工作思路，强化学院党委对学科建设与人才培养目标的整体把握，确保学科建设和人才培养目标遵循“扎根中国大地”的政治方向和政治要求。

一是大力弘扬科学家精神，引导师生树立正确的人生观、事业观和科学研究理念，将个人追求、事业发展与党的路线方针政策和重大发展战略相

结合，学习和弘扬胸怀祖国、服务人民的爱国精神，勇攀高峰、敢为人先的创新精神，追求真理、严谨治学的求实精神，营造风清气正的科研氛围、团结一心的干事创业氛围。二是通过落实书记、院长新生第一课制度，开设新生研讨课、学科前沿课等课程体系，激发学生的专业责任和热情，持续推进“岭南追梦”社会主义核心价值观实践行动和高知党员发展“领航计划”，开展“微型党课进课堂”，创建“食之有味”思政微视频，举办“健康中国大讲堂”系列活动，不断强化学生实践与思想政治引领。三是通过思政方向引领、科研能力锤炼、高标竞赛锻炼、优秀文化涵养等多种方式，形成“党委领导、党员带头、导师负责、全员参与”的科创育人格局，不断提升学生的学习科研能力，造就了一大批具有爱国情怀和过硬本领的优秀人才，构建思政课程与课程思政双环育人新模式。

第二，推行“党建+学科”工作模式，着力推进有组织人才培养、有组织科研和有组织社会服务，促进党建工作与办学发展的充分融合

学院党委运用“党建+学科”的工作思路，把党支部建在学科团队上、建在科研平台上，打造“党建+学科”指挥部，让党支部成为统一思想、凝聚力量、推动发展的坚强战斗堡垒。加强对学科建设重点方向与人才培养目标的统筹把握，重点发展食品绿色加工与智能制造、食品生物技术、食品营养与健康、食品功能组分结构重组与安全四大学科方向，形成“一体两翼”的发展建设思路，即以“双一流”建设为主体，大学城校区瞄准国际前沿，主动跨学科交叉合作，建设国际营养健康研究院；五山校区面向国家重大需求，融入发展促发展，施行传统优势学科振兴计划。

学院党委以教学质量工程为重点，全面推进教学改革与创新，打造形成“知识、能力、素质——三元耦合卓越人才培养模式”，为新工科人才培养探索出具有鲜明湾区特色的新路径。通过“领道”“闻道”“同道”“悟道”的“四道结合”，把思政教育贯穿到教育的全过程，启发教师结合专业知识教学，挖掘德育元素，达到“明道育德”的课程思政教学改革目的。2023年，学院举办“全国食品学科党建育人创新论坛”，来自全国100多所高校的食品学院党委代表进行经验交流，总计汇编了34个优秀经验材

料。制定实施学院《专业课程思政建设实施方案》和《专业课程思政教学设计编制指南》，定期组织专业教师进行课程教学改革交流与探讨，优秀教师分享课程思政建设经验，新增校级课程思政示范课11门。以“微型党课进课堂”为载体，在教工党支部开展课程思政改革系列活动，实现思政元素对各类课程的全覆盖。组织党员教师在指导学生开展国创、省创、学生研究计划、百步梯攀登计划等科研活动中落实思政教育，组织学生深入基层和欠发达地区开展研学活动，参与“大湾区食品产业转型升级沙龙”，在潜移默化中引导学生了解国情、省情、校情、院情，有力增强其民族自豪感、专业自信心与责任担当意识。

学院积极引导党员教师在科研活动中提升服务科技强国战略的主动性和积极性，加大对国家急需、社会急用和促进民生的重大技术攻关的支持力度，多个成果转化平台布局广州、珠海、东莞、佛山等主要城市，形成了“五院一园”食品与生物医药领域科研成果孵化高水平平台，支持国家和地方经济建设。同时瞄准国家生命健康和海洋新资源开发等发展前沿，融入粤港澳大湾区战略布局，开展创新性研究，成功突破食品生物技术与绿色加工、功能油脂等领域系列“卡脖子”难题。近年来新增国家“十四五”重点研发计划项目10项、国家自然科学基金项目22项；参与制定行业、地方标准7项，与多家企业建立联合实验室、创新研发中心7个；发表高水平论文1488篇，ESI高被引论文89篇，ESI农业领域论文单篇被引次数上升到27次，继续稳居全国食品类院校首位；申请专利530件，其中PCT专利40件，授权国内专利427件，其中发明专利394件，获中国专利奖优秀奖1项。

学院党委深入开展有组织社会服务。一是推进高知党员帮扶攻坚，前往云县、广西、贵州、汕尾、梅州、惠来等地，通过设立“专家工作站”、援引公司新建深加工基地、利用新技术开发新产品等多种方式，开展科技帮扶、教育帮扶、智力帮扶、信息帮扶等，助力“精准扶贫”落到实处。其中，由党员教授研发的龙脑有效成分提取和产业化开发项目在梅州落地，帮助3200多户农户参与梅片树种植，户均增收2万多元，提供就业岗位4300多个。该同志荣获2021年“广东省脱贫攻坚先进个人”称号，其带领的“华南理工大学智慧赋能绿美乡村科技特派团队”荣获“第二十五届广东省青年五四奖章集体”称号。二是常态化开展食品营养安全系列科普活动，通过举办“红船领航——食品安全进校园”系列活动，开展科普活动，守护舌尖安全。定期举办“食品营养与健康科普知识”“微生物的小秘密”等主题讲座，开展“个性化定制——3D打印食品”“丰富多彩的微观世界”等实验活动，向社会传播食品安全知识，提高食品辨别能力，累计受众已超6000人次。

第三，坚持“以党建工作推动业务发展，以业务成效检验党建工作”的考核评价体系，实现党建和业务考核的有效结合

在学院党建工作成效的考核评价机制中，坚持将学院管理、学科建设、人才培养、科学研究和社会服务等工作成效纳入党支部工作评价体系；在学院工作考核中，将党建工作作为首要考核指标，制定详细的考核指标和评价体系。双向互认实现了考核评价的紧密结合，有效推动建立“党建与业务一体化、党政领导齐手抓”的工作格局。

学院党委通过着力构建“三个层面”融合模式，把党建工作作为“一流学科”建设的强引擎和落脚点，为推动学院持续发展提供了坚实保障。近年来，学院在国内外的影响力不断提高，学科高地地位不断巩固。2022年，食品科学与工程学科入选新一轮国家“双一流”建设名单；在U.S. News 2022年、2023年世界大学学科排名中，食品科学与技术学科连续两年位居全球第一，在上海软科“世界一流学科排名”中位列世界第三；学院主体支撑的农业科学领域进入ESI全球前0.144‰；学院食品科学与工程、食品质量与安全2个专业先后入选国家级一流本科专业建设点。学院党委先后入选广东省和全国第三批党建工作标杆院系培育创建单位，本科生党支部先后入选广东省和全国第二批样板党支部培育创建单位，轻化工研究所教工党支部入选广东省第三批样板党支部培育创建单位，2个党支部入选华南理工大学第二批“样板支部”培育创建单位。这套以“三个层面”融合为核心的党建与业务融合互促模式的成功实践，对于推进教育、科技、人才“三位一体”建设具有重要意义。学院党建经验在《中国食品报》上发表，被10余家主流媒体转载。

（三）融合党建，先锋筑材，这个学院有“材”又有“料”

——华南理工大学材料科学与工程学院党委“全国党建工作标杆院系”建设经验材料

党的二十大报告首次将科教兴国、人才强国、创新驱动发展三大战略放在一起集中论述，将教育、科技、人才作为整体进行统一部署，为更好地统筹教育、科技、人才资源，以三位一体、协同布局、系统集成的态势推进科技创新工作指明了方向。如何以“融合型”高校基层党建创新为抓手，全面推进高校院系党的建设各项工作？怎么在更深层次、更广范围推进学院党建与学院事业融合一体发展？华南理工大学材料科学与工程学院党委以示范创建、质量创优工作为契机，创建了“先锋筑材”融合型高校基层党组织建设新模式，全面实施“四大工程”，进一步创新党建工作模式，推动基层党支部建设，为教学科研团队强基赋能，为落实立德树人根本任务保驾护航，为服务国家社会重大需求提质增效，实现了党建对学院发展的全方位、全领域、全过程引领。

“先锋筑材”融合型高校基层党组织建设

目标	坚定可信	坚强可靠	坚诚可亲	坚毅可为
抓手	铸魂工程	赋能工程	聚心工程	筑梦工程
措施	铸造信仰魂	用心赋正能	组织要强心	赓续材料梦
	凝聚担当魂	增智强才能	干部应暖心	筑牢科技梦
	塑造价值魂	聚力添动能	党员当用心	锚定共赢梦
	涵养文明魂	创新提效能	师生更走心	砥砺发展梦

“先锋筑材”融合型高校基层党组织建设方案

第一，实施铸魂工程，打造坚定可信基层党组织

一是铸造信仰魂，用党的创新理论武装师生。建立健全理论中心组学习、师生政治理论学习制度，定期开设理论培训班，创新开展共建学、结对学、交流学。充分发挥学院分党校作用，积极拓展新媒体平台，推动思想宣传提质增效。二是凝聚担当魂，用党的初心使命感召师生。聚焦榜样力量，以有机高分子光电材料与器件“全国高校黄大年式教师团队”为示范标杆，激励全院师生传承和发扬老一代科学家科技报国的优秀品质，树立担当意识。三是塑造价值魂，用社会主义核心价值观引领师生。把培育和践行社会主义核心价值观作为学院思想政治教育的重要内容，把思政小课堂同社会大课堂有效结合，引导学生在“用脚丈量祖国大地”中增强理想信念。创建“沉浸式”思政教育体系，通过讲主题微党课、红色话剧和舞台剧演绎、选树身边榜样等形式，弘扬社会主义核心价值观。四是涵养文明魂，用清朗校园文化浸润师生。组织“麟鸿文化节”“材料节”“迎新晚会”及师生运动会等有内容、有意义、有深度的文化活动，丰富师生校园生活。在2023年师生联欢会上，5位历任院长同台献唱，大大增强了师生对学院的归属感和认同感。结合学校“红色甲工”历史渊源，组织学生开展校内红色景点打卡，营造良好校园风尚。开展“守护网络安全行动”，组织网络安全培训、知识竞赛等专题活动，建设安全校园。

第二，实施赋能工程，打造坚强可靠基层党组织

一是用心赋正能，坚守立德树人初心。学院党委坚持党管人才，坚决落实师德师风第一标准，构建学院师德师风建设体系和评价体系。开展专题培训，引导教师善思善用“大思政课”，将改革开放精神、特区精神等注入课堂，打造课程思政“模范课堂”，获批广东省课程思政示范课程2门。二是增智强才能，锤炼教书育人本领。探索育人新模式，发挥高层次领军人才的传帮带作用，打造有影响力、受学生喜爱的“材院名师”。分支部、系所、团队建立校内外专家顾问团，面向教师制定“一人一策”职业发展方案，提升教师教书育人能力。三是聚力添动能，搭建产学研用平台。瞄准产业、技术、人才、平台“四个制高点”，打造以企业为主体、市场为导向、学院科

研力量为依托的产学研用深度融合创新联合体，形成“人才支撑+基础研究+技术攻关+成果产业化”全过程创新生态链。实施有组织、有计划的科技项目和人才培育工作，通过专题报告会、学术研讨会、专家咨询会等方式，开展“一对一”“多对一”结对联培。积极搭建平台，与多家企业建设联合实验室，推动跨学院和院内的学科交叉和产学研用深度融合。四是创新提效能，拓宽人才成长通道。持续加强与国际知名高校、科研机构的沟通与联系，实施“以才引才”策略汇聚优秀师资。精准靶向育才，制定人才培育指导方案，构建20多支由领军人才领衔的教学科研团队，借助“大师+团队”的力量打造梯次合理的人才队伍。创新青年人才培养计划，设立青年人才培育小组，助力青年人才在重大攻关任务中打前阵、挑大梁、当主角。

第三，实施聚心工程，打造坚诚可亲基层党组织

一是组织强心，健全制度强基固本。学院党委严格遵守党的组织原则和民主集中制，认真落实党委会会议、党政联席会议制度。严格党的组织生活，推进党支部标准化规范化建设，不断强化基层党组织的政治功能和组织功能。畅通师生权益维护渠道，通过开展大调研、组织座谈会等方式，完善服务体系，增强党组织凝聚力、影响力和吸引力。二是干部暖心，脚踏实地争做实事。组建党员干部服务队，“一对一”做好做细特殊教师群体关心关怀工作。落实“与你相约”联系日工作机制，施行“一月一件好事”“三月一个小目标”服务实践活动，通过办实事彰显暖心和贴心。组织党员干部深入社区和学校，每年开展材料主题科普宣讲50余场，以党支部为单位开展新生导航课程20场次，提升公众和学生对材料学科的理解和认识。三是党员用心，发挥先锋模范作用。学院党委通过调研制定“菜单”，党员“领单”服务，通过“菜单式”工作法，落实为师生办实事、做好事、解难事。发挥党员干部的带头作用，围绕国家、区域重点发展领域和优先方向钻研深耕，力争产出原创性重大成果。进一步加强党员作风建设，强化纪律意识，将个人作风落实到为师生、群众服务的行动中。四是师生走心，求真务实追求卓越。大力支持学生参加社会实践，加强对学生参与课外竞赛、科创比赛的指导，促进第一课堂与第二课堂相融相促，开启育人“加速器”。邀请国内外

专家开展学术研讨会，举办中欧材料高端对话，22位中外院士专家共同探讨材料科学在全球重大问题中的影响与应用，推动中欧双方在科研合作、人才培养等领域的深入交流，开启实干“助推器”。实施“大手拉小手”“携手计划”等学业促进、帮扶制度，长期开展“书香漂流”、移动图书馆等活动，加强学风建设，倡导师生践行良好的学术规范与学术道德，开启发展“稳定器”。

第四，实施筑梦工程，打造坚毅可为基层党组织

一是赓续材料梦，优化学科布局，强化特色优势。定期组织学科建设研讨会，建设人才培养、科学研究、社会服务、文化传承创新、师资队伍和国际化办学“六位一体”全面协调可持续发展的体系，重点推进国家级大平台、大团队、大项目、大成果“四大建设”。依托学校学科交叉研究中心，聚焦优势特色学科和重点领域，以产出标志性成果为目标，严格过程管理，强化绩效考核，全面提升学科建设整体水平。二是筑牢科技梦，面向重大需求，攻关关键领域。坚持“点线面”结合推进交叉学科群建设工程，攻关高性能多功能先进复合材料、新型驱动和感知材料、光电转换与储能材料等方面的关键技术问题。积极培育重大科研项目，助力我国在关键领域加快建设科技强国。三是锚定共赢梦，服务国民经济主战场，积极拓展院企合作。积极探索区域化党建联盟，与多家企业的基层党支部开展支部共建、学术共促、资源共享、品牌共创，累计派出40余名教师担任科技特派员开展科研攻关，将论文写在祖国大地上，形成“党建、学术、发展同促进”的共赢格局。推动院企强联结，与粤港澳大湾区科技协同创新联盟、先进制造业产业技术联盟等平台对接，开展有组织的校企合作，促进共同发展。积极参与和引领材料学科领域国内外行业标准制定20项，提升行业国际话语权。四是砥砺发展梦，加强对口帮扶，助力乡村振兴。做好结合发展的“大文章”，面向学校定点帮扶的孔美村，在助学、产业、技术、消费帮扶等方面持续推进全方位、多层次、宽领域帮扶协作。扩大帮扶振兴“地图”，选派人员前往新疆、云南、粤东西北等地谱写新时代新征程上对口帮扶、共同富裕的新篇章。响应广东省“百千万工程”号召，组织成立材料学院“先锋助双百”服

务队，根据鹤山市材料类企业的主营业务，学院党委牵头搭建以党支部为单位的集团军式对接，组团助力鹤山市材料产业的高质量发展。

学院党委始终坚持以党的政治建设为统领，创建并完善了“先锋筑材”融合型高校基层党组织建设模式，通过“铸魂工程”“赋能工程”“聚心工程”“筑梦工程”，打造了坚定可信、坚强可靠、坚诚可亲、坚毅可为的基层党组织，赋能学科建设，助力科研创新，带动人才培养，服务社会发展，实现了党建工作与学院各项事业融合一体发展，推动学院在高质量发展新赛道上跑出加速度、实现新跨越。一是党的建设再上新台阶。学院党委入选“全国党建工作标杆院系”培育创建单位，1个党支部入选“全国党建工作样板支部”培育创建单位，1人获评广东省教育系统优秀共产党员。近5年来共发展高知党员80名（含海外青年人才2名），其中5人为高级职称以上青年骨干教师。二是学科发展取得新优势。材料科学ESI国际排名稳步提升，2024年进入前0.122‰，软科世界一流学科排名从全球第101—150名（2017年）提升至全球第24名（2023年），高分子科学在2023年U.S. News世界大学学科排名中位列第一。三是队伍建设汇聚新力量。近5年，学院1名教授当选中国科学院院士、1名教授当选中国工程院院士，引育国家级高层次领军人才27名，吸纳博士后114名，形成了结构合理、力量强大的人才队伍。有机高分子光电材料与器件教师团队入选首批“全国高校黄大年式教师团队”。四是科学研究实现新突破。近5年，学院获高等学校科学研究优秀成果奖科学技术进步奖1项、广东省突出贡献奖1项，广东省自然科学一等奖2项，广东省技术发明一等奖4项等。获批国家重点研发计划项目10项、国家自然科学基金项目178项，承担各类横向科研项目788项。发表论文SCI收录3030篇、EI收录2869篇，获国家授权专利1842件。多项原创性理论突破关键核心技术，争夺世界科技话语权。五是育人育“材”收获新成效。近5年，学院获批国家级一流本科专业建设点3个，国家级一流本科课程3门，共2500多人次学生参加学术科技竞赛并获得省级以上奖项285项，其中国际级竞赛获奖45项、国家级竞赛获奖45项。2019年以来，研究生以第一作者发表论文2540篇（其中1名博士生以第一作者发表的论文入选2019年度“中国百篇最具影响国际学术论文”，2名博士生以第一作者在世界顶级期刊

Nature 发表论文），作为第一或第二作者完成授权发明专利3240件。六是服务社会开创新局面。党员院士牵头形成研究/咨询报告12份，1份入选中国科协“2019年十佳调研报告”。学院教师科研团队助力企业解决关键领域原材料“卡脖子”难题，支持5家企业成功上市，实现科技成果落地应用。学院年均接待高校同行访问交流10余次，接待香港、广州等地中小学生300余人次，开展针对性强的高质量科普讲座50余场，全力担当科普社会责任。

（四）顶天立地，科技为民

——华南理工大学机械与汽车工程学院高分子材料先进制造技术与装备研究所党支部“全省党建工作样板支部”建设经验材料

华南理工大学机械与汽车工程学院高分子材料先进制造技术与装备研究所党支部（以下简称“高分子所党支部”）坚持科学研究、技术创新、人才培养等工作面向国民经济和社会发展主战场，瞄准世界科技前沿和国家战略需求，以“顶天立地”的科研壮志践行“科技为民”的使命担当，开发出高强度、全回收的“科技援疆膜”，有效实现了地膜污染地区的粮食增产和土地可持续利用，真正把论文写在祖国大地上。

支部抓理论学习和组织生活不放松，力求抓好教师思政和教书育人工作，最终落脚在为高水平科技自立自强培养人才上。高分子所党支部定期开展教书育人研讨会，推动专业教学与课程思政有力结合；开展教学专题研讨会，创新教学方法，更新教学内容，将专业课教学与新时代人才需求有力结合，教育党员教师努力成为“四有好老师”“四个领路人”“四个相统一”的表率，做到率先垂范，知行合一。在重大科研项目攻关过程中，每个项目由不同学科背景的导师共享知识，并组建集体作战式的导师团队和紧密互助型的研究生学习组织，使研究生掌握不同研究方向的知识体系，同时老师们结合研究生的兴趣、特长、背景和研究基础等进行跨学科培养规划和科研指导。此外，教师党员还担任高分子研究所的学生党支部书记，通过“师生支部1+1”联合开展主题党日，及时为学生答疑解惑，加强思想引导。通过用心培养学生，在思想上、学业上帮助学生迅速成长，从而促进师生科研同频共鸣，共同实现科研创新和技术突破。

支部抓党建工作和业务工作融合不放松，力求抓好双融双促双提升，最终落脚在科研为国家战略需求和国计民生服务上。高分子所党支部始终把“科研为国家服务”放在心上，经常性深入学习党的创新理论，通过“第一议题”学习、专题学习深刻领会习近平总书记在国家科学技术奖励大会、全国科技大会和两院院士大会上的重要讲话精神，组织党员学习“两弹一星”

精神、载人航天精神、科学家精神，引导科研团队立足“四个面向”开展科研工作。支部党员院士曾经说：“没有祖国就没有我们学习的机会，党叫我们干啥我们就干啥。”在他的示范带领下，团队成员认识到一定要发扬革命精神，牢记党的优良传统和工作作风，以更加饱满的热情和昂扬的斗志投入工作和生活中。“万物土中生”，土地污染不能耕种时，农民还能如何谋生？当得知我国农膜覆盖地区所面临的地膜污染问题时，高分子所党支部决心攻克农田残膜污染难题，通过技术创新为保护农民赖以生存的土地做点事情。

支部抓科学研究和技术创新不放松，力求抓好原始技术创新，最终落脚在科技成果转化惠及人民生产生活上。为解决农田残膜污染问题，高分子所党支部响应国家号召，组织筹建了“高分子先进制造省部共建协同创新中心”，汇聚国内高分子制造领域具有特色优势的高校、研究机构和企业，促成了高分子产品“新材料开发与制备—高端装备设计与制造—特色制品加工与成型”产业链和“应用基础研究—关键技术攻关—产业化拓展应用”创新链。

团队提出了“独辟蹊径突破技术瓶颈，校企合作助推技术发展”的理念，与广东省两家行业龙头企业合作，利用两年时间突破了挤压系统转子与定子的拓扑曲面结构加工制造问题，生产出可为农业增产、农民增收、土地净化、资源利用提供有力保障的高强度地膜。党支部借助广东着力推动“大科技援疆”的东风，积极争取广东省300万元援疆资金，确保在2019年春耕时节让新型地膜顺利铺在了2万亩试验棉田上。

“科技为民”永无止境。为了解决地膜污染问题，高分子所党支部又引入相关企业共同打造出一条新型全回收地膜生产、使用、回收、再利用的循环产业链，实现了地膜的循环利用，创造了地膜增收新途径，目前回收地膜已广泛应用于多家知名品牌企业的集束包装，开拓了回收地膜高值化应用新领域。这一张张高强度全回收增产地膜，从提高强度、实现全回收，到循环利用，彻底根除了旧地膜“白色污染”的老大难问题，让农户放心用、大胆种，搭乘科技帮扶的专车奔向幸福的未来！

现在，党支部开发的“科技援疆膜”已成功应用于新疆石河子市、喀什地区伽师县，以及内蒙古、山东等地区的农业种植覆盖，成功实现农作物增产339千克/公顷，解决了长期困扰我国西北地区1.8亿亩耕地的残膜污染问题，实现我国新疆等西北部地区的农业可持续发展，推动了现代农业高质量发展。党支部科研团队荣获国家技术发明奖二等奖2项、国家科学技术进步奖二等奖1项、中国专利金奖2项、中国专利优秀奖1项、省部级科技奖励特等奖1项和一等奖6项。支部党员获全国创新争先奖、香港蒋氏科技成就奖、何梁何利科学与技术创新奖和广东省科学技术突出贡献奖。“科技援疆膜”同时也得到了各界媒体的广泛报道，如CCTV-10科教频道专题报道《人物·故事》，科技日报《一张“科技援疆膜”，解决农田白色污染》，中国科学报《一张“科技援疆膜”的诞生》。

四、创新创优，点线面一体化百花齐放

如何落实教育部党组“对标争先”建设计划，开展好“示范创建和质量创优”工作？如何把教师党支部建设成为促进新时代高校事业发展的坚强战斗堡垒呢？

首先要做到“对好标、找差距”。按照新时代党的建设总要求，对照“五个到位”“七个有力”，一方面是要全面对标习近平新时代中国特色社会主义思想，全面对标党的十九大和二十大精神，全面对标党章党规党纪，全面对标中共中央、国务院《关于加强和改进新形势下高校思想政治工作的意见》；另一方面是要找到自身在党的组织建设、履行主体责任、教育管理党员、组织制度落实、组织生活创新等方面的薄弱项，明确与建设标准的差距，找到健全组织体系和发挥政治功能的着力点。

其次要做到“深培育、重建设”。一是把政治建设放在首位。善于用好党的优良传统，落实好基层党组织建设的政治要求，做到在举旗定向上不动摇、在民主集中上不含糊、在联系群众上不懈怠、在扬风正气上不迟疑，提高党组织的政治引领力。二是把结合实际摆在关键。必须切合自身实际抓培育、搞建设，切实通过党组织建设解决自身实际问题，既要见真章，又要看实效，还要结合当前外部环境大局，抓准外部环境给培育创建带来的机遇和挑战。三是把实现发展抓在始终。把培育典型示范的党组织同业务发展结合起来，通过政治引领锚定发展方向，通过组织协调强化资源协同，集中力量实现突破。

再次要做到“勇争先、强辐射”。要努力在管党治党取得新成效上争先，在办学治校展现新作为上争先，在推动高质量发展取得新突破上争先，在全面从严治党呈现新气象上争先。各创建单位应发挥争当示范的主观能动性，注重创新性地开展组织生活、激发组织活力、增强组织战斗力；注重深入推进党建引领业务发展的体制机制改革，通过党组织建设破除阻碍发展的“拦路虎”，创造更好的发展条件；注重更大范围地联系带动广大师生，提高党组织的组织力和号召力，为党和国家事业广泛凝聚人心，齐心砥砺前行；注重将好的建设经验宣传推广，辐射带动各级党组织，做好党组织建设和干事创业的“双示范”。

（一）聚焦“建院·筑梦”创品牌，引领学院高质量发展上台阶

——华南理工大学建筑学院党委“全国党建工作标杆院系”建设经验材料

华南理工大学是“建筑老八校”之一，是中国最早建立建筑学科的高校之一，建筑类学科底蕴丰厚、优势突出、特色鲜明，先后孕育了莫伯治、佘畯南、何镜堂、吴硕贤等4位院士，袁培煌、黎佗芬等13位国家工程勘察设计大师。2018年，建筑学院党委入选首批“全国党建工作标杆院系”培育创建单位，并于2020年顺利通过验收。2018年以来，学院以此为契机，致力创建基于专业特色的“建院·筑梦”党建品牌，围绕“筑梦·强基、筑梦·论谈、筑梦·寻访、筑梦·创作、筑梦·实践”五个板块，锻造先锋党员队伍，凝聚全院师生合力，走出了一条以品牌创建为引领，多层次深化、全方位开展高校院系党建，引领和推动学院高质量发展的路子。

第一，筑梦·强基：夯实学院党建之基

围绕“筑梦·强基”主题，紧密结合专业特点，不断夯实学院党建工作基础。一是强化组织指导。加强顶层设计和统筹谋划，定期召开党支部书记工作例会，指导支部研究制订学期工作计划，落实“三会一课”等组织生活制度，聚焦“建院·筑梦”主题谋划“自选动作”，策划开展系列党建主题活动。二是夯实制度基础。规范修订并落实好学院党委会会议、党政联席会议议事规则，常态化、长效化开展党委中心组集体学习和“第一议题”学习，修订完善《建筑学院党支部工作制度》《党支部书记工作例会制度》《学院党委委员联系师生支部工作制度》等10余项党建工作管理规定和实施细则。提高制度执行力，利用接受校内巡察、召开民主生活会和组织生活会、开展主题教育等契机，开展制度执行情况自查，推动整改落实。三是选优配强队伍。加强对教师党支部书记“双带头人”全周期培育和学生党支部书记梯队式培养，实现教师党支部书记“双带头人”全覆盖和学生党支部书记辅导员担任全覆盖；在配备1名专职科级组织员基础上，新增配备1名正处

级组织员，兼任学院研究生党总支书记，有效加强研究生党建工作。

第二，筑梦·论谈：汇聚内涵发展之力

组织师生开展“筑梦·论谈”系列活动，通过访谈、交流、讨论，提高思想认识、凝聚发展共识，增强“建院·筑梦”信念和动力，形成推动学院发展合力。一是典型人物访谈。打造“建筑学院党建园地”微信公众号平台（首批高校思政类重点建设公众号），推出“党员人物”和“初心”两个系列访谈专栏，持续访谈报道全国师德标兵、最美奋斗者、南粤优秀教师等一批优秀教师代表，激励学生“立鸿鹄志，做奋斗者”。二是专家学者论谈。结合师生成长发展需求，邀请建筑大师分享自身与国家同频共振的奋斗故事、院内外专家学者介绍科技论文写作规范、研究生培养指导经验、校友及知名企业HR“面对面”传授面试技巧、解读行业发展趋势，以及优秀博士毕业生分享职业规划和专业学习经验等，服务引领学生成长成才。三是学院调研座谈。学院党政班子积极与师生、兄弟高校、行业企业等广泛开展座谈，经常深入师生，畅通沟通渠道，不定期召开师生座谈会，前往兄弟高校、行业企业调研办学经验，了解社会需求，凝聚多方力量，服务学院高质量发展。

第三，筑梦·寻访：探知经世济民之道

绘制“筑梦·寻访”路线图，通过组织师生参观学习与实地探访，构筑“筑梦”大课堂，引领广大学子在“读懂中国”中增强堪当民族复兴大任的责任感、使命感。一是用好中国近现代史的“活教材”。组织学生到鸦片战争博物馆、中共三大会址纪念馆、杨匏安旧居陈列馆、阮啸仙纪念馆、周文雍陈铁军烈士陵园等20多个“打卡地”探寻先辈革命足迹，现场感悟初心使命。二是用好改革开放前沿的“活样板”。利用地缘优势，将镌刻广东改革开放印记的“大地标”变成社会大课堂，组织学生走进港珠澳大桥、深圳蛇口工业区、“中国第一村”南岭村、世茂前海中心等标志地，在多个“中国第一”中体悟改革开放精神，坚定“四个自信”。三是用好现代化建设的“大标本”。策划“走进设计背后”系列活动，组织学生走访广东省城乡规划设计研究院、广州市规划院、广州城市规划展览中心和一批“中国建造”名企等，在现代化建设实景中领悟中国式现代化理论，探索以现代建筑设计服务中国式现代化建设的新路径。

第四，筑梦·创作：架起创新创业之桥

围绕学校“三创型”（创新、创造、创业）人才培养目标，打造融入时代主题创作大舞台，引导学生做新时代奋斗者。一是赓续红色办学根脉，继承“大先生”报国志。组织师生参观考察华南教育历史坪石研学基地，开展“书画剧歌缅先师、教育发展建新功”主题活动，创作了原创歌曲《致坪石先生》、微党课《华南教育坪石故事》等。师生们通过亲手创作的书画、亲力打造的话剧、倾心演唱的歌曲，深切缅怀坪石先师，并积极开展坪石研学基地旧址保护和活化利用工作。二是描摹时代精神图腾，将“小我”融入“大我”。发挥重要节点和纪念日的典礼育人作用，开展“不忘初心、日行微善”手绘大赛、爱国主题书籍电影品读征文活动等，组织学生参与“写、拍、画、创、演、唱”等多种形式的创作活动，激发学生爱国奋斗情怀，锻造精神之魂。三是历练“大国工匠”，把论文写在祖国大地上。指引学生带着实际问题和现实难题开展专业学习研究，开展“认知实习”，组织学生走进上海世博会中国馆等大师作品，从实践中学习建筑设计，探索中国特色创作道路。以赛促学，学生捧获“国际太阳能十项全能竞赛”中国赛区、中东赛区总成绩冠军，中国国际大学生创新大赛金奖，“挑战杯”全国大学生课外学术科技作品竞赛金奖，国际高校建造大赛一等奖等多个国际国内大奖。

第五，筑梦·实践：助力伟大复兴之路

结合学科实践性强的特点，引导师生积极投身乡村振兴、志愿服务和各类社会实践当中。一是助力乡村振兴。依托华南理工大学乡村振兴与发展研究院、广东省村镇可持续发展研究中心、建筑学院中国式城乡现代化研究中心等科研实践平台，组织师生投入生态宜居美丽乡村建设，为乡村振兴贡献华工建筑人的智慧和方案。师生组团式深入广东惠来县、翁源县、云南云县等地开展“乡建帮扶”行动，服务队获“广东青年五四奖章集体奖”，1人获“中国大学生自强之星”。学院师生助力孔美村获批“中国传统村落”和“广东省古村落”。“首创‘碳中和新乡村’构建生态资源资产化乡村绿色发展新模式”入选第六届“教育部直属高校精准帮扶典型项目”。二是深化志愿服务。以“筑行”志愿者服务队为“冲锋号”，组织学生开展义教、志愿服务等系列活动，把雷锋精神撒播在祖国大地。其中，韶关仁化县“爱心长江行”义教活动已开展18年，“广图义教”和“天河南家综小课堂”志愿服务已超过14年，“广图义教”已举办近100期，“四点半课堂”义教已举办15期。“筑行”志愿者服务队获“知行计划”全国大学生优秀团队等荣誉。三是开展社会实践。每年开展暑期“三下乡”活动，结合建筑专业领域的社会前沿和焦点问题，组织学生深入粤东、粤北、珠三角多地乡村开展古建筑考察、乡村规划、房屋搭建等社会实践活动，学以致用解决实际问题。“碳中和新乡村规划与设计”实践队荣获广东省大中专学生志愿者暑期“三下乡”社会实践活动优秀团队。近5年，获评校级及以上的寒暑假社会实践先进个人400多人。

2018年以来，学院先后获得“全国高校黄大年式教师团队”“国家卓越工程师团队”“全国五四红旗团委”“广东省先进基层党组织”“广东省学雷锋活动示范点”等省级以上相关荣誉近30项（次），2人获评“南粤优秀教师”，1人获评“云南省脱贫攻坚先进个人”，2人获评“广东省优秀共青团干部”“最具坚守精神辅导员”；学院学科建设成效显著，建筑学、城乡规划学两个学科整体水平位居全国高校前列，助力学校“社会科学总论”进入ESI全球排名前1%，荣获省级以上优秀设计奖200多项，学院高质量发展驶入了快车道。

（二）永葆“五心”强党建，砥砺奋进促发展

——华南理工大学机械与汽车工程学院党委“全国党建工作标杆院系”建设经验材料

华南理工大学机械与汽车工程学院办学历史悠久，最早可以追溯到1918年成立的广东省立第一甲种工业学校机械科。中国共产党早期的共产党员、我国审计制度的奠基者阮啸仙和电影《刑场上的婚礼》中男主角原型周文雍烈士都曾在机械科就读，红色基因深深根植于学院的百年发展史中。1952年全国院系调整中，机械系成为华南工学院最早的六个工科系之一，曾研制出中国第一台数控铣床。近年来，学院积极拓展新兴学科和交叉学科研究，为学校工程学跻身ESI全球排名前万分之一、材料科学学科跻身全球排名前1‰作出重要贡献。目前，学院已成为华南地区智能制造、车辆及材料加工高层次人才培养和科学研究的重要基地。学院现有党员1101人，其中教工党员223人，学生党员878人；党支部32个，其中教工党支部9个，学生党支部23个。

学院党委以习近平新时代中国特色社会主义思想为指导，坚定社会主义办学方向，坚持党委创标杆、支部树样板、党员做先锋，以“五心”强党建，做到“五个到位”，推进党建质量创优提升，推动学院各项事业高质量发展。

第一，坚定担当信心，保证党组织领导和运行机制到位

学院党委着力加强政治建设，不断强化和完善党的领导机制，强化学院党委“把方向、谋大局、定政策、保落实”的领导责任。

通过党委会、党政联席会、学院大会、党支部会等多途径学习贯彻习近平新时代中国特色社会主义思想，第一时间学习和传达党的会议精神，使师生坚定拥护“两个确立”，坚决做到“两个维护”。专题学习《中国共产党普通高等学校基层组织工作条例》《高校党建工作重点任务》等文件，落实学校党建工作要求，坚持党委会会议和党政联席会议“党政主要负责人没

有形成共识的不上会、事先没有沟通的不上会、没有调查研究的不上会”三个不上会原则，不断提升决策的规范化和科学性。学院党委会严格审议讨论发展党员、干部推荐、师生思想政治教育、共青团工作等重要事项，做好前置把关。对于涉及办学方向、发展目标、发展规划、重大改革方案及师生切身利益的相关事项，学院党委均组织专门会议，充分征求系所中心、学术机构、群团组织、学代会、工会、教代会等意见，使师生充分参与到学院民主管理和民主监督中来。学院党政联席会议对“三重一大”等重要工作进行集体讨论、决策和部署。建立健全《Tenure Track人事聘用制度改革方案》《绩效考核管理办法》等多项制度，让学院在公平、公正、公开、高效的机制下改革发展。

第二，淬炼履职忠心，政治把关作用到位

学院党委坚持意识形态工作底线思维，着力防范化解政治安全和意识形态风险，重点加强学院学术组织、研究机构、学生社团的引导和思想文化阵地建设，把好政治关。

学院党委组织成立安全稳定工作领导小组和工作小组，定期召开意识形态工作专题会议，排查可能的安全隐患和风险点，建立风险台账，坚持执行重大会议、重要时间系所中心“日报告”制度。建立突发事件处置专班机制，制定学院安全稳定工作责任清单，将责任逐条分解到人，使维护意识形态安全工作延伸到末端。制定《网络信息发布制度》，建立了“初级审核—责任审核—终极审核”工作流程，对系所中心、科研团队、团学组织及学生班级公众号进行统一管理，落实审查把关责任。学院指派专职辅导员联系两大学生科技创新团队，做好学生社团的意识形态把关工作。发挥师生党员作用，关注好相关网络阵地和朋友圈，建立舆情反馈、引导和应对联动机制。同时，构建线上线下矩阵式宣传体系。做“实”线下宣传平台，在学院行政楼宇、系所平台、学生社区开展一体化宣传布局，主动宣传习近平新时代中国特色社会主义思想和党的理论路线方针政策。做“好”线上宣传平台，在学院网站及公众号开设“机汽党建”“党史学习教育”等专栏，传播党的创新理论，宣传基层党支部风采、党员先锋模范事迹等内容，弘扬正能量。

第三，涵养育人初心，思想政治工作到位

学院党委扎实开展理论学习中心组和教师理论学习，落实师德师风建设要求，强化教师思想政治工作，同时围绕立德树人根本任务，加强学生思想政治工作创新，形成扎实有效的"三全育人"工作格局。

学院每年制定党委理论学习中心组学习计划和教职工理论学习计划，多渠道、多维度开展政治理论学习，形成"集中学习、专题讨论、现场见学、专家导学、交流分享"相结合的理论学习常态化机制。领导班子成员先后以"扛起立德树人责任，做'四有'好老师""学生党员如何在班级发挥作用""高校青年教师在新时代科研工作中的使命担当"等为主题为师生上党课，在师生中引起了强烈反响。组建师德师风建设工作小组，开展师德师风"深调研"工作，组织学生访谈和问卷调查，认真听取学生对教育教学的意见建议。制定学院"课程思政"指导意见，组织教师学习《新时代高校教师职业行为十项准则》和《华南理工大学关于建设师德师风长效机制的实施办法》，把师德师风建设贯穿于教师培养培训全过程。

学院党委以获批教育部"三全育人"综合改革试点单位为契机，深入挖掘各项工作中的思政元素，协调各方思政工作力量，切实做到"全员育人、全过程育人、全方位育人"。一是实施"思想力提升工程"，突出价值引领。实施党建创新引领计划，推动党建进学生社区、进网络平台、进学生团队；实施"领跑者"培育计划，选树标兵和榜样，营造"比、学、赶、帮、超"的良好氛围。二是打造"学习力提升工程"，强化本领担当。学院以学生需求侧为问题导向，开展学情调研，实施分阶段、分层次、分群体教育，提供学业辅导员等互动式朋辈辅导，激发朋辈引领力；以"信仰与奋斗""成人与成年""自由与规则"为内容，开展学生学业教育，营造学风优良、互学互鉴、积极向上的学业生态。三是推动"行动力提升工程"，厚植家国情怀。通过双创工作坊、产教融合协同创新育人模式、学生社会实践基地建设等引导学生积极参加创新创业、志愿服务、社会实践和校园文化活动，以全方位实践育人助力学生成长。

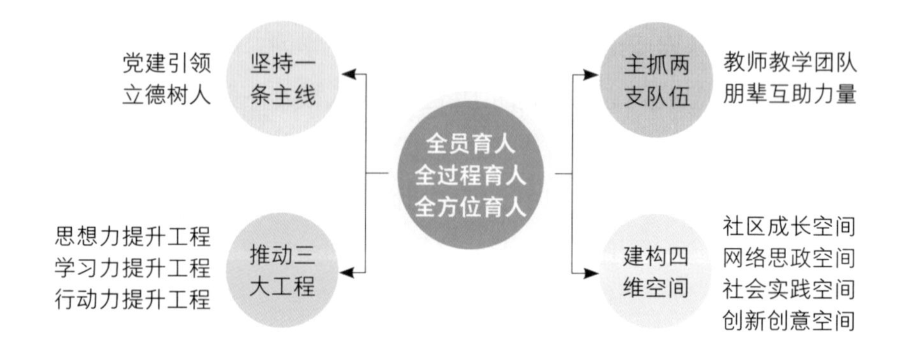

学院“三全育人”工作格局

第四，深化组织同心，基层组织建设执行到位

学院党委落实基层党支部建设各项任务，引导基层党支部广泛开展“1+1”党建联动，充分发挥组织、宣传、凝聚、服务师生的积极作用。

一是不断优化党支部设置。坚持“一切工作到支部”的鲜明导向。教工党支部建在系、所、中心；本科生党支部建在专业，实行年级纵向设置；研究生党支部按学科方向纵向设置，实现“党支部建在学科方向，党小组建在研究团队”，形成“党建+专业”和“党建+科研”双融双促的良好局面。二是完善基层组织运行。完善学生党支部与教工党支部、各团支部联系机制，扩大组织覆盖和有效工作覆盖，实现“每个学生党支部对接相应专业所在系所教工党支部，每个党小组具体对接相应年级团支部，每个党员对接一间新生宿舍”。三是强化学院学生党建工作小组协调统筹作用。统筹策划、一体推进党员学习教育；统筹党员发展、培养各项工作；开展对党支部工作与党员表现的监督工作；协调各党支部与团支部、本科生党支部与研究生党支部各项党务工作与党建活动。四是建立学生党支部书记与带班学生辅导员协同工作机制。加强各节点的交流沟通、全过程的协同培养、各阶段的合作补位等。

优化组织设置

纵向设置

确保支部建在“连”上

教工党支部（按系所）	本科生党支部（按专业）	研究生党支部（按学科方向）
机械制造工程系党支部	本科生第一党支部 本科生第五党支部	功能结构与器件智能制造研究生党支部 数字化与成形制造研究生党支部 数控加工制造研究生党支部
机械学系党支部		机械学研究生党支部
机械电子工程系党支部	本科生第二党支部	智能焊接研究生党支部 增材制造研究生党支部 机器人及智能控制研究生党支部 智能制造与测控研究生党支部
汽车工程系党支部	本科生第三党支部	汽车工程研究生第一、二、三党支部
高分子材料先进制造技术与装备研究所党支部	本科生第四党支部	高分子材料先进制造技术与装备研究生第一、二党支部
金属材料制备成形及装备研究所党支部		先进液态成形技术及装备研究生党支部 先进粉末冶金技术及装备研究生党支部
工业装备与控制工程系党支部		工业装备与控制工程研究生第一、二、三党支部
工程训练中心党支部	—	工业装备与控制工程研究生第一党支部
办公室党支部	—	—

学院师生党支部设置

第五，树立智造雄心，推动改革发展到位

针对国家战略性新兴产业发展以及产业结构转型升级等需求，学院坚持以党建引领助推学院中心工作，不断增强服务重大战略需求、培养国家急需紧缺人才的能力。

一是优化学科布局，对接国家重大战略需求。学院组织研讨学院发展战略和制定学科发展“十四五”规划，在智能制造、高端仪器、新能源智能汽车等领域进行布局，重点形成了先进制造装备设计理论与方法、精密机构及机器人技术、表面功能结构先进制造技术、精密检测与智能运维技术等四个特色研究方向，成立9个研究中心。从成立至今，9个中心先后前往省内多个地市进行路演，多次开展企业调研、合作洽谈、承办行业学术会议等学术科研活动。二是做好顶层设计，用好人才成长“指挥棒”。进一步推进完善建立以评价代表作、评价标志性成果为主要手段的评价考核制度，努力构建更科学合理、更公平公正的评价考核体系。以师德师风评价、学生培养质量、学生培养条件、导师学术水平为重要指标，完善研究生指标分配制度，既保证了分配公平性，又兼顾不同学科的发展需求。启动国家基金申报倍增计划，为青年教师选配有经验的教授进行一对一指导，学院国家自然科学基金

项目的申报量不断增长。三是发挥技术优势，服务区域经济社会发展。针对科技前沿和关键核心技术展开研究攻关，积极将研究成果进行产业化，服务国家乡村振兴战略。比如党员院士带领团队研制出高强度全回收地膜，用自主创新技术解决农用覆盖地膜的污染问题，获评第二届全国创新争先奖。学院鼓励科研团队致力解决行业共性科学难题，比如攻克晶硅光伏太阳能电池丝网印刷关键装备技术、半导体发光器件光功能结构设计与制造技术以及传热元件热功能结构设计与制造技术等，助力国民经济发展。学院通过建立创新联合实验室，为企业派遣科技特派员，与企业共建了数十个成果转化技术平台。

近年来，学院党委获评全国党建工作标杆院系、教育部“三全育人”综合改革试点单位、广东省教育系统先进基层党组织。全国党建工作样板支部顺利验收，2个党支部获评全省党建工作样板支部，1个团支部获评全国活力团支部，学院研究生会获评广东省优秀学生会。学院教师获评全国创新争先奖、全国先进工作者、广东省教育系统优秀党务工作者等称号，3名学生获评广东省优秀共青团员。

（三）党建与业务齐精进，这个工作室走出了新路径

——华南理工大学马克思主义学院基础教研室全国“双带头人”教师党支部书记工作室建设经验材料

习近平总书记对学校思政课建设多次作出重要指示，强调要“不断开创新时代思政教育新局面，努力培养更多让党放心、爱国奉献、担当民族复兴重任的时代新人”。如何守正创新推动思政课建设内涵式发展？加强思政课教师队伍建设，“双带头人”工作室何为？立足这些问题，华南理工大学马克思主义学院基础教研室党支部书记工作室（以下简称“工作室”）秉持“党建与业务齐精进 宣讲与科研显特色”的建设理念，发挥服务大局、辐射全局的作用，在建设实践中不断完善建设思路、创新建设举措、总结案例经验，探索出一条用学术讲政治、强党建促发展的“在马言马，在马信马”之路。

第一，“强学习”形成“四维一体”学习模式

工作室严格执行“三会一课”、谈心谈话、民主评议党员等组织生活制度，以“学习型”党支部为工作室的建设目标之一，开展了多场专题学习、讲座和研讨，深入学习贯彻习近平新时代中国特色社会主义思想，全面贯彻习近平总书记关于党的建设的重要思想，深入学习习近平文化思想和习近平总书记在学校思想政治理论课教师座谈会上的重要讲话精神等，在学思践悟中深刻感受思想伟力。定期举办“党建与业务齐精进”系列讲座，持续加

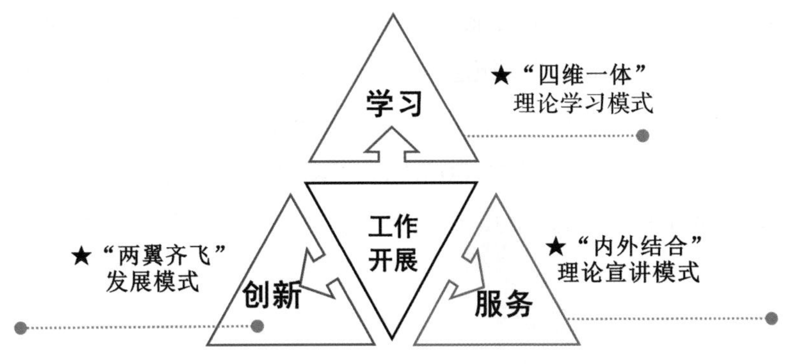

马克思主义学院基础教研室党支部书记工作室建设模式

强理论武装，固本培元、凝心铸魂。逐步推动形成“线上学习+线下学习、集体学习+个人学习、经典读书+聚焦时政、书记授课+集体讨论”的“四维一体”理论学习模式。以教师党支部带动学生党支部学、以老党员带动新党员学、以思政课教师带动广大学生学，确保党支部战斗堡垒作用和党员先锋模范作用深度发挥。探索符合高校实际、兼顾学科专业特点、可示范可推广的“双带头人”教师党支部书记工作室理论学习模式。

第二，“重服务”强化理论成果宣传推广

工作室充分发挥引领示范、辐射带动作用，通过系列活动推动党建品牌落地落实，探索习近平新时代中国特色社会主义思想进教材、进课堂、进头脑的实践路径。一是选派4名教师党员担任学院研究生党支部书记，发挥“教师党员—学生党员—广大学生”的涟漪效应，以“双带头人”教师党建带动“校级样板”学生党建高质量发展。二是响应省委宣传部、省文明办等部门的号召，开展广东省新时代文明实践中心结对共建工作，赴中山、江门等地开展结对共建基层理论宣讲，打通理论武装“最后一公里”。三是推进广州城市理工学院马克思主义学院党建共建工作，通过理论宣讲、学术讲座、思政课教学能力交流、思政课教学和科研资源共享等举措，在对口帮扶工作之中促进双方党建工作专业化、体系化、品牌化的同进发展。四是以“内外结合”的理论宣讲模式培育工作室成员“国之大者”情怀。邀请国内知名学者、党建专家围绕业务与党建、理论与实践的最前沿问题，开展学术讨论、实务指导等，满足了支部、学院、学校各级党组织的理论与实践需要，夯实了其理论水平和业务能力，支持学院、学校、对口帮扶单位的基层党建工作。同时，工作室以理论宣讲为主体服务大湾区基层党建工作。近两年，为政府、企业、学校等单位宣讲习近平新时代中国特色社会主义思想、开展基层党建业务能力培训达100余场、受众10000余人次，在大湾区基层党建领域形成了较强的影响力，进而提升了学校的影响力。

第三，“争创新”推动教学科研两翼齐飞

一是持续推动“影响力党员”培育工程，以“名片式”党员影响力带

动党支部发展的向心力和凝聚力，推动党支部建设进入更高更广的平台。二是坚持理论研究与教学实践相结合，助力学校与汕头市教育局开展大中小思政课一体化共同体项目，促进教育资源的优化整合、思政课师资队伍素质提升、思政课阵地载体建设等，创新性实践新时代思政教育理念，深度支持地方大中小学思政课一体化创建。三是以文化滋养党性，深入考察文化资源，拓宽"行走者工程"项目，打造"党建引领文化自信工程"活动品牌。通过实地调研中国国家版本馆广州分馆、杨匏安旧居和"初心·华南理工大学校史馆"等，全方位提升思政课教师的"四个自信"，探索把中华优秀传统文化更好地融入思政课教学、日常科研和理论宣讲工作的品牌化路径。四是始终坚持立德树人根本任务，积极利用校内外育人资源，开展多种形式的备课会议和研讨会议。在教学上，结合思政课育人目标，促进校史文化和地方优秀文化融入课程，累计为全校本科生讲授课程达9248小时、研究生讲授课程达3016小时。鼓励学生深入开展社会实践，结合课上课下、线上线下、校内校外多方面资源带动思政课教学入脑入心，深化文化自信培育。在科研上，工作室全体成员聚力发挥"学术带头人"和"党建带头人"的作用，扎实做好教学科研工作，认真做强党的建设工作，促进学术与党建双融双促。三年来，工作室成员累计共申报获批教学项目10余项，科研项目30余项，发表期刊文章40余篇，报纸文章30余篇，撰写咨政报告20余篇，党建促进教学科研业务精进卓有成效。

工作室坚持"党建与业务齐精进 宣讲与科研显特色"的建设理念，以"强学习·重服务·争创新"为建设内容，积极实施"影响力党员工程""行走者工程""党建引领文化自信工程"，创设"党建与业务齐精进"学术讲座品牌，逐步实现"书记强带动党员强，党员强推动支部强"的建设目标，先后获批学校、广东省、全国"党建工作样板支部"培育创建单位和高校"双带头人"教师党支部书记工作室培育单位，逐步打造成为新时代高校基层党组织中具有显著党建示范性、业务辐射性的坚强战斗堡垒。党支部书记获提拔担任中层领导，当选广东省第十三次党代会代表，被评为广东省优秀党务工作者。

（四）“双带头人”引领党建与业务“双向奔赴”

——华南理工大学前沿软物质学院教工党支部全国“双带头人”教师党支部书记工作室建设经验材料

如何发挥“双带头人”头雁领航作用，有力推动教师党支部建设与科学研究、学科建设等业务工作的双向奔赴和互融共赢？如何通过党建引领服务人才发展？如何在教育强国建设中示范引领、担当有为？让我们走进教育部第三批高校“双带头人”教师党支部书记工作室培育创建单位——华南理工大学前沿软物质学院教工党支部书记工作室，探寻他们的工作“密钥”。

工作室通过构建围绕思想引领、立德树人、服务师生、科技创新，支撑2个办学实体发展、4个教学科研平台建设的“4围绕+6支撑”党建工作机制，以“党建引领服务人才发展”为宗旨，以人才引育、教学科研、学科建设等工作为抓手，努力探索打造成为一个政治坚定、业务精湛、服务师生、推动发展的教师党支部书记工作室。

第一，围绕支部建设，强化政治功能

全面加强党的领导，更好地发挥党支部政治功能。一是加强思想建设，强化宣传引导。工作室坚持以习近平新时代中国特色社会主义思想为指导，通过建设一支根正苗红的党员队伍，发挥党支部在人才引进、教育教学、科学研究等重大事项中的思想引领、政治把关作用。坚持组织党员深入学习党的创新理论，确保党员在思想上政治上行动上同以习近平同志为核心的党中央保持高度一致；充分发挥新媒体平台优势，以学院官网和微信公众号“党群园地”栏目为阵地，宣传党的最新理论，引领师生听党话、跟党走；加强教师理想信念教育，强化对海外归国人才的政治引领，为学院教育教学事业提供坚强政治保证。二是加强组织建设，规范组织生活。工作室“敢想、敢做、敢干”，在严格落实“三会一课”制度基础上，积极探索创新工作方法；健全党员评优机制，强化党员“亮身份、争先锋”模范带头作用的发挥，加强对党员日常教育管理和评优评先的实效性；开展“我与支部书记面

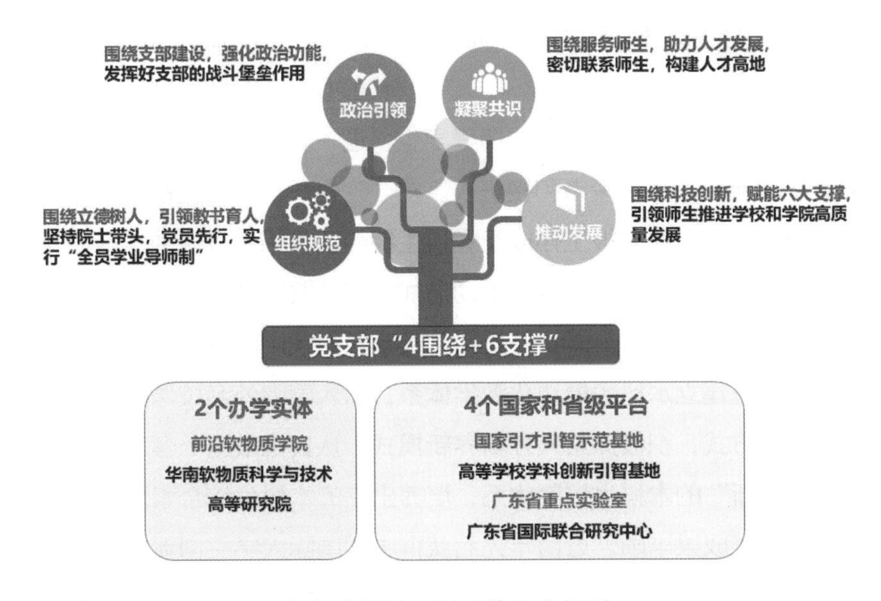

工作室“4围绕+6支撑”工作机制

对面”活动，设立“支部书记谈心日”，加强党支部与广大师生的联系；组织形式多样的党建共建活动，通过加强与行业龙头企业共建、带领青年教师“走出去”实地走访企业生产一线等，近距离了解市场技术需求和一线党员故事，深挖党建共建新模式，推进党建和业务工作深度融合。针对学院（研究院）海归高层次人才和外籍人才占比大这一特点，为加强对人才的全面服务和保障，解决海归人才回国工作生活面临的难点、痛点、堵点，工作室充分发挥战斗堡垒作用，通过与广东省委教育工委组织处党支部、广东省委组织部人才二处党支部共建，加强与上级机关的深入联系，加大政策引导力度，以党建引领人才聚集，以党建服务人才发展，引导青年教师心系国家，增强教师归属感获得感。

第二，围绕立德树人，引领教书育人

习近平总书记在致信全国优秀教师代表时强调，“大力弘扬教育家精神，牢记为党育人、为国育才的初心使命，树立‘躬耕教坛、强国有我’的志向和抱负”。在工作室的有力推动下，学院始终围绕立德树人，坚持院士带头，党员先行，实行“全员学业导师制”，每位教师既是科研工作者，

也是本科生的任课教师和学业导师，将科研工作、教师工作、学生工作一手抓。一是全员"导学＋导思＋导练"。通过"院长面对面""师生茶话会""科研项目进组"等多形式指导学生，进一步培养思想正、使命感强、能力突出的社会主义建设者和接班人。在"软物质科学与工程"新兴交叉学科和本科生新设专业申报工作以及本科生综合评价招生宣传中，凸显党员先锋模范作用，进而带动年轻教师主动参加学院公共事务。二是突出学生中心地位。坚持育人育才相统一，坚持用习近平新时代中国特色社会主义思想铸魂育人，通过建立本科生模块化教学体系，引入国内外名校课程资源，创办暑期学校等方式，积极探索人才培养新模式，认真推敲出一套"厚基础、高素质、强创新"的本科生培养体系，培养出来的本科生综合素质高、科研能力突出、竞赛成果丰硕。近两年先后获得中国国际大学生创新创业大赛国赛银奖1个、国赛铜奖2个、省赛金奖3个，"挑战杯"中国大学生创业计划竞赛省赛银奖1个，美国大学生数学建模竞赛（MCM/ICM）M奖（一等奖）1个，亚太地区大学生数学建模竞赛一等奖2个等。三是着力加强社会主义核心价值观教育。注重开展课程思政改革，通过潜移默化、润物无声的方式，实现知识传授、能力培养和价值引领三者的有机融合，严把研究生培养过程关和出口关，切实提高研究生培养质量，教学实践取得良好成效。已获批建设一批广东省研究生教育创新计划项目、广东省本科高校质量工程建设项目、校级一流课程、校级思政课程等，以党员为骨干成员的教师团队于2019年荣获"全国教育系统先进集体"称号，2022年荣获第二十四届"广东青年五四奖章集体"提名奖，2024年荣获"广东省工人先锋号"等多项省级以上荣誉。

第三，围绕服务师生，助力人才发展

一是坚持以服务为纽带，密切联系师生。一方面，发挥党员先锋模范作用，以科研服务国家战略，促进高科技成果持续落地转化。党支部书记协助青年教师推进项目落地，将引进人才开发的技术实现产业化；党支部党员科研负责人带领团队青年教师走访企业，加强产业端合作，实现技术从实验室到企业的转化；同时支持青年教师和科研团队以解决当下高端半导体行业

面临困境为目标开展相应材料研发，服务社会发展。比如学院青年人才开发了可以显著提升烧蚀防热树脂性能的添加剂，服务于新一代高速飞行器的研制。为了将该技术实现产业化，党支部书记协助该项目落地华南理工大学国家大学科技园顺德创新园区，实现科研成果“从1到100”的转化之路。另一方面，团结服务广大师生，持续夯实党支部战斗堡垒。由党支部副书记牵头创建“职工小家”，持续开展“访企拓岗促就业”“党员先锋岗”“我为师生办实事”等品牌活动，形成“师生有困难找支部”“有问题找党员”的良好态势。二是坚持以人才为根本，构建人才高地。一方面，发挥磁吸效应，汇聚优秀人才。人才是引领发展的重要驱动力，工作室始终以党建工作引领服务人才发展，发挥磁吸效应，做好人才梯队建设布局，汇聚杰出领军人才和优秀博士，密切联系海归人才切实解决归国困难，完善科研基础设施和大型仪器平台建设，为人才开展科研提供良好硬件保障。针对学院以海归人才为主，非党员比例较高这一特点，党支部通过党员轮流讲党课、与政府和企业党支部结对共建等多样形式，积极探索高校基层党组织建设的新思路、新方法，为党组织重点培育和吸纳新鲜血液，近3年共发展党员2人（其中1人为海外高层次引进人才），多位海归高层次人才表达入党意愿。

另一方面，发挥模范作用，着力培育人才。习近平总书记指出，“要把加强教师队伍建设作为建设教育强国最重要的基础工作来抓”。为打造一支师德高尚、业务精湛、结构合理、充满活力的高素质专业化教师队伍，工作室将工作重点与教师的个人成长和发展紧密结合，通过党员与非党员教师结对联系、开展新入职教师业务培训、党员示范深入组建交叉学科研究平台等举措，充分发挥高知党员的带头作用和党支部的战斗堡垒作用。多位党员及青年教师获得国家级人才项目资助，部分教师在党支部的帮助下，实现个人全方位发展，荣获“广东青年五四奖章”等多个省级以上荣誉。学院教师团队中国家级、省级标志性人才24人，占比69%。党支部在夯实人才培养土壤、培育高层次人才方面不断取得突破，进一步筑牢人才发展“高地”。

第四，围绕科技创新，赋能六大支撑

工作室在科技创新推动发展方面积极作为，通过党建工作的“领跑+示

范”效应，有力支撑2个办学实体发展、4个国家和省部级教学科研平台建设，初步建成了“学院+高端研究院”新型学科载体。一方面，以科研为导向，服务国家战略，在“高原”上建“高峰”。开展“新工科”科研，开创若干引领国际科技前沿和国家重大战略需求的新学术领域和方向，力争解决关键技术被外国“卡脖子”的难题，同时，积极与工业界合作，推动相关核心技术和科技成果落地。另一方面，以更加开放的思维和举措扩大基础研究等领域的国际交流合作。通过共建国际联合实验室、开展国际前沿课题合作、举办国际会议等方式，引导青年教师与国际优秀学者携手促进科技创新；另外，利用好党支部及教师团队的海外合作基础，结合华南理工大学广州国际校区在地国际化办学资源的优势，构建深度融合的国际合作网络，联系一批国际知名院校和科研机构，在人才培养、科技合作等方面取得创新突破。

工作室充分发挥党支部在教育、科研、服务等方面的战斗堡垒作用，通过创新工作方法、创建典型示范、建立长效机制、加强宣传推广等举措，推动党建与教学科研、人才培养等业务工作深度融合，有力促进了党建工作与学校、学院中心工作同步发展。近三年以党支部党员为主的科研教师先后在*Science*、*Nature Physics*等国际顶尖期刊发表前沿科技论文；团队坚持科研服务国家战略需求理念，在光学膜材料、芯片材料、铁电向列相液晶材料等方向实现从0到1的突破；“软物质科学与工程”新兴交叉学科建设卓有成效，被列入广州市重点学科（2022年）和新本科专业（2024年），“高分子科学”在U.S. News 2023年世界大学学科排名中位列第一，实现了党建与业务工作的双向奔赴和互融共赢。工作室在培育创建上为高校党组织提供了可复制、可推广的有效经验，为服务国家重大战略和地方经济社会高质量发展提供了有力支撑。

（五）组织育人1+1，发挥作用N次方

——华南理工大学机械与汽车工程学院本科生第三党支部“全国党建工作样板支部”建设经验材料

华南理工大学机械与汽车工程学院本科生第三党支部（以下简称本科生第三党支部）按照新时代基层党组织建设的总部署，对标“示范创建”和“质量创优”的总要求，持续实施“一工程·一行动·一模式”，以“（1+1）^{n}组织育人模式”创新为重点，深入推进“初心引领行动”和“细胞质量工程”，努力培育担当新使命的“急先锋”，努力打造建功新征程的“真堡垒”。

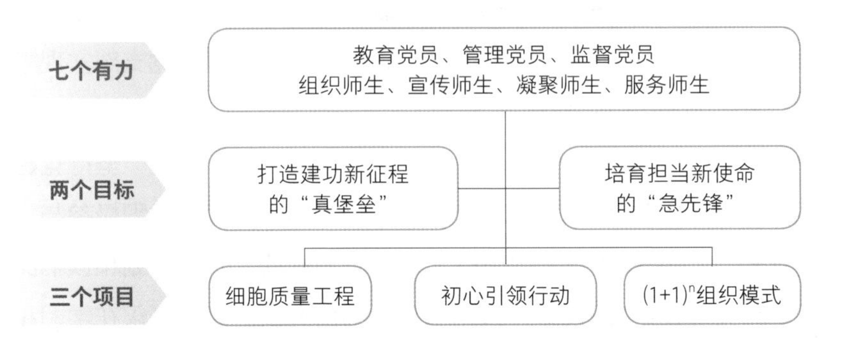

本科生第三党支部建设目标和总体方案示意图

（1+1）^{n}组织育人模式是本科生第三党支部学生党建组织模式的创新尝试，包含“党员1+1”“支部1+1”“党团1+1”“党群1+1”四个“1+1”。第一个“1”代表一个党员、一个党支部、一个党小组等组织元素，第二个“1”代表学生党建工作所面向的一个对象，如一名团员或群众、一个宿舍、一个团小组、一个团支部，也可以是另一名党员或者另一个党支部。“+”代表他们之间、他们与广大师生的联合、交错，“n”代表“1+1”的相互作用次数。党员、党支部、党团、党群之间的“1+1”组合数目越多，组织触角的覆盖面就越大；相互作用的次数越多，教育管理党员、组织凝聚群众的效果就可以呈指数形式增长。

一方面，（1+1）与“初心引领行动”同频，全方位落实教育党员有力，搭建了学生党支部组织、宣传、凝聚、服务师生的组织触角和神经网络。

一是从“党员1+1”入手，抓好党员的党性教育和锻炼。落实党员之间的谈心谈话制度是“党员1+1”的最初构想，通过入党谈话考察入党动机和对党的认识；通过党内谈话发现问题、开展批评、促进整改；通过开展“我们支部的那些党员”“大我小我·别样精彩”等系列访谈活动，党员之间交流思想，谈入党初心、讲党性故事。

二是与“支部1+1”并行，拓展学生党建中的朋辈教育。除了在支部内开展“党员1+1”，还主动联络其他党支部结对共建。比如与学校离休党支部的老党员共话峥嵘岁月，与教工党支部共同组织志愿服务活动，与其他学生党支部开展“放飞理想·祝福明天”联合组织生活。活动时两个党支部的党员随机结对，联动交流，学科交叉，思想碰撞。这时，党支部实现了“党员1+1”和“支部1+1”双管齐下。

三是向“党团1+1”扩展，促进党建带团建的有效实施。坚持党建带团建的工作原则，想方设法在学习教育活动中吸引团支部同学积极参与，实现“党团1+1”。2019年党支部举行“经典流转阅读”研习计划和读书比赛，联合3个党支部和2个团支部，共同学习、同台竞技。比赛不仅在学习和比拼中实现“党团1+1”，党团支部的核心成员还组成工作组，设计赛制，准备题库，现场组织，实现了党团齐心协力的活泼局面。至此，本科生第三党支部“党员1+1”“支部1+1”“党团1+1”的工作格局初步形成。从2020年开始至今，党支部利用每个暑假组织团支部开展理论研习，形成了党建带团建开展理论学习的常态化机制。

四是朝“党群1+1”推进，落实组织育人的“最后一公里”。积极探索“党群1+1”组织模式，吸引更多同学听党话跟党走，接受党的教育，共同成长进步。2021年上半年全面推进与低年级团支部的联系，推出“我是出题人，也是答题人——党团支部1+1，齐学党史庆百年”活动，积极组织和带动各团支部开展党史学习教育。这一活动从组织层面上看是“党支部+团支部”的“党团1+1”，但实质上是党支部指导团支部动员全体学生参加党史学习教育。此外，在组织建设方面，成立“方程式赛车队特色党小组”，即“一个特色党小组+一个学生专业团队”，旨在为特色党小组（车队党小组）在专业学生团队（华南理工大学方程式赛车队）中发挥作用提供组织保障；党支部党员积极对接大一新生，争做“青春同路人”，通过线下走访宿舍与线上建立沟通渠道相结合，了解新生思想、生活情况，经常为新生答疑解惑，帮助其更好适应大学生活。

另一方面，（1+1）^{n}与“细胞质量工程”同频，密切联系团支部和广大师生，全过程落实管理监督党员有力。

一是抓好孕育机制，在源头上落实质量攻坚行动。在入党申请人和入党积极分子阶段，抓好孕育机制，把好发展党员的“入口关”。2020年7月起，党支部发起“党员教育延伸计划”，以党小组为单位组织入党申请人和入党积极分子学习党的历史和马克思主义基本原理，加强对入党申请人和入党积极分子的党史教育和理论武装。在发展党员方面，坚持落实“1对正式党员+（1名预备党员+1名积极分子）”的“1+（1+1）”培养模式，使每个党员经历“被培养—观察培养—培养他人”的全过程培养，着力实现党支部全员参与发展党员工作，做到培养党员人人有责。此外，各党小组分工对接并指导团支部开展推优入党工作，建立党团支委联系机制，确保发展党员过程中的原则性和规范性。

二是促进生长机制，在过程中抓好党员质量提高。一方面，落实规范化的组织发展程序，结合孕育时期的培养情况，在接收预备党员、预备期教育考察、预备党员转正阶段将党员的健康生长与党员发展培养的具体党务工作有效结合，做到严格规范，弄通做实。另一方面，将党员的健康生长与教育党员有力有效结合，形成“理论自学—交流研讨—实践走读—成果展示”四步学习法，实施常态化的学习机制，通过“第一议题”学习、经典阅读、主题教育等方式，新老党员共同开展理论学习、党性教育、组织生活，实现了相互促进、共同提高的教育效果。

三是健全预防机制，在体制上保障纪律作风优良。扎实开展民主评议和组织生活会，组织党员开展自我检视、批评和自我批评、民主测评，并对测评结果一一予以反馈。通过严格执行谈心谈话制度，及时发现工作不积极、个人主义倾向等苗头性问题，以“党员1+1”（党员之间谈心谈话）加强党员的教育、管理和监督，通过经常性的教育把纪律学习教育落到实处。同时，党支部指定党小组组长对口联系团支部，建立监督反馈机制，邀请团支部成员参与组织生活，生成党员正负面清单，实施“党团1+1”和“党群1+1”，实现了管理党员有力和监督党员有力。此外，党支部还制定本科生第三党支部党员管理与监督工作方案，对党员日常组织生活开展纪律检查，量化考核结果，反馈至学年综合测评，接受广大同学监督。

四是完善迭代机制，在反思中提高党务工作水平。党支部实施资料管理制度，比较完整地保存了工作实践中的过程资料；实施党务培训制度，定期开展组织工作方面的培训与案例学习，针对发展党员的流程和问题进行系统化培训，共同总结党支部工作的经验和教训；实施组织联系制度，落实党团联系的工作机制、党团支委联系人制度、联席会议工作制度，实现“党团1+1”；对入党联系人、介绍人进行传帮带式培养，实现“党员1+1”；与兄弟党支部交流党务工作经验，实现“支部1+1”。

2018年创建以来，党支部在“一行动·一工程·一模式”的培育建设推进中，找准了路子，积累了经验，不仅有效引导支部党员发挥先锋模范作用，还用（1+1）^{n}组织育人的方式，以30名支部党员带动了300余名其他支部党员、青年学生1500余人次接受党的教育，取得了较好的成效。支部党员中先后11人担任学院学生组织主席团成员、学生创新团队负责人、社团负责人，毕业生党员深造比例为62.93%，毕业后在新的工作学习单位仍担任党团骨干的占比33.62%。此外，1篇工作论文、3篇工作案例在广东省思想政治工作优秀作品评选中获奖，其中一等奖2项，完成省级课题1项、校级课题1项，微党课《谁让我入党》入选全省高校精品党课，现已将党支部建设成果发表论文3篇，出版编著《（1+1）^{n}：高校学生党支部组织育人模式创新》。

党支部建设成果汇编出版

（六）大力弘扬教育家精神和科学家精神，探索高校教师党支部建设新范式

——华南理工大学材料科学与工程学院国重光电系党支部“全国党建工作样板支部”建设经验材料

华南理工大学材料科学与工程学院国重光电系党支部现有党员33人，其中院士党员2人、正高职称13人（包括国家级人才7人)，有博士学位的31人，高知党员占比达93%。近年来，党支部以“全国党建工作样板支部”建设为契机，大力弘扬教育家精神和科学家精神，充分发挥“全国高校黄大年式教师团队”和“国家重点实验室”的示范引领作用，在深化巩固学习型、创新型、科研型、服务型、廉洁型“五型”党支部建设成果的基础上，积极创新党建牵引力、业务驱动力、底盘支撑力“三力”协同、相互支撑的党建工作模式，在构建高校教师党支部建设新范式、引领教育、科技、人才融合发展方面进行了有益探索，取得了较好成效。

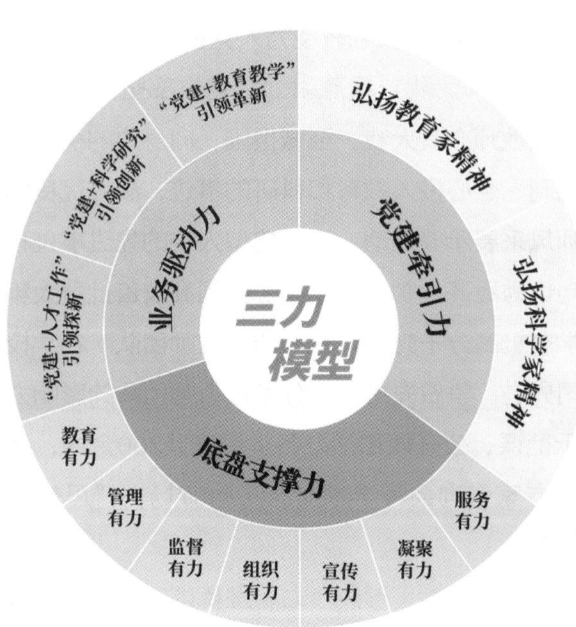

国重光电系党支部“三力”协同党建工作模式

第一，激活"党建牵引力"，弘扬教育家精神和科学家精神结出新硕果

依托"全国高校黄大年式教师团队"以及发光材料与器件国家重点实验室，聚焦弘扬教育家精神和科学家精神，强化价值引领和实践探索，积极推动党的建设与科研创新、教书育人深度融合，在树立先进典型、发挥榜样作用等方面结出新的硕果。

"五型"党支部建设生机勃勃。深化学习型、创新型、科研型、服务型、廉洁型"五型"党支部建设，通过持续加强理论学习、创新开展组织生活、立足科研做贡献、强化党章党规党纪教育、完善服务保障等，教育引导教师坚定理想信念，涵养本元正气，坚守育人初心，激发干事创业的牵引力，努力成长为"四有好老师"和"四个引路人"，做"四个相统一"的表率。党支部连续两次获评学校先进基层党组织，8人获评学校优秀共产党员，4人获学校抗击新冠疫情"先进个人"，2人在学校主题微党课比赛中获奖，1人获批学校党建研究课题。坚持"亲近、感召、鼓励、理性"的工作思路，积极在优秀青年教师中发展党员，政治引领和政治吸纳工作成效突出。近年来，党支部共发展高知党员6人，其中教授3人、副教授1人、博士后1人、实验专任教师1人。目前还有1名教授为入党积极分子。

"全国高校黄大年式教师团队"示范引领。党支部坚持把黄大年等科学家作为榜样，教育引导教师心有大我、至诚报国；向身边的榜样学习，号召教师学习院士淡泊名利、全心投入教育和科研的事迹，涵养优良学风。开展优秀导师评选、导师风采展示等活动，宣传典型人物的先进事迹和崇高精神，激励更多的导师向优秀看齐。制作专题片《全国高校首批黄大年式教师团队——华南理工大学有机高分子光电材料与器件教师团队》在学校主页播放，引领全校教师学习先进、争做先进。充分发挥教师团队的影响力，近五年团队成员讲授各类示范课、公开课和举办各类讲座共200余场，举办专题报告会、学术研讨会、专家咨询会等学术交流活动87场，"思想与科学"系列学术讲座30期。

发光材料与器件国家重点实验室形成合力。发挥国家重点实验室科研攻关和人才培养功能，凝聚形成两大合力。形成育人合力。围绕学习弘扬教育

家精神，每月开展一次师德师风教育活动，持续开展纪律教育活动月，定期开展师德师风培训，开展师德专题教育，发布“正师德 树师风”倡议书，教育引导教师坚守潜心立德树人、执着攻关创新的初心使命。坚持教育引导与激励约束相结合，成立师德监督小组，制定完善师德评价标准和评价体系，将师德师风情况纳入教师年度考核。形成科研合力。围绕习近平总书记关于科技创新的重要论述，围绕科学家精神，深入开展学习研讨，进一步增强教师科技强国意识、凝聚科技报国共识。实施青年教师导师制，加强新老教师传帮带，总计实现23对青年教师与专家结对联培，帮助青年教师成长发展。

第二，提升“业务驱动力”，推进教育、科技、人才统筹发展取得新突破

教育具有鲜明的政治属性、人民属性和战略属性。党支部牢牢把握这一点，坚持系统观念，强化党建引领，加强产学研协同合作，完善科教协同育人机制，推进有组织科研创新，推进教育、科技、人才融合发展取得突破性进展。

光电材料拔尖创新人才培养体系进一步完善。党支部所在光电系将国际前沿科学研究与产业应用有机融入本科教学，建立光电材料设计—器件研制—理化表征—应用集成为一体的全知识链知识体系，形成了特色鲜明的“全知识链人才培养模式”，受到了国内高校同行及业界的广泛认同。近年来，光电系共获得广东省教育教学成果一等奖3次，团队成员指导学生开展国家大学生创新创业训练计划、学生研究计划等创新科研项目41项，指导学生参加省级及以上科技竞赛获奖70项（其中国际级1项、国家级17项、省级52项），指导本科生以第一作者发表SCI论文15篇。1人荣获学校“十大三好学生标兵”，2019级光电班荣获校园“十佳班集体”。

落实“四个面向”的科研组织机制进一步健全。夯实基础研究优势，聚焦“四个面向”，把“卡脖子”问题作为党支部重大科研任务，完善科研平台共建共享机制，健全校企科研合作与技术服务机制，开展有组织科研攻关。在有机发光领域，解决关键发光材料受制于国外的“卡脖子”问题，推动我国OLED显示和照明领域的发展，研究水平国际领先，打破了国外对相

关领域的专利垄断。在有机光伏领域，研发了系列新型光伏材料及器件结构，多次突破有机/聚合物太阳电池国际同期最高效率；发展出新一代的柔性有机太阳电池生产线，实现有机太阳电池的大面积应用，突破了有机光伏可隔热发电的新型节能技术，为实现我国“双碳”目标助力。2019年以来，团队获批科研项目80项（其中国家重点研发计划牵头4项、课题10项，国家杰出青年科学基金项目1项，国家自然科学基金10项）；发表SCIE论文2000余篇，其中*Nature*正刊2篇；申请专利700余件，获授权专利600余件；转化专利20件，PCT申请15件，国外授权1件；获广东省丁颖科技奖1项。

“大师+团队”高层次人才队伍进一步建强。落实学院进一步加强国家及省部级科技项目和人才计划培育工作计划，发挥院士、高层次领军人才的引领作用，以才引才、以才育才。有组织培育“大师+团队”高水平人才队伍。有计划地构建更加有活力、梯度更加合理、实力更加雄厚的师资队伍，形成了老中青三代科研工作者薪火相传的人才梯队，使中国在有机半导体领域从跟踪到创新、逐步迈向领域前沿。有组织引进海外人才。将海外人才、国内学者以研究方向为单位有机融为一体，开展面对面交流、一对一跟踪联

2019年以来党支部所在团队科研成果

系，有效地促进了引进海外人才与国内科研骨干的无缝衔接。为战略科学家、领军人才量身定制引进方案，实现精准靶向引进，国际优秀青年学者引进力度不断加大。2019年以来，党支部共引进海外高层次人才4人、新入职准聘副教授1人、专职研究系列教师8人、博士后12人。

第三，筑牢“底盘支撑力”，落实“七个有力”和发挥“两个作用”实现新提升

党支部只有战斗才能成为推动事业发展的坚强堡垒和坚固底盘，“七个有力”是党支部组织力凝聚力战斗力的集中体现。党支部着力抓实基础、巩固底盘支撑、做到形神兼备，在发挥党员先锋模范作用和党支部战斗堡垒作用上取得了新的成效。

支部基础工作不断夯实。制度基础扎牢扎实。建立党支部标准化规范化建设清单66条，对党支部各项工作进行细化分解，明确支委及党员责任分工，确保党支部工作高效有序；制定支委职责、党员学习、谈心谈话、民主评议党员、党员联系群众、党员结对帮扶、请示汇报、述职评议、组织生活考勤等近10项制度，形成一套完整的党员教育、管理、考核、创优的制度机制，确保党员行为有章可循、有规可依。组织生活形神兼备。坚持内容导向、目标导向、问题导向和创新导向相结合，通过师生支部共建、校企结对共建等多种形式，举办科技创新成果展、科研经验交流会、科研创新竞赛等活动，创新开展组织生活；常态化开展谈心谈话，关心和了解教师的思想政治状况，及时回应教师关切。定期对党员进行民主评议和考核评估，发现问题及时纠正，确保党员始终保持良好的工作状态、党支部工作有序有力。

党员先锋作用更加突出。积极开展党员“亮身份、立标杆、展形象”系列活动，教育引导党员在教学科研学习生活中做表率、当先锋。当好落实立德树人根本任务的先锋。建设课程思政“模范课堂”，把思想引领贯穿专业课程、实践教学、创新创业教育、志愿服务全过程。3名优秀青年教师党员担任博士生党支部书记，作为“头雁”引领学生党支部。党支部党员踊跃报名新生导航课程，积极担当大一新生的领路人，总计26人次为新生讲授导航课程。当好开展科技创新和关键技术攻关的先锋。紧密结合国家发展战

略和行业需求，开展“党建融进来 科研活起来”系列活动，成立党员攻关小组，由党员骨干担任组长，带领团队成员攻克技术难题取得重大突破；设立科研岗位党员先锋岗，鼓励党员在科技创新中带好头、做模范。党支部所在科研团队教授荣获全国创新争先奖；在国际顶级期刊 *Nature* 上发表论文2篇。

支部战斗堡垒持续筑牢。积极参与学院重大决策。团结带领党支部教师落实立德树人根本任务，不断提高人才引育质量，在教师入职、考核、评优、晋升时考察政治立场、思想素质、师德师风，并给出明确意见。党支部在教师入职、职称评审、教师晋级、年度考核、项目申报、评优评先、校外兼职、博士后进出站等事项中进行师德师风考察和政治把关。带头攻坚克难解决“卡脖子”问题。党支部组织国家重点实验室迎难而上，解决我国显示领域、光伏领域、物联网领域的材料基本科学问题，突破关键材料设计、制备等核心技术，争取自主知识产权，推动我国有机光电材料的国际引领发展，实现有机/高分子光电材料的全面国产化。积极倡导党员联合其他科研人员，开展交叉合作研究，努力把党支部所在单位建成具有国际竞争力的高水平光电材料与器件领域教育研究机构，不断为我国材料科学与工程领域的科学进步与产业发展做出贡献。

基层党建工作实质上是从政治角度做人的工作。光电系党支部具有鲜明的“高知”特点，在创建样板支部的过程中，党支部把解决广大教师、科研人员的思想问题与解决教学科研发展等实际问题有机结合起来，紧紧围绕业务工作、紧密结合师生需求、紧密联系工作实际，全方位做好高知分子的工作，把广大教师和科研人员紧密团结在党的领导下，潜心立德树人、执着攻关创新，积极服务国家重大战略需求，着力培育堪当民族复兴大任的时代新人，为教育强国建设、实现高水平科技自立自强贡献力量。

（七）“一靶点三通路”，让这个教工党支部“医”路“生”花

——华南理工大学生物医学科学与工程学院教工党支部“全国党建工作样板支部”建设经验材料

党的二十大报告将“健康中国”确立为我国到2035年发展总体目标的一个重要方面，强调把保障人民健康放在优先发展的战略位置。全面推进健康中国建设需要以科技创新为支撑，生物医学工程学科作为工程技术与生命科学的交叉融合领域，从重大疾病新药创制到高端医疗器械研发，不断推动医疗科技创新成果的广泛应用，让医疗“有药用”“有良器”。

华南理工大学生物医学科学与工程学院教工党支部以党的政治建设为统领，落实立德树人根本任务，深入探索党建与事业发展的深度融合，以高质量党建引领高质量发展为方法路径，充分发挥辐射带动作用和内外联通作用，建立“一靶点三通路”的党建工作机制，将党建的“靶点”精准定位在人才培养、科技创新、社会服务三个方面的发展通路上，激发教师党员发挥先锋模范作用。

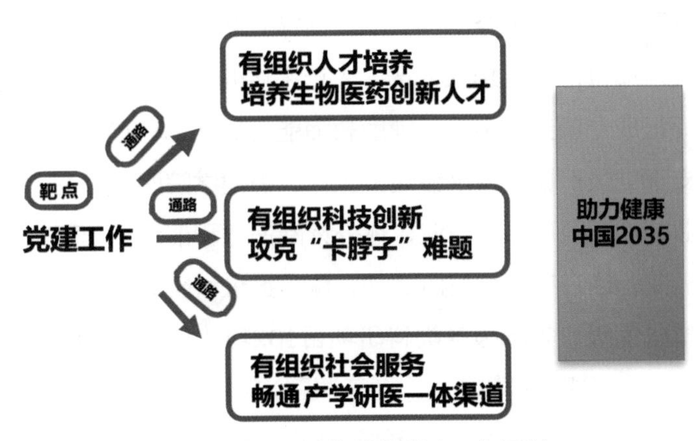

“一靶点三通路”支部党建工作机制

第一，以做好教师思想政治工作为靶点，搭建有组织人才培养通路

党支部现有正式党员25名，党员中博士和高级职称党员占72%（含国家高层次人才11人），海归党员占48%。党支部落实立德树人根本任务，加强党员队伍作风建设，弘扬高尚的师德师风，做好教工党支部育人责任的

顶层设计。在学院立体化、全方位大思政格局下，党支部把思想育人、实践育人、服务育人理念贯穿支部建设和党员教育全过程。党员教师带头深入学生一线，发挥思想引领作用，培育2019级生物医学1班团支部荣获“全国五四红旗团支部”称号。在课程建设中推行“1名党员教师+1名普通教师+1门课程”结对，不断深入建设生物医学工程专业课程思政。做好人才培养顶层设计，制定了强化培养过程管理、夯实在地国际化培养体系、落实本科生学业导师制等多项制度，着力提高学生培养质量。学院生物医学工程专业2021年入选国家级一流本科专业建设点，2022年进入软科“世界一流学科排名”36位，2018—2024年在软科“中国最好学科排名”保持前10%，学科影响力稳步提升。

第二，以坚持面向人民生命健康为靶点，搭建有组织科技创新通路

一是党建引领业务发展，做优有组织科研，科研项目量质齐升。党支部坚持党管人才，强化政治引领，通过“1名支部党员+1名引进人才”的结对举措，发挥全体党员在人才引育上的联系作用，让人才“进得来”“留得住”“长得好”。自成立至今，党支部共指导32名海外引进人才申报国家、省部级青年人才项目，其中14人入选，入选率达44%。选派有经验的党员教师和党外教师组成专项工作小组，辅助教师能力提升，构建有组织科技创新工作机制。支部党员积极投身平台建设工作，组建学院四大研究中心，面向生物医药产业、无源医疗器械产业、体外诊断产业和前沿基础研究，创新医工交叉合作机制，通过有组织科研活动，深入推进科研成果转化。近三年，学院教师获批国家级、省部级各类科研项目102项，其中包括国家重点研发计划（首席）2项、国家重点研发计划子课题13项、国家自然科学基金重点项目3项。获批建设国家药品监督局创新生物材料医疗器械研究与评价重点实验室。二是党建引领攻克“卡脖子”问题，面向人类健康重大需求，创新成果不断涌现。由党支部牵头梳理“卡脖子”问题清单，支部党员带头攻坚克难，勇挑重任，推动教学科研创新创优。党支部书记充分发挥“头雁”作用，助力企业研发了全球近五年来唯一上市的脂质体纳米新药——米托蒽醌脂质体（多恩达），这也是我国唯一获得美国临床许可和孤儿药（又称为

“罕见药”）资格的脂质体纳米药物，有力支撑和推动了我国纳米药物制剂的进步。支部党员致力于攻克“肿瘤”这一健康难题，以克服抗癌药物体内递送屏障、提高药物递送效率为目标开展研究，围绕肿瘤微环境响应纳米生物材料领域发表高水平论文40余篇，获得授权发明专利10余项，推动了我国新一代纳米生物材料的应用转化研究，相关成果获2021年广东省自然科学一等奖。

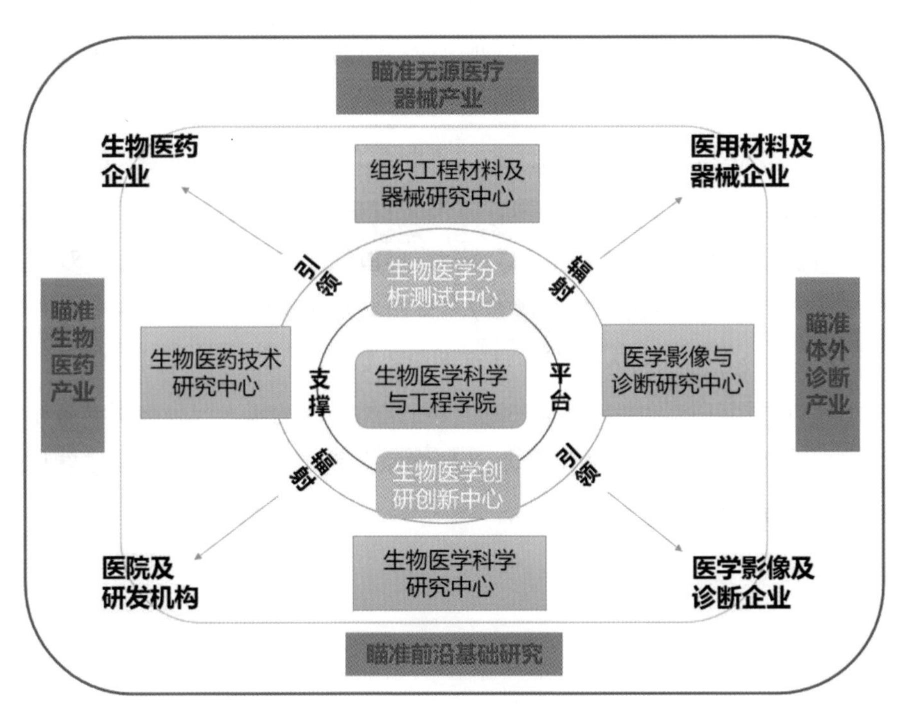

支部党员投身四大研究中心建设，开展有组织科研

第三，以服务区域产业发展为靶点，搭建有组织社会服务通路

党支部充分发挥“孵化器”作用，助推人才服务区域发展，发挥医工交叉融合的特点，积极拓展产学研合作，有效拓展党支部示范引领途径，促进党建与业务工作同频共振，服务生物医学人才助力粤港澳大湾区生物医药产业发展。创建产学研协同创新机制，通过产学研创新联盟（2009年）、部省共建协同创新中心（2018年）和国家药监局医疗器械监管科学研究基地（2019年）等平台，成功对接20余家三甲医院和30余家企业，以党建共

建带动构建“医工研企政管”合作体，深入推进科研成果转化。构建产学研协同育人机制，与龙头企业搭建校企联合培养基地，邀请企业导师担任学院兼职教授，创新生物医药领域领军人才培养。建立“我为师生办实事”长效机制，党员牵头管理生物医学分析测试中心，为全校师生提供7×24小时自主、开放、共享、有序的仪器使用服务，支撑了材料、生物、医学院、附属医院等多个院系的高水平研究，年度预约使用15437次，使用时长21507小时。积极动员党员挂帅担任科普导师，指导高中生开展多场综合实践，组织开展青少年近视防控、心理健康科普讲座、急救培训、暑假科技特训营等各类服务师生活动。

党支部围绕立德树人根本任务，不断深化“一靶点三通路”的党建工作机制，充分发挥战斗堡垒作用，激发先锋模范活力，先后获批学校、广东省、全国“党建工作样板支部”培育创建单位。在党支部书记“双带头人”引领下，2020—2023年共培育7名党员教师入选国家、省部级青年人才项目，国家级人才项目入选者占党支部总人数的44%。3名党员担任学院领导，5名党员担任过学生党支部书记。1名党员连续两年入选高被引学者和科学家榜单，3名党员入选“全球前2%科学家”榜单，5名党员牵头或参与国家重点研发计划。

（八）构筑党建育人新高地，看这个博士生党支部有何妙招

——华南理工大学自动化科学与工程学院博士生第二党支部“全国党建工作样板支部”建设经验材料

习近平总书记在内蒙古考察时强调，“科研工作者要把论文写在大地上，把实践中形成的真知变成论文，当党和人民需要的真博士、真专家”。如何培养党和人民需要的真博士、真专家？怎么更好地发挥博士生党支部的战斗堡垒作用，凝聚起博士生的力量，服务学校、粤港澳大湾区的高质量发展？华南理工大学自动化科学与工程学院博士生第二党支部用实际行动给出了答案。党支部始终以科学家精神为引领，开展“筑梦铸魂”支部培育工程和“德才兼备”人才培养工程，引导全体成员树立科技报国之志，锤炼过硬本领，投身前沿技术攻关，努力做到“躬行践履、勇攀高峰”，奋力书写华工学子为中国式现代化挺膺担当的新篇章。

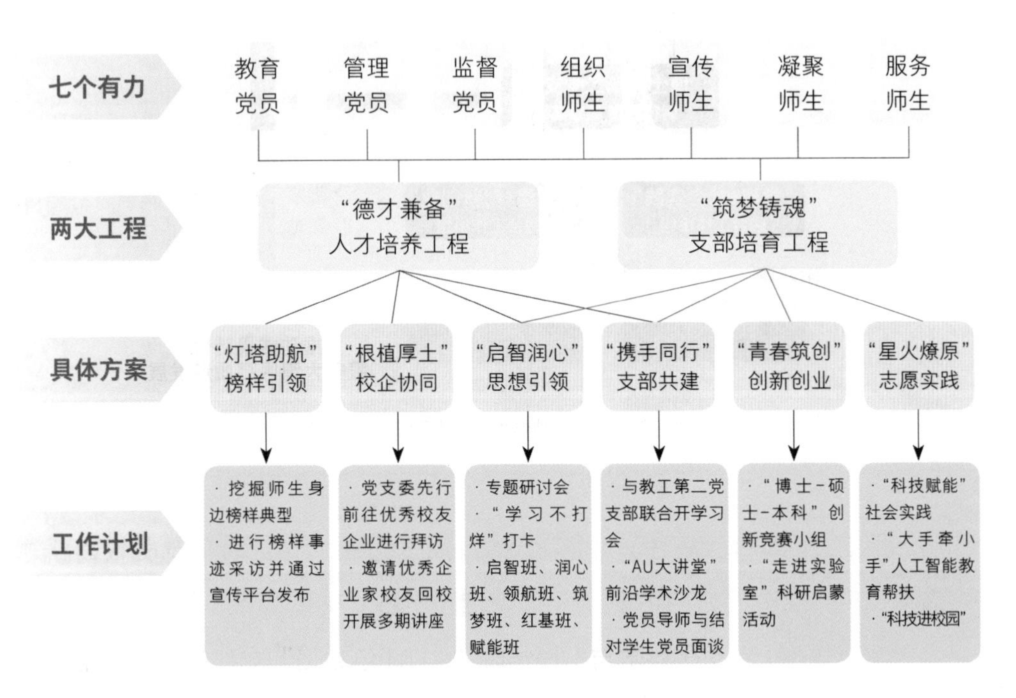

自动化科学与工程学院博士生第二党支部建设方案

第一，强化党建引领，下好顶层设计“先手棋”，优化组织建设新机制

将党建工作作为一贯到底、强劲有力的“动力主轴”，以“党建链”引领带动“科研链”和“人才链”。结合新时代学生党员特别是博士生党员教育的特点和需求，聚焦科学研究主战场，打造组织建设驱动科研攻关、科技创新创业的示范工作体系，构建“三共建、两融合”的支部工作体制机制；制定和完善支部工作制度、党员学习制度、日常考勤制度等，确保各项工作有章可循、有据可查；建立健全支部监督机制，确保各项工作落到实处；充分发挥学院教工、朋辈引领的育人作用，多维度、多角度、多层次全方位加强博士生党支部建设工作。

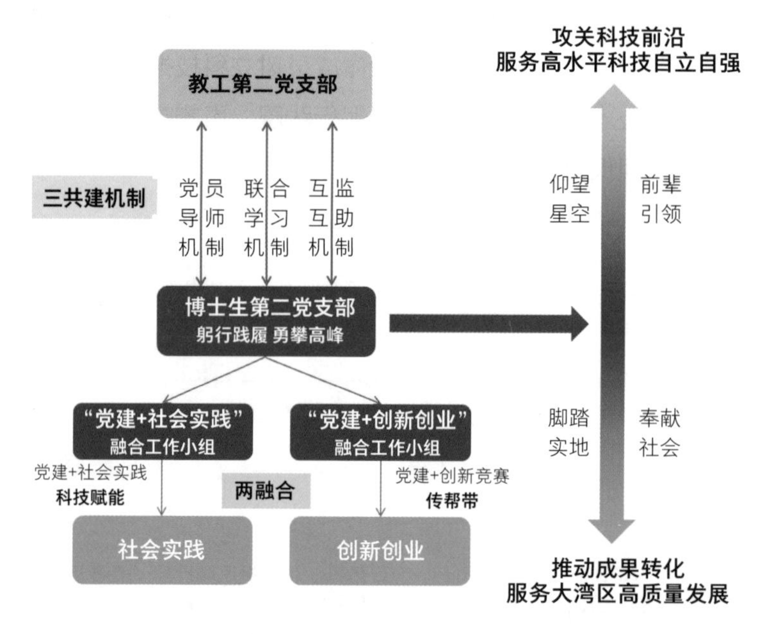

“三共建、两融合”支部工作体制机制

第二，创新教育形式，打造品牌育人“强磁场”，丰富党员教育新载体

党支部依托自动化科学与工程学院“AU红色之路”党建品牌，聚能主题党日，围绕“筑梦铸魂”支部培育工程和“德才兼备”人才培养工程，

精心打造了“启智润心”“星火燎原”“青春筑创”“携手同行”“根植厚土”“灯塔助航”六大板块活动，比如在传统的红色印迹调研活动形式中融入City Walk热点，开展“行走的党课”；分组开展“学习榜样守初心，以案为鉴知敬畏”主题活动，抓牢支委、党小组组长等党员骨干，推动党纪学习教育抓紧抓实引向深入；建立博士党员学术档案和成果数据库，展示博士生的优秀科研成果，营造你追我赶、奋勇争先的浓厚氛围；定期举办“AU红船领航”内部交流会，结合理论学习内容，支部党员根据各自领域的研究内容、研究思路和研究方法等进行沟通与讨论，在交流中集思广益，拓宽学术视野，树立远大理想，砥砺奋进力量，促进党支部建设与科研实践互融共进；为增强博士研究生党员科技报国的担当情怀，以五四青年节为契机，推出“青年人答青年人”特别策划，由“你理想中的当代中国青年应该是什么样子”引发针对博士生群体角色转换、读博规划、AI工具影响、理想现实落差等方面的思考与回答；在研究生公众号中开设“AU红色之路”专栏，充分利用线上平台开展学习打卡、原文诵读等活动，营造“处处是课堂，时时受教育”的浓厚氛围。

第三，聚合力促发展，搭建师生沟通“连心桥”，解锁联学共建新路径

党支部积极拓展联学联建版图，通过活动联办扩大“朋友圈”、组织联动打造“服务圈”。党支部与学院党委理论学习中心组共同开展《中国共产党纪律处分条例》学习接龙，通过原原本本、逐章逐条接力诵读的学习方式，加深对《中国共产党纪律处分条例》的理解把握。打造“党建+学术”协同发展的研学机制，在学院教工党支部的带动下攻关科技前沿，服务高水平科技自立自强。通过党员导师制、联合学习机制和互监互助机制，党员导师与学生进行结对交流，充分发挥教师党员的示范引领作用，促进双方在支部建设、理论学习和业务学习方面共同进步与发展。依托“党建+社会实践”和“党建+创新创业”两个融合工作小组，与本科生党支部开展联学共建组织生活，共同开展专题理论学习、科技赋能社会实践、传帮带学术交流、文体活动、谈心谈话等，携手构建初心向党的“进步搭子”，让博士生

和本科生同受益、双促进、共提高。走进各类重点企业学习先进经验，与广州市轨道交通产业联盟党委开展交流，学习联盟党建引领新质生产力、推动产业高质量发展新范式。

第四，聚焦主责主业，激活科技创新“红引擎”，激发社会实践新动能

党支部聚焦落实“党建+创新创业”和“党建+社会实践”协同育人，探索党建和创新创业、志愿实践相结合的工作机制，以融合创新竞赛、志愿实践提升党建活力，将党建“软实力”源源不断转化为科技创新“新动力”、志愿服务“新活力”。通过组建“博士-硕士-本科”创新竞赛项目组，开展创新竞赛技术经验分享会等形式，支部党员积极参与、指导各类科技创新竞赛，提升自身科研、实践、教学能力，促进跨学科领域的知识交融与创新思维互动。党支部将科研创新由校园延伸到社会、企业、社区、田间地头，推动知识产权和科技成果转化落地。比如，积极响应广东省“百千万工程”行动号召，面向清远市英德市桥头镇开展“AU赋能　智慧排污”志愿实践，组建突击队助力桥头镇污水处理设施升级改造，践行“两山”理论，将论文写在祖国大地上。党支部把社会实践与专业学习相结合，以前沿技术赋能志愿实践，将校园“小课堂”与乡村“大课堂”贯通，坚持用学科优势和专业特长服务地区发展。开展“科技进校园”科创科普活动、前沿技术课程培训等，服务版图遍及两省四市七校，涵盖小初高各学年段数千人次。

支部党建引领工作扎实，育人育才成效显著，党支部先后荣获校级先进基层党组织、“广东省党建工作样板支部”培育创建单位，2024年3月入选第四批“全国党建工作样板支部”培育创建单位。近三年，党支部聚焦“人工智能+”等国家重大战略，发表高水平学术论文百余篇，申请专利50余项，参与各类国家重大项目40余人次，获得省部级及以上竞赛奖项10余项，积极投身自主系统与网络控制教育部重点实验室、精密电子制造装备教育部工程研究中心、广州实验室、人工智能与数字经济广东省实验室（广州）、超级机器人研究院（黄埔）等重点平台的建设，以实际行动服务高水平科技自立自强。